THÉORIE SYNTAXIQUE ET
SYNTAXE DU FRANÇAIS

NICOLAS RUWET

THÉORIE SYNTAXIQUE ET ⌊SYNTAXE DU FRANÇAIS⌋

ÉDITIONS DU SEUIL
27, rue Jacob, Paris VIᵉ

CE LIVRE
EST PUBLIÉ DANS LA COLLECTION
TRAVAUX LINGUISTIQUES
DIRIGÉE PAR NICOLAS RUWET

© *Éditions du Seuil, 1972.*

à Roman et Krystyna Jakobson

Avant-propos

On trouvera ici réunis les principaux articles que j'ai écrits ces dernières années sur la grammaire générative du français. Ces articles sont parus, soit en français, soit en anglais, et le plus long (chap. v) est inédit. Tous ont été assez profondément remaniés et augmentés. Ils portent sur des problèmes étroitement apparentés : syntaxe du verbe, rapports entre syntaxe et lexique, entre syntaxe et sémantique, justification et limitations du modèle transformationnel [1].

Deux idées sont centrales dans ce livre. La première, d'ordre méthodologique général, est qu'il est toujours nécessaire de faire la distinction entre une description qui « marche » et une description vraiment explicative. Le modèle transformationnel est très puissant, et certaines innovations récentes — introduction dans la grammaire d'un lexique richement structuré, de règles de redondance lexicales, de règles d'interprétation sémantique de diverses sortes, ou encore de contraintes « globales » sur les dérivations — ont encore augmenté cette puissance. Aussi, chaque fois qu'on traite de tel ou tel problème syntaxique particulier, il est généralement possible, dès l'abord, de concevoir un certain nombre de descriptions différentes qui toutes, du moins à première vue, permettent de rendre compte des faits. Il n'est donc pas très intéressant de proposer une description et de s'en tenir là. Il s'agit au contraire d'envisager systématiquement les diverses solutions possibles, et d'essayer de déterminer, tout d'abord si ces solutions ne sont pas en fait simplement des variantes notationnelles équivalentes, et ensuite, si ce n'est pas le cas, laquelle

---

1. J'ai exclu de ce recueil mon article « A propos des prépositions de lieu en français » (*Mélanges Fohalle*, Ch. Hyart, éd., Gembloux : Duculot, 1969) qui est écrit dans une perspective un peu différente. J'ai exclu également deux textes qui ont circulé sous forme miméographiée, et qui me paraissent maintenant dépassés : « Adverbs. A note on the question : Where do they all come from? » (MIT, 1968), et « Le principe cyclique et le principe non-cyclique dans la syntaxe transformationnelle du français » (Vincennes, 1969).

est empiriquement la plus significative. Cette démarche amène toujours à étendre le champ de la description à d'autres faits, parfois à première vue très différents de ceux qu'on avait considérés tout d'abord. Chaque chapitre de ce livre est ainsi organisé qu'il présente plusieurs solutions à un problème déterminé, et qu'il essaie de trancher en faveur de l'une d'elles, qui ne sera pas nécessairement du même type dans chaque cas.

La seconde idée concerne la forme générale d'une grammaire générative, et en particulier le statut du niveau de la structure profonde. Ce niveau avait d'abord été introduit pour résoudre un certain nombre de problèmes syntaxiques que le modèle syntagmatique était incapable de traiter. Récemment, l'intérêt de plus en plus grand porté par les linguistes génératifs aux questions sémantiques a amené certains d'entre eux à mettre en doute la validité d'un niveau autonome de structure profonde, distinct à la fois de la structure superficielle et de la représentation sémantique. Ce livre s'attache à montrer qu'il est nécessaire, pour des raisons aussi bien syntaxiques que sémantiques, de conserver ce niveau, et s'efforce de circonscrire plus précisément certaines de ses propriétés.

Quelques remarques sur la notation utilisée. Dans l'*Introduction à la Grammaire générative*, j'avais systématiquement introduit des symboles français (P, SN, SV, etc.). Il me semble maintenant préférable d'unifier la notation et de revenir à la notation anglaise. J'emploierai donc les symboles suivants : S pour phrase (*sentence*), NP pour syntagme nominal (*noun phrase*), VP pour syntagme verbal (*verb phrase*), AP pour syntagme adjectival (*adjective phrase*) et PP pour syntagme prépositionnel (*prepositional phrase*); je désignerai aussi les adjectifs simplement par A et les prépositions par P. De plus, j'utiliserai occasionnellement le symbole -pé (ou simplement -é) pour désigner l'affixe de participe passé. Quant aux noms des transformations (qui figurent toujours en capitales, par exemple PASSIF, EXTRAPOSITION), je les ai en général traduits, tout en conservant parfois le terme anglais, quand il s'agit de transformations qui ne jouent qu'un rôle épisodique dans ce livre, ou qu'il est trop difficile d'imaginer un terme français à la fois court et frappant.

Les références entre parenthèses renvoient à la bibliographie qui est donnée en fin de volume.

Il m'est impossible de remercier comme il le faudrait tous ceux qui, à un titre ou l'autre, ont permis à ce travail d'être mené à bien. A Noam Chomsky et à Morris Halle, je dois presque tout, comme quiconque travaille sérieusement en grammaire générative; leur influence est présente à chaque page de ce livre. Je leur suis également redevable, ainsi qu'à Roman Jakobson, d'avoir pu passer un an, en 1967-1968, comme Postdoctoral Research Fellow, au Département de linguistique du MIT, où j'ai vraiment appris à travailler. Je tiens aussi à remercier, pour leurs conseils, leurs critiques, leurs encouragements, tous mes amis linguistes en France et aux États-Unis, et, tout particulièrement, Ed Klima, Haj Ross, Yuki Kuroda, David Perlmutter, François Dell, Ray Jackendoff, Mike Helke, Maurice Gross, Jean-Claude Chevalier, Jean Stéfanini, Dick Carter, et Jean-Paul Boons. J'ai une dette spéciale envers Jacques Mehler, qui m'a révélé l'importance du point de vue psycholinguistique pour traiter des problèmes qui avaient d'abord paru d'ordre purement linguistique : son influence est sensible dans le chapitre VI de ce livre. J'ai beaucoup appris de mes contacts avec Joe Emonds, dont l'imagination et l'art de trouver des solutions hors de sentiers battus sont particulièrement stimulants. Ce que je dois à Richie Kayne est incalculable : par sa rigueur, il m'a contraint, au cours des nombreuses discussions que nous avons eues depuis quatre ans, à toujours pousser plus loin mes analyses; il retrouvera dans ce livre, peut-être déformés, bien des arguments qu'il a été le premier à suggérer. Enfin, je tiens à remercier, pour leur patience et leur collaboration, mes informateurs, tout particulièrement Jacqueline Benoît, et mes étudiants, parmi lesquels Roland Dachelet, Marie-Louise Moreau, Mitsou Ronat, Anne Hertz, Henk van Riemsdijk, et Hans Georg Obenauer.

A Émile Benveniste, qu'une cruelle maladie tient éloigné de nous, je me dois de dire combien déterminants ont été pour moi la lecture de ses travaux et ses cours au Collège de France. Je souhaite qu'une complète guérison le ramène bientôt à la linguistique, qui a encore tellement besoin de lui.

En dédiant ce livre à Roman et Krystyna Jakobson, j'accomplis une promesse. Qu'ils trouvent ici un témoignage de respect, d'affection, et de fidélité.

Je tiens enfin à dire ma reconnaissance aux maisons d'édition qui m'ont aimablement permis de reproduire ici des textes dont elles avaient publié les premières versions : la Librairie Larousse (Paris), Mouton (La Haye), North Holland (Amsterdam), Reidel (Dordrecht, Holland), et Editrice Lint (Trieste).

Paris, février 1972.

1

Quelques développements récents
de la théorie générative *

1. *L'Introduction à la Grammaire générative* (*IGG*), parue en 1968 mais terminée à la fin de 1966, donnait une image à peu près adéquate de l'état de la grammaire générative vers 1965. Depuis, la grammaire générative a connu un tel développement, les recherches concrètes et théoriques se sont tellement multipliées — sans cependant qu'un travail de synthèse nouveau, comparable à ceux de Katz-Postal (1964) et de Chomsky (1965) soit paru à ce jour — qu'il y faudrait un autre volume, aussi gros que le premier, pour en donner une idée. Dans ce bref chapitre, je ne pourrai qu'attirer l'attention sur certaines directions de recherches qui, personnellement, me paraissent particulièrement importantes, du point de vue de la théorie générale.

Ce qui frappe tout d'abord quand on considère les recherches actuelles, c'est que la belle unité théorique qui caractérisait les linguistes se réclamant de Chomsky il y a cinq ou six ans a, en apparence du moins, disparu. On a vu surgir toutes sortes de divergences, accompagnées souvent de polémiques assez âpres. Il est possible, cependant, que ces divergences soient moins nettes que le ton des débats ne le donne à penser, et il n'est pas toujours facile, en face de telle innovation en apparence radicale par rapport à la théorie « standard » (c'est ainsi que Chomsky appelle maintenant la théorie exposée dans Chomsky (1965)), de faire la part de ce qui est une véritable nouveauté, empiriquement significative, et d'un simple changement terminologique. Aussi, avant toute chose, il importe de donner un cadre général, qui serait sans doute accepté par tous les linguistes génératifs travaillant actuellement. Je suivrai ici de très près la formulation de Chomsky (1971; voir aussi Chomsky, 1972 et Lakoff, 1971).

---

* Version remaniée de l'original français d'un texte paru en appendice à la traduction anglaise de l'*Introduction à la grammaire générative*, Amsterdam: North Holland (1972).

La grammaire d'une langue quelconque peut être conçue comme un système de règles qui fait correspondre une représentation sémantique et une représentation phonétique des phrases de cette langue. Ces deux représentations sont données en principe [1] dans les termes de deux systèmes universels, indépendants des langues particulières : un système de représentation phonétique, dans le style de celui proposé par Chomsky et Halle (1968), et un système de représentation sémantique, dont la nature, comme chacun sait, est encore largement inconnue. La grammaire spécifie, d'autre part, un ensemble infini de structures superficielles bien formées, qui sont converties en représentations phonétiques par un système de règles phonologiques [2]. La grammaire contient aussi un ensemble de règles de transformation, dont chacune convertit un indicateur syntagmatique en un autre indicateur syntagmatique. Ces règles de transformation sont soumises à diverses contraintes, les unes universelles et les autres propres à des grammaires particulières. Une grammaire, ainsi conçue, engendre un ensemble infini K de dérivations, c'est-à-dire de séquences finies d'indicateurs syntagmatiques, de telle sorte que chacune de ces séquences $P_1,..., P_n$, satisfait aux conditions suivantes :

(1) (i) P_n est une structure superficielle;

(ii) chaque P_i est formé par l'application d'une transformation à P_{i-1}, en conformité avec les conditions sur les transformations;

(iii) il n'y a pas de P_0 tel que P_0, $P_1,..., P_n$ satisfasse les conditions (i) et (ii).

L'indicateur syntagmatique P_1 est dit indicateur syntagmatique *K-initial*, et les membres de K sont appelés les *structures syntaxiques* engendrées par la grammaire.

De plus, la grammaire contient un lexique, ensemble non-ordonné d'entrées lexicales dont chacune spécifie les propriétés syntaxiques, sémantiques et phonologiques d'un item lexical. Chaque entrée lexicale incorpore un ensemble de transformations qui insèrent

---

1. Je dis bien en principe, car, en ce qui concerne le système universel de représentation sémantique, de sérieux doutes subsistent sur la possibilité de le construire; cf. quelques remarques à ce sujet ci-dessous, section 3.3.

2. Certains travaux récents (cf. Bierwisch, 1968, Bresnan, 1971) ont remis en question, dans une certaine mesure, l'idée que seule l'information syntaxique contenue en structure superficielle est nécessaire pour l'interprétation phonétique des phrases, mais je n'en dirai pas plus ici.

l'item lexical en question dans les indicateurs syntagmatiques, selon la condition suivante :

> (2) une transformation lexicale associée à l'item lexical I convertit un indicateur syntagmatique P contenant une sous-structure Q en un autre indicateur syntagmatique P′ formé en remplaçant Q par I dans P.

Toutes les théories qui ont été proposées depuis et y compris la théorie standard peuvent être conçues comme visant à spécifier d'une manière ou d'une autre ce cadre général. Ainsi, la théorie standard ajoute aux conditions (1) et (2) la condition suivante :

> (3) Étant donné $(P_1,..., P_n)$ dans K, il existe un i tel que pour $j < i$, la transformation utilisée pour former P_{j+1} est lexicale, et pour $j \geq i$, la transformation utilisée pour former P_{j+1} de P_j est non-lexicale.

Autrement dit, pour la théorie standard, toutes les transformations qui insèrent des items lexicaux dans les indicateurs syntagmatiques sont ordonnées « avant » les transformations proprement syntaxiques. Dans la théorie standard, une grammaire contient, en plus d'un lexique, de règles de transformation, et de règles phonologiques, un système de règles d'interprétation sémantiques, et un système de règles syntagmatiques (catégorielles) indépendantes du contexte, avec un élément terminal fixé Δ (ces règles syntagmatiques engendrent les indicateurs syntagmatiques *K-initiaux* (P_1)) [3]. La sous-structure Q mentionnée par la condition (2) est toujours, dans cette théorie, limitée à l'élément Δ. La théorie standard définit ainsi une *structure post-lexicale* (le P_i de la condition (3)), qui est appelée traditionnellement *structure profonde* de la phrase. Cette structure profonde contient tous les items lexicaux de la phrase. De plus, les configurations de l'indicateur syntagmatique *K-initial* P_1 définissent les fonctions et relations grammaticales; ces configurations sont préservées dans la structure profonde. La théorie standard admet que l'interprétation sémantique est déterminée à partir du contenu sémantique intrinsèque des items lexicaux et de la manière dont ceux-ci sont reliés entre eux

---

3. Je rappelle (cf. note 6, chap. VI, de l'*IGG*) que, dans la théorie standard, contrairement à la première théorie de Chomsky (1957), c'est la composante de base qui a la tâche de rendre compte des aspects récursifs de la grammaire, en introduisant des symboles récursifs (*S*, mais aussi, dans certaines versions, NP, VP, etc.; voir notamment Dougherty, 1970 *b*).

(en termes des relations grammaticales) au niveau de la structure profonde. Autrement dit, la structure profonde détermine l'interprétation sémantique d'une phrase — à l'exclusion des structures dérivées, et notamment de la structure superficielle; ceci revient à dire que les transformations ne changent pas le sens.

2. Avant d'aborder diverses modifications qui ont été proposées à la théorie standard, et qui tournent essentiellement autour des rapports entre syntaxe et sémantique, je voudrais dire quelques mots des recherches qui ont été entreprises dans le but de déterminer à quelles conditions ou contraintes sont soumises les transformations. On sait que la principale faiblesse du modèle transformationnel tient à son énorme pouvoir descriptif. Il est donc fondamental d'arriver à réduire ce pouvoir descriptif, en limitant le type d'opérations que peuvent utiliser les transformations, d'une part, et en définissant d'autre part des contraintes sévères sur les conditions de leur application. Dans ces deux domaines, Chomsky (1965) avait fait certaines suggestions qui ont été poursuivies et approfondies (même si l'on est encore loin d'avoir obtenu des résultats entièrement satisfaisants).

Parmi les diverses conditions sur l'application des transformations, il y a d'abord celles qui régissent leur ordre d'application. Le principe cyclique, formulé par Chomsky (1965), et illustré notamment par Rosenbaum (1967), a reçu des justifications nouvelles [4]. D'un autre côté, il semble bien que toutes les transformations ne s'appliquent pas cycliquement. A côté de transformations cycliques, l'existence de transformations post-cycliques (ou, alternativement, « du dernier cycle », *last cyclic rules*) semble justifiée : ces transformations, pour pouvoir être appliquées, doivent attendre que le dernier cycle ait été atteint; elles s'appliquent alors à la structure dérivée, soit d'un seul coup, soit itérativement [5]. D'autre part, l'existence de transformations précycliques (s'appliquant à la structure sous-jacente avant les transformations cycliques), ou encore celle de règles « de n'importe où » (*anywhere rules*) qui peuvent s'appliquer à tout moment dès que leur index structural est satisfait (cf. Ross, 1970 *b*), n'est pas encore bien justifiée empiriquement. Il reste cependant beaucoup

---

4. Cf. notamment Postal, 1970 *b*, Kayne, 1969, Dougherty, 1970 *b*, Bresnan, 1971, etc.
5. Voir notamment Ross (1967), et aussi Kayne (1969), où il est montré que la règle qui place les pronoms enclitiques en position préverbale en français est post-cyclique.

d'incertitudes sur l'ordre exact dans lequel doivent s'appliquer certaines règles pourtant familières, et il est possible qu'on doive renoncer au principe de l'ordre extrinsèque des règles (cf. *IGG*, et Chomsky, 1965). Peut-être l'ordre des transformations est-il déterminé en grande partie par certaines propriétés internes de ces règles, les règles d'un certain type s'appliquant automatiquement avant ou après celles d'un autre type. (Voir ci-dessous la discussion de la théorie d'Emonds (1969).) Toutefois, au stade actuel de la recherche, ces considérations restent encore très spéculatives, et beaucoup de travail reste à faire dans ce domaine.

En dehors des contraintes sur l'ordre des transformations, et de celles proposées par Chomsky (1965) sur les transformations d'effacement et de substitution, les recherches les plus intéressantes ont porté sur les contraintes auxquelles doivent être soumises les transformations de déplacement (*movement transformations*). On peut distinguer ici, selon les termes d'Emonds (1969), deux types de contraintes : les premières spécifient certaines configurations *hors desquelles* un élément ne peut pas être déplacé (même si par ailleurs ces configurations satisfont l'index structural d'une transformation de déplacement); les secondes spécifient certaines configurations *dans lesquelles* un élément ne peut pas être déplacé. Les premières, en d'autres termes, sont des contraintes sur l'index structural d'une transformation, les secondes des contraintes sur son changement structural.

2.1. Le premier type de contraintes a été étudié surtout par Ross (1967), qui en a proposé plusieurs. Un exemple est la Contrainte sur les Structures Coordonnées (*Coordinate Structure Constraint*) qui interdit à une transformation de déplacer tout élément enchâssé dans une structure coordonnée. Ainsi, alors que, à partir de structures sous-jacentes telles que (1) (a) ou (2) (a), on peut engendrer, par la règle de WH-FRONTING [6], respectivement (1) (b) et (2) (b) [7] :

(1) (a) Pierre croit que Paul pense que Jean a rencontré *quelqu'un*

    (b) *qui* Pierre croit-il que Paul pense que Jean a rencontré?

---

6. Cf. notamment Klima, 1964 *b*.

7. D'une manière générale, les exemples sont présentés ici sous une forme très simplifiée; un certain nombre de détails techniques manquent, et les structures profondes sont présentées sous une forme assez approximative, où seuls sont indiqués les éléments pertinents pour la discussion.

(2) (a) le garçon [s Pierre a donné un livre *à ce garçon*]...
    (b) le garçon *à qui* Pierre a donné un livre...,

il est impossible d'obtenir, à partir de structures sous-jacentes bien formées telles que (3) (a) et (4) (a), et par l'opération de la même règle, des phrases telles que (3) (b) et (4) (b) :

(3) (a) Pierre a rencontré Paul et *quelqu'un* d'autre
    (b) * *qui* Pierre a-t-il rencontré Paul et d'autre
(4) (a) le garçon [s Pierre a parlé *à ce garçon* et à cette fille]...
    (b) * le garçon *à qui* Pierre a parlé et à cette fille...

A vrai dire, Chomsky avait proposé, avant Ross, un principe universel beaucoup plus général et abstrait, dont la Contrainte sur les Structures Coordonnées ne serait qu'un cas particulier; c'est le principe dit du *A-sur-A* (*A-over-A Principle*; voir Chomsky, 1964, 1968, et à paraître). Ce principe dit que « si une transformation s'applique à une structure de la forme :

(5) [s ... [A ...]A ...]s

pour une catégorie quelconque A, alors elle doit être interprétée comme s'appliquant au syntagme maximal de type A » (Chomsky, 1968, 43). En d'autres termes, si une transformation doit déplacer un constituant de la catégorie A, et si on a affaire à une configuration telle que celle représentée en (6) :

(6)

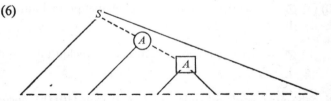

où un constituant de type A est enchâssé dans (dominé par) un autre constituant de type A, seul le constituant maximal de type A (encerclé dans (6)) peut être déplacé, à l'exclusion de tout constituant de type A qui y est enchâssé (par exemple celui qui est encadré dans (6)).

Reprenons les exemples (1)-(4) ; la règle de WH-FRONTING a, en gros, la forme suivante :

(7) $\quad X - Y - \begin{Bmatrix} NP \\ PP \end{Bmatrix} - Z$

$\quad\quad 1 \quad 2 \quad\quad 3 \quad\quad\quad 4 \quad \Rightarrow \quad 1 - 3 + 2 - \emptyset - 4$

(autrement dit, elle déplace un syntagme nominal ou prépositionnel à gauche d'une séquence de longueur quelconque). Or, dans (1) (a) et (2) (a), les syntagmes qui satisfont l'index structural de cette règle (*quelqu'un* et *à ce garçon*, respectivement), satisfont aussi le principe du A-sur-A, dans la mesure où la seule analyse possible des suites sous-jacentes est, respectivement (8) et (9) :

(8) $\quad \underset{1}{\emptyset} - \underset{2}{\text{Pierre croit que Paul pense que Jean a rencontré}}$

$\quad\quad - \underset{3}{\text{quelqu'un}} - \underset{4}{\emptyset}$

(9) $\quad \underset{1}{\text{le garçon}} - \underset{2}{\text{Pierre a donné un livre}} - \underset{3}{\text{à ce garçon}} - \underset{4}{\emptyset}$

Le syntagme déplaçable est maximal en ce sens qu'il n'est pas enchâssé dans un autre syntagme de même catégorie. Il en va autrement dans (3) (a) et (4) (a), qui peuvent être analysés tous deux de deux manières différentes en termes de la règle (7); ainsi, par exemple, (3) (a) peut être analysé, soit comme dans (10) (a), soit comme dans (10) (b) :

(10) (a) $\underset{1}{\emptyset} - \underset{2}{\text{Pierre a rencontré}} - \underset{3}{\text{Paul et quelqu'un d'autre}} - \underset{4}{\emptyset}$

(b) $\underset{1}{\emptyset} - \underset{2}{\text{Pierre a rencontré Paul et}} - \underset{3}{\text{quelqu'un}} - \underset{4}{\text{d'autre}}$

Ici, l'analyse maximale est celle de (10) (a); dans (10) (b), *quelqu'un* n'est pas maximal, étant enchâssé dans un syntagme de la même catégorie (NP), qui est *Paul et quelqu'un d'autre*. L'application de WH-FRONTING est donc bloquée.

Si le principe du A-sur-A se révélait valide, il serait décidément préférable à des contraintes comme celles de Ross, qui n'en seraient alors que des cas particuliers. Mais c'est précisément l'existence de contre-exemples au principe du A-sur-A qui a amené Ross à entreprendre son travail. Dans l'état actuel des choses, il est encore difficile de déterminer qui a raison. Il n'est pas sûr, en effet, que tous les contre-exemples au A-sur-A signalés par Ross soient de véritables contre-exemples, dans la mesure où beaucoup sont liés à des analyses syntaxiques particulières qui ne sont pas les seules possibles (pour une discussion, voir Chomsky, 1968, chap. II et aussi, Chomsky, à paraître). Signalons que R. S. Kayne (1969) a montré que certains faits apparemment très bizarres de la syntaxe du français s'expliquent tout naturellement en termes du principe du A-sur-A, mais non dans les termes d'aucune des contraintes proposées par Ross (cf. le chap. VI).

2.2. Emonds (1969, 1970) a essentiellement proposé de limiter les transformations possibles à deux types formellement distincts[8], qu'il appelle, respectivement, *root transformations* (transformations « radicales ») et *structure preserving transformations* (transformations « conservatrices de structure »). Quelques exemples suggéreront de quoi il s'agit. On a de divers côtés proposé de dériver transformationnellement les phrases des exemples (a) ci-dessous de structures sous-jacentes voisines des structures superficielles des exemples (b) correspondants :

(11) (a) Pierre semble être bien malade
    (b) il semble que Pierre est bien malade

(12) (a) le pays qu'a visité Pierre est très passionnant
    (b) le pays que Pierre a visité est très passionnant

(13) (a) est-il parti?
    (b) il est parti

(14) (a) « Pierre », je crois, « arrivera trop tard »
    (b) je crois que Pierre arrivera trop tard

(11) (a) est dérivé de (11) (b) par la règle de MONTÉE (*Raising*; cf. Rosenbaum, 1967, Kiparsky et Kiparsky, 1970, Gross, 1968, et ici même, chap. II) qui convertit un sujet subordonné en sujet principal; (12) (a) est dérivé de (12) (b) par l'INVERSION STYLISTIQUE (cf. Kayne, 1969, 1972) qui permute le NP sujet et le verbe; (13) (a) est dérivé de (13) (b) par une règle qui permute un enclitique sujet et l'élément conjugué du verbe (cf. Kayne, 1969, 1972); enfin, (14) (a) est dérivé de (14) (b) par la règle de QUOTE PREPOSING (« antéposition de cita-

---

8. Emonds considère aussi un troisième type, moins important, de règles de déplacement, les *minor movement rules*, qui ne concernent pas les nœuds syntagmatiques (voir note 9).

tion ») qui antépose tout ou partie d'une citation à la proposition principale (cf. Emonds, 1969).

Vues même d'une manière très superficielle, les transformations qui rendent compte de (11) (a)-(12) (a) ont des résultats très différents de celles qui rendent compte de (13) (a)-(14) (a). En gros, les structures dérivées de (11) (a) et (12) (a) ressemblent à des structures profondes, contrairement à celles de (13) (a) et (14) (a). Par exemple, la règle de MONTÉE crée, dans (11) (a), une séquence NP — AUX — V — ··· qui correspond au genre de séquences engendrées par les règles de base S → NP — VP et VP → AUX — V — ··· De même, la règle d'INVERSION STYLISTIQUE crée, en (12) (a), une séquence V — NP qui correspond au genre de séquences engendrées par la règle VP → V NP. En revanche, les transformations qui rendent compte de (13) (a) et (14) (a) créent des séquences qu'on a de bonnes raisons de ne pas engendrer directement par ailleurs au moyen des règles syntagmatiques de la base. Autrement dit, il existe des transformations qui, en un sens, préservent la structure de base, et d'autres qui bouleversent cette structure plus ou moins profondément. A partir d'observations de ce genre, Emonds en est arrivé à formuler l'hypothèse suivante :

> Un nœud syntagmatique [9] X dans un arbre T ne peut être déplacé, copié ou inséré dans une nouvelle position de T, conformément au changement structural d'une transformation dont T satisfait l'index structural, que si au moins l'une des deux conditions suivantes est satisfaite : (I) dans sa nouvelle position dans T, X est immédiatement dominé par le S le plus haut... [10] (une transformation qui a cet effet est une *root transformation*); (II) la nouvelle position de X est une position dans laquelle une règle syntagmatique, motivée indépendamment de la transformation en question, peut engendrer la catégorie (une transformation ayant cet effet est une *structure preserving transformation*) (Emonds, 1969, II).

Ces contraintes très fortes font certaines prédictions empiriquement significatives. Tout d'abord, elles prédisent qu'une transformation « conservatrice » est bloquée chaque fois que la structure dérivée

---

9. Emonds distingue les nœuds syntaxiques en « nœuds syntagmatiques » (*phrase nodes*, = S, NP, VP, AP, PP) et « nœuds non-syntagmatiques » (N, V, etc.); seuls les premiers sont concernés par les contraintes en question.

10. Ceci représente une simplification ; les faits sont quelque peu plus complexes, mais peuvent être ramenés à une régularité.

qui en résulte comporte une sous-configuration non-engendrable par les règles de base. Ainsi, on pourrait s'attendre à ce que (15) (a), ou (15) (b), soit engendré, par INVERSION STYLISTIQUE, à partir de (15) (c) (cf. (12)); mais (15) (a)-(b) comportent une séquence V — NP — NP qui n'est pas engendrée par les règles syntagmatiques du français; comme le prédisent les contraintes d'Emonds, (15) (a)-(b) sont agrammaticaux :

(15) (a) * la ville où rencontrera Pierre cet homme est très provinciale

(b) * la ville où rencontrera cet homme Pierre est très provinciale

(c) la ville où Pierre rencontrera cet homme est très provinciale

Un autre exemple de transformation « conservatrice » en français est la règle d'EXTRAPOSITION D'INDÉFINI (cf. Kayne, 1969, Picabia, 1970) qui engendre (16) (a) à partir de (16) (b) mais qui ne peut pas engendrer (17) (a) à partir de (17) (b) :

(16) (a) il est venu quelqu'un hier
(b) quelqu'un est venu hier

(17) (a) * il a rencontré $\left\{ \begin{array}{l} \text{Paul quelqu'un} \\ \text{quelqu'un Paul} \end{array} \right\}$
(b) quelqu'un a rencontré Paul

Ici encore, les contraintes d'Emonds permettent d'expliquer pourquoi, alors que (18) (a) est possible (EXTRAP D'INDEF étant appliquée après PASSIF), (19) (a), qu'on pourrait apparemment s'attendre à engendrer à partir de la phrase (19) (b), superficiellement très voisine de (18) (b), est agrammatical :

(18) (a) il a été contenté beaucoup de monde
(b) beaucoup de monde a été contenté

(19) (a) * il a été content beaucoup de monde
(b) beaucoup de monde a été content

La raison en est que *contenté* dans (18) est le participe passé d'un verbe, et que la séquence V NP est engendrable par les règles de base, alors que *content* dans (19) est un adjectif, et qu'il n'y a aucune raison d'avoir par ailleurs une règle de base telle que VP → *être* AP NP ··· (où AP = syntagme adjectival).

En second lieu, les contraintes d'Emonds prédisent que les trans-

21

formations « radicales » ne sont permises que dans les propositions principales, alors que les transformations « conservatrices » ne sont pas soumises à cette limitation; ces prédictions sont confirmées par les exemples suivants :

(20) (a) le fait que Pierre te semble être très malade est inquiétant
    (b) pourquoi crois-tu que Pierre me semble être très malade?

(21) (a) je voudrais savoir où est allé Pierre
    (b) l'endroit où est allé Pierre est très mal famé

(22) (a) je me demande où il est parti
    (b) * je me demande où est-il parti

(23) (a) je ne sais pas s'il est parti
    (b) * je ne sais pas si est-il parti

(24) (a) Paul s'imagine que je crois que Pierre arrivera trop tard
    (b) * Paul s'imagine que Pierre, je crois, arrivera trop tard

(25) (a) le fait que je crois que Pierre arrivera trop tard ne t'intéresse apparemment pas
    (b) * le fait que Pierre, je crois, arrivera trop tard ne t'intéresse apparemment pas

2.3. Les contraintes d'Emonds, comme le principe du A-sur-A, et comme les autres contraintes sur l'extraction et l'insertion d'éléments hors de ou dans des structures subordonnées que Chomsky (à paraître) a proposées récemment, ne vont pas sans problèmes. Par exemple, Kayne (1972) a montré que les contraintes d'Emonds ne suffisent pas à rendre compte des limitations sur l'INVERSION STYLISTIQUE, contrairement à ce que pourraient laisser croire nos exemples simplifiés. L'intérêt, et les difficultés, de ce type de contraintes très générales et très spécifiques à la fois, tiennent à ce qu'elles correspondent à des hypothèses très fortes sur la forme des grammaires, et que, du coup, elles sont aisément falsifiables. Nul doute que, avant de devenir adéquates, elles ne doivent subir des modifications importantes. Mais, quelles que soient leurs insuffisances, elles constituent de toute façon des étapes dans la bonne direction, c'est-à-dire vers une spécification et une limitation de la forme des grammaires possibles.

Il en va autrement d'autres types de contraintes qui ont été aussi proposées récemment, et qui tendent au contraire à augmenter la puissance de la théorie linguistique. Comme exemple, on peut citer les « contraintes de surface » ou « conditions de sortie » (*surface structure constraints, output conditions*) qui ont été étudiées principalement par D. M. Perlmutter (1969, 1971, voir aussi Ross, 1967, 1972). Perlmutter a notamment montré qu'il est impossible de rendre compte en termes purement transformationnels des séquences et combinaisons permises ou interdites de pronoms enclitiques en espagnol et en français. Il a ainsi proposé de laisser s'appliquer librement les transformations qui placent les pronoms enclitiques en position préverbale, et d'y ajouter un mécanisme qui, opérant à la manière d'une grille sur les structures superficielles, énumère les séquences et combinaisons d'enclitiques qui sont permises. Autrement dit, les transformations engendreront dans ce cas aussi bien des structures superficielles bien-formées que des structures superficielles agrammaticales, et c'est à la contrainte de surface qu'il reviendra de « filtrer » (*filter out*) celles-ci. On voit tout de suite qu'une grammaire qui admet, en plus des règles syntagmatiques et des transformations, des contraintes de surface, voit son pouvoir descriptif énormément augmenté. Dans une multitude de cas où on rencontre des difficultés à engendrer les structures superficielles correctes par des transformations, il est assez facile d'imaginer des contraintes de surface qui résolvent le problème, mais ces contraintes, au mieux, ne font rien d'autre que de décrire correctement les faits observés. Il est parfaitement possible que, pour des raisons d'adéquation observationnelle ou descriptive, on soit obligé, dans certains cas, de recourir à des conditions de sortie, mais l'intérêt théorique de semblables additions à la grammaire est mince tant qu'on n'arrive pas à spécifier et à limiter sévèrement les conditions dans lesquelles on a le droit d'y recourir [11].

Plusieurs linguistes, en tête desquels se place George Lakoff, on récemment proposé d'enrichir la grammaire de mécanismes qui augmentent encore plus son pouvoir descriptif. A la suite de certaines suggestions de McCawley (1968 *a*), Lakoff (1969, 1971) a proposé de réinterpréter la notion de règle de grammaire en termes de conditions sur les dérivations. Les règles syntagmatiques sont interprétées comme des conditions de bonne formation des arbres, et les transformations comme des conditions « locales » sur les dérivations. Une transformation est une condition locale sur les dérivations en ce sens qu'elle spécifie certaines conditions auxquelles doivent satis-

---

11. Emonds (1969) a proposé d'interpréter les contraintes de surface sur les pronoms enclitiques dans le cadre général de ses contraintes sur les transformations de déplacement.

faire deux indicateurs syntagmatiques *adjacents* dans une dérivation pour que cette dérivation soit bien formée (on voit que la notion de bonne formation est ici étendue aux dérivations, et pas seulement aux structures superficielles). En plus de ces conditions locales, Lakoff propose d'introduire des « contraintes dérivationnelles globales », qui spécifient des conditions sur des indicateurs syntagmatiques *non-adjacents*. Un exemple abstrait de contrainte dérivationnelle globale est le suivant :

(26) Soit, dans une dérivation D, un indicateur syntagmatique P_i et un indicateur syntagmatique P_j, tels que $j \geqslant i + 1$; si P_i peut être analysé comme $[_S \cdots A^1 \cdots A^2 \cdots]_S$ et P_j comme $[_S \cdots A^2 \cdots A^1 \cdots]_S$, la dérivation D est mal formée.

Autrement dit, si A^2 se trouve, à un certain stade de la dérivation, à droite de A^1, et si ensuite, à un stade quelconque de la dérivation, et à la suite de l'opération d'une ou de plusieurs transformations, A^2 en vient à se trouver à gauche de A^1, alors la dérivation D est mal formée.

Dans ce cas particulier, on voit que cette contrainte dérivationnelle globale est l'équivalent d'une contrainte sur les transformations de déplacement, et il n'est pas difficile de montrer que toutes les contraintes de Ross, par exemple, peuvent être interprétées comme des contraintes dérivationnelles globales. Dans d'autres cas, toutefois, il est possible de formuler en termes de contraintes dérivationnelles globales des contraintes qu'il serait impossible de formuler comme des contraintes sur l'application de transformations particulières; c'est le cas notamment des contraintes de surface, et des contraintes que Lakoff a proposées pour traiter des faits de pronominalisation (1968 *b*) ou de certains faits relatifs aux quantificateurs (Lakoff, 1969, 1971). Lakoff semble voir dans l'introduction de la notion de contraintes globales une généralisation et une simplification significatives, mais cette idée est trompeuse. Il faut voir en effet que l'admission générale des contraintes globales revient à augmenter considérablement le pouvoir descriptif de la grammaire : une grammaire qui a ce pouvoir semble être capable de décrire à peu près n'importe quoi [12]. Chomsky (1972) a pu remarquer que, dire qu'une grammaire

---

12. Lakoff a même plus récemment proposé d'introduire dans la grammaire des contraintes « transdérivationnelles », qui bloquent une dérivation si, à un certain point, elle interfère avec une autre dérivation (cf. Lakoff, 1970 *b*, et, pour une vue différente de faits semblables, ici même, chapitre VI).

doit comporter des contraintes dérivationnelles globales, revient presque au truisme de dire qu'une grammaire doit comporter des règles. Une théorie qui n'essaierait pas de spécifier plus avant la forme des règles n'aurait guère d'intérêt. Répétons, encore une fois, qu'il peut se révéler nécessaire, pour des raisons d'adéquation descriptive, de recourir à des mécanismes aussi puissants, mais que, si on ne se donne pas pour but premier de contraindre sévèrement le recours à ces mécanismes, ces enrichissements ont peu d'intérêt théorique.

Un autre exemple de faits pour traiter lesquels il serait tentant de recourir à une contrainte dérivationnelle globale est offert par l'accord, en français, du participe passé avec un pronom objet antéposé. Considérons les faits suivants :

(27) Pierre a $\left\{ \begin{array}{l} \text{écrit} \\ \text{* écrite} \end{array} \right\}$ cette lettre

(28) Pierre l'a $\left\{ \begin{array}{l} \text{* écrit} \\ \text{écrite} \end{array} \right\}$

(29) la lettre que Pierre a $\left\{ \begin{array}{l} \text{* écrit} \\ \text{écrite} \end{array} \right\}$ n'est jamais arrivée à destination

(30) la lettre que Paul a $\left\{ \begin{array}{l} \text{dit} \\ \text{* dite} \end{array} \right\}$ que Pierre a $\left\{ \begin{array}{l} \text{* écrit} \\ \text{écrite} \end{array} \right\}$ n'est jamais arrivée à destination

Les faits de (27) indiquent que l'accord entre le participe passé d'un verbe transitif et son objet ne peut pas être introduit au stade où l'objet se trouve encore en position postverbale. L'accord doit suivre les transformations (PLACEMENT D'ENCLITIQUE en (28), WH-FRONTING en (29)-(30)) qui ont déplacé les objets en position préverbale. De plus, les faits de (30) indiquent que le pronom peut se trouver à une distance arbitrairement longue du verbe dont il était l'objet en structure profonde; ils indiquent également (cf. le contraste *dit/* dite* en face de * *écrit/écrite*) que c'est seulement le participe passé du verbe dont le pronom était originellement l'objet qui peut s'accorder. Une contrainte globale, mentionnant à la fois le stade de la dérivation où le pronom est encore en position objet, et celui où il est déplacé en position préverbale, permettrait de rendre compte de ces faits. Mais, sans même parler du caractère douteux des faits d'accord du participe passé en français moderne, une telle contrainte

25

revient seulement à formuler les faits observés; on ne peut pas dire qu'elle les explique. En fait, Fauconnier (1971) a récemment proposé une autre manière de traiter ces faits, qui fait l'économie de contraintes globales tout en ayant un plus grand pouvoir explicatif, et tout en ne présentant qu'une extension assez bénigne du modèle standard.

2.4. De toute façon, même si on s'en tient à des contraintes spécifiques comme celles d'Emonds ou le principe du A-sur-A (et à supposer que ces contraintes soient effectivement bien fondées et universelles), la question se pose : « Pourquoi de telles contraintes? » Une réponse, qui semble bien être celle de Chomsky (1968, 1971 a), est que ces contraintes universelles, ces invariants des langues humaines, sont des manifestations de certaines capacités et limitations linguistiques innées, des manifestations de la « faculté de langage » innée de l'homme.

Une autre réponse est possible, toutefois. Dans le but, à la fois de comprendre le pourquoi de ces diverses contraintes, et d'autre part de surmonter les difficultés que rencontre leur établissement, divers linguistes et psycholinguistes (cf. Klima, à paraître, Bever, 1970, Bever et Langendoen, 1971, et ici même, chap. VI) ont proposé récemment une conception assez différente, qui revient essentiellement à redéfinir les rapports entre compétence et performance. Jusqu'à présent, les linguistes générativistes avaient travaillé avec l'hypothèse que les faits d'émission et de réception de la parole donnaient une vision distordue de la compétence linguistique interne, alors que les intuitions des sujets (en matière de grammaticalité, d'ambiguïté, etc.) en donnaient une image plus directe. Les problèmes que pose la formulation des contraintes sur les grammaires, d'une part, et, d'autre part, la labilité des intuitions, les divergences dans les jugements (même ceux des linguistes, cf. la discussion dans Kimball, 1970), dès qu'il s'agit de faits assez subtils, ont amené à réviser ce point de vue. Non seulement les intuitions peuvent être de types variés — d'où la nécessité d'une phénoménologie des intuitions linguistiques — mais, après tout, l'exercice des intuitions linguistiques est lui aussi un type de comportement, au même titre que l'émission ou la réception de la parole, et il peut être soumis à des distorsions dues aux contraintes sur le comportement. D'où, d'abord, l'idée que les données sur lesquelles travaille le linguiste sont toutes des données comportementales, mais de divers types — émission de la parole, réception, mémoire, jugements et prédictions sur les structures. D'où, ensuite, l'hypothèse que les contraintes manifestées dans les intuitions des sujets parlants ne sont pas nécessairement le reflet de limitations linguistiques innées, mais qu'elles peuvent résulter de l'interaction de ces limitations avec certaines « stratégies » gouvernant l'apprentissage, la perception, etc., stratégies dont le champ d'application dépasserait le domaine du langage. Les propositions concrètes qui ont été faites dans cette direction restent encore assez vagues, mais elles me paraissent très prometteuses. Notons que, si l'on arrive à formuler avec précision de telles « stratégies » générales, on arrivera peut-être du même coup à délimiter de manière beaucoup plus rigoureuse le rôle et la forme de la grammaire au sens strict du terme, et on pourra peut-être éliminer de celle-ci certaines contraintes qui sont, ou beaucoup trop particulières, ou beaucoup trop puissantes.

3. S'il est un point sur lequel tout le monde est aujourd'hui d'accord, s'agissant des rapports entre syntaxe et sémantique, c'est que le modèle proposé par Katz, Fodor et Postal, et repris dans Chomsky (1965) (avec déjà quelques réserves, cf. note 9, chap. III), est insuffisant et doit être révisé. Au-delà de cet accord purement négatif commencent les divergences. Il m'est impossible de passer ici en revue tous les problèmes que posent les rapports entre syntaxe et sémantique, pas plus que toutes les propositions qui ont été faites pour les traiter. Je retiendrai surtout les deux principales tendances qui dominent pour le moment : d'une part, la théorie de la *sémantique générative*, représentée par les travaux de Lakoff, Ross, McCawley, Postal, Bach, etc., et, d'autre part, la *théorie interprétative* ou *théorie standard étendue*, illustrée par les travaux récents de Chomsky (1971, 1972), ainsi que par ceux de Jackendoff (1969 *a*, 1969 *b*, 1971 *a*), Dougherty (1969, 1970 *b*), etc. Parmi les travaux originaux qui ne rentrent pas exactement dans le cadre de l'une ou l'autre de ces théories, signalons au moins ceux de Gruber (1965, 1967) sur la théorie du lexique, ceux de Fillmore (1968, etc.) sur la « grammaire des cas », et divers travaux de Kuroda.

3.1. Il ne faut pas chercher bien loin pour voir que l'affirmation que seules les structures profondes déterminent le sens est inadéquate — si on s'en tient aux types de structures profondes qui étaient familières dans les travaux de Chomsky (1965), Klima (1964 *a*, 1964 *b*), Katz-Postal (1964), Rosenbaum (1967), etc. Voici quelques exemples représentatifs. Des linguistes travaillant dans le cadre de la théorie standard ont proposé de dériver tous les exemples de (31), tous ceux de (32), etc., d'une même structure profonde [13]. Or il est assez facile de voir que ces phrases, évidemment apparentées, ne sont cependant pas dans un rapport de paraphrase :

(31) (a) une seule flèche n'a pas atteint la cible
    (b) pas une seule flèche n'a atteint la cible
    (c) la cible n'a pas été atteinte par une seule flèche

(32) (a) chaque candidat démocrate espère que chaque candidat démocrate sera élu
    (b) chaque candidat démocrate espère être élu

(33) (a) peu de sonnets de Mallarmé sont limpides et peu de sonnets de Mallarmé sont irréguliers
    (b) peu de sonnets de Mallarmé sont (à la fois) limpides et irréguliers

(34) (a) c'est Pierre qui a frappé Paul
    (b) c'est Paul que Pierre a frappé

---

13. Suivant Klima (1964 a), les phrases de (31) seraient toutes dérivées de quelque chose comme (I) :

    (I) NEG — [NP une seule flèche] — [AUX Prst — Parfait] — [VP atteindre la cible]

Selon Rosenbaum (1967), (32) (b) serait dérivé essentiellement de la même structure profonde que (32) (a) par la règle qui efface un sujet subordonné par identité avec un NP principal (EQUI-NP-DELETION, cf. aussi Postal, 1970 b). (33) (b) serait dérivée de (33) (a) par la règle de RÉDUCTION DE CONJONCTION (cf. Gleitman, 1969). (34) (a) et (b) seraient dérivés par « extraction » (cf. Gross, 1968) de quelque chose comme (II) :

    (II) c'est Δ que Pierre a frappé Paul

On pourrait dériver (35) (b) de (35) (a) par la règle d'ANTEPOSITION D'ADVERBIAL qui dérive (IV) de (III) :

    (III) j'ai rencontré Pierre à Paris
    (IV) à Paris, j'ai rencontré Pierre

Kuroda (1969) a suggéré de dériver des phrases du genre de (36) d'une structure sous-jacente du type de (v), par diverses transformations d' « attachement » :

    (v) même — Pierre boit du gin avant le petit déjeuner

Enfin, Fillmore (1968) a suggéré de dériver (37) (a) et (b) d'une même structure sous-jacente (voir la critique d'Anderson, 1971).

(35) (a)   je ne connais que les églises de Rome
     (b)   de Rome, je ne connais que les églises

(36) (a)   même Pierre boit du gin avant le petit déjeuner
     (b)   Pierre boit même du gin avant le petit déjeuner
     (c)   Pierre boit du gin même avant le petit déjeuner

(37) (a)   le jardin grouille de vermine
     (b)   la vermine grouille dans le jardin

Les trois phrases de (31) diffèrent clairement en termes de valeurs de vérité : (31) (a) implique que toutes les flèches sauf une ont atteint la cible; (31) (b) implique qu'aucune flèche n'a atteint la cible; (31) (c) enfin est ambiguë, mais ses deux lectures possibles ne sont pas sur le même plan : la plus naturelle est synonyme de (31) (b), mais il est aussi possible de comprendre (31) (c) comme signifiant que la cible n'a pas été atteinte par une flèche mais par plusieurs. Les phrases de (32) diffèrent aussi dans leurs valeurs de vérité : la vérité de (32) (a) entraîne nécessairement celle de (32) (b), mais non conversement. De même, la vérité de (33) (a) entraîne celle de (33) (b), mais non conversement.

Les exemples (34)-(36) posent des problèmes différents : les diverses phrases apparentées diffèrent ici en termes de « foyer » (*focus*) et de « présupposition » (cf. Chomsky, 1971). Par exemple, les phrases (34) (a) et (34) (b) signifient toutes deux que Pierre a frappé Paul, mais (34) (a) présuppose que quelqu'un a frappé Paul, et apporte la nouvelle information que c'est Pierre qui a frappé (*Pierre* est le « foyer » de la phrase); (34) (b), en revanche, présuppose que Pierre a frappé quelqu'un, et apporte l'information que c'est Paul qui a été frappé (*Paul* est le « foyer »). La différence apparaît clairement si on considère les questions auxquelles ces deux phrases seraient des réponses naturelles : (34) (a) est une réponse naturelle à (38) (a), mais non à (38) (b), et pour (34) (b) c'est l'inverse :

(38) (a)   qui a frappé Paul?
     (b)   qui Pierre a-t-il frappé?

(35) pose un problème similaire, quoique un peu plus compliqué; la différence apparaît à nouveau en termes de réponses naturelles à des questions : (35) (a) est une réponse naturelle, par exemple, à (39) (a), mais non à (39) (b), et c'est l'inverse pour (35) (b) :

(39) (a) quelles églises connaissez-vous?
(b) que connaissez-vous de Rome?

Dans (36), les trois phrases disent toutes que Pierre boit du gin avant le petit déjeuner, mais suggèrent en plus chaque fois quelque chose de différent : (36) (a) présuppose que d'autres personnes que Pierre boivent du gin avant le petit déjeuner, et suggère qu'il est inattendu que ce soit aussi le cas de Pierre; (36) (b) présuppose que Pierre boit avant le petit déjeuner, et suggère qu'il est inattendu que ce soit du gin qu'il boive dans ces circonstances; enfin, (36) (c) présuppose que Pierre boit du gin, et suggère qu'il est inattendu qu'il en boive avant le petit déjeuner. Pour terminer, la non-synonymie des deux phrases de (37) peut ne pas apparaître à première vue, mais elle est réelle : en effet, (37) (b) peut être vraie si la vermine est concentrée seulement dans une partie du jardin, tandis que (37) (a) suggère que le jardin tout entier est rempli de vermine (cf. Chomsky, 1972).

3.2. Devant des faits de ce genre, deux attitudes sont possibles. Ou bien on maintient l'analyse qui attribue une même structure profonde aux phrases apparentées mais différentes sémantiquement; on est alors amené à abandonner le principe que les transformations ne changent pas le sens, et à recourir à des règles d'interprétation sémantique qui opèrent à un autre niveau que celui des structures profondes. Ou bien, au contraire, on conserve le principe que les transformations ne changent pas le sens, et on est alors amené à modifier l'analyse, et à proposer des structures profondes différentes pour les phrases apparentées.

C'est ce second parti qu'ont pris des linguistes comme Postal, Lakoff, Ross, etc. Le maintien systématique du principe que les transformations ne modifient pas le sens a eu alors des conséquences considérables : on a été amené à construire des structures profondes très complexes et très abstraites (c'est-à-dire très éloignées et très différentes des structures superficielles correspondantes), et du même coup à introduire des transformations nouvelles, aux propriétés formelles souvent assez différentes de celles des transformations familières à la théorie standard. Un exemple : on vient de voir que, si on maintient l'idée que (33) (b) est dérivé de (33) (a) par la transformation de RÉDUCTION DE CONJONCTION, cette transformation modifie le sens; d'autre part, il est clair, si on considère (31)-(33), que les différences de sens notées sont liées à la présence dans ces phrases de quantificateurs (*une seule, chaque, peu*). Il est possible de conserver, et la transformation de RÉDUCTION DE CONJONCTION, et le principe que les transformations ne modifient pas le sens, à condition d'admettre, en suivant Lakoff (1968, 1971), que les structures profondes de (33) (a) et de (33) (b) sont, respectivement, (40) (a) et (40) (b), qui présentent les mêmes différences de sens que (33) (a) et (33) (b) :

(40) (a) les sonnets de Mallarmé [$_s$ les sonnets de Mallarmé sont limpides]$_s$ sont peu et les sonnets de Mallarmé [$_s$ les sonnets de Mallarmé sont irréguliers]$_s$ sont peu

(b) les sonnets de Mallarmé [$_s$ les sonnets de Mallarmé sont limpides et les sonnets de Mallarmé sont irréguliers]$_s$ sont peu

Cette analyse revient donc à traiter les quantificateurs, qui en structure superficielle sont des déterminants des NP, comme des prédicats de phrases principales, tandis que les phrases qui sont les principales en structure de surface sont traitées comme des relatives sur les sujets des principales en structure profonde. (33) (a) est alors obtenu en appliquant à (40) (a) la nouvelle transformation de QUANTIFIER-LOWERING (« descente du quantificateur »), qui a pour effet de substituer le quantificateur au déterminant du sujet de la relative, et d'effacer tout le reste de la principale; (33) (b) est obtenu en appliquant RÉDUCTION DE CONJONCTION dans la relative de (40) (b) et ensuite QUANTIFIER-LOWERING. On voit que la règle de QUANTIFIER-LOWERING a ceci de particulier, qui la distingue des transformations traditionnelles, qu'elle convertit une subordonnée en principale, et qu'elle introduit du matériel morphologique issu de la principale dans la subordonnée — genre d'opération qui semble interdit aux transformations traditionnelles [14].

D'autres considérations, relatives aux restrictions de sélection et au rôle sémantique des relations grammaticales, ont également

---

14. Chomsky (1965, 145-146) a même suggéré une contrainte universelle interdisant d' « introduire du matériel morphologique dans une configuration dominée par S une fois que le cycle des règles transformationnelles a déjà terminé son application à cette configuration ». Pour d'autres applications possibles de cette contrainte, voir Kayne (1969), Dougherty (1970 *b*), Bresnan (1970). Chomsky a récemment reformulé en d'autres termes cette contrainte (voir Chomsky, à paraître).

contribué à promouvoir des structures profondes plus complexes et plus abstraites. Considérons des phrases telles que :

(41) (a) Adèle a cuit $\left\{ \begin{array}{l} \text{le ragoût} \\ \text{* ce rocher} \end{array} \right\}$

    (b) $\left\{ \begin{array}{l} \text{le ragoût} \\ \text{* ce rocher} \end{array} \right\}$ cuit

(42) (a) $\left\{ \begin{array}{l} \text{Pierre} \\ \text{* ce rocher} \end{array} \right\}$ méprise $\left\{ \begin{array}{l} \text{l'argent} \\ \text{les femmes} \\ \text{les idées de Paul} \end{array} \right\}$

    (b) $\left\{ \begin{array}{l} \text{l'argent} \\ \text{les femmes} \\ \text{les idées de Paul} \end{array} \right\}$ dégoûte(nt) $\left\{ \begin{array}{l} \text{Pierre} \\ \text{* ce rocher} \end{array} \right\}$

Si on admet, comme dans la théorie standard, d'une part, que les relations grammaticales de structure profonde déterminent l'interprétation sémantique, et d'autre part que des restrictions de sélection identiques dans des constructions différentes doivent être formulées une seule fois par la grammaire, on peut être amené à penser que les structures profondes de ces phrases sont assez différentes de leurs structures superficielles. Il est clair, par exemple, que la relation sémantique entre le verbe et le sujet n'est pas la même en (41) (a) et (41) (b), ou en (42) (a) et (42) (b) ; en revanche, la relation sémantique entre l'objet et le verbe en (41) (a) ressemble à celle entre le sujet et le verbe en (41) (b), et le sujet et l'objet semblent avoir avec le verbe des relations inverses en (42) (a) et en (42) (b). Ces faits ont amené divers linguistes à proposer que l'on dérive (41) (a) d'une construction complexe, voisine de celle qui est sous-jacente à (43) (cf. Lakoff, 1970 c, McCawley, 1968 c), et que (42) (b) a une structure sous-jacente où les restrictions de sélection sont distribuées comme dans (42) (a) (cf. (44)), une règle de transformation, dite de PSYCH-MOVE-MENT (cf. Postal, 1971) permutant ensuite le sujet et l'objet :

(43) Adèle a fait cuire le ragoût

(44) Pierre — dégoûter — l'argent

En même temps que l'on construisait ainsi des structures profondes plus complexes que les structures superficielles correspondantes (on voit par les exemples (40) et (43) qu'on propose comme sous-jacentes à des phrases simples en surface des structures profondes comportant des propositions enchâssées, et ces exemples sont en fait encore très élémentaires) et que l'on gonflait la composante transformationnelle de toute une série de nouvelles transformations, on introduisait par ailleurs une simplification radicale de la structure profonde : certaines similitudes de comportement entre les verbes et les auxiliaires (cf. Ross, 1970 a), entre les verbes et les adjectifs (cf. Lakoff, 1970 c), les verbes et les noms (cf. Bach, 1968), les verbes et les prépositions, la mise en question de la validité de diverses catégories d'adverbes (cf. Lakoff, 1968 a, 1970 c), ont conduit à penser que ces différences catégorielles étaient superficielles et que l'inventaire des catégories en structure profonde était beaucoup plus restreint; on a abouti ainsi à avoir une composante syntagmatique réduite à quelques règles, présumées universelles, et qui n'introduisent que quelques catégories, à savoir S, NP, et V.

Tout ceci a eu pour conséquence que les structures profondes se sont mises à ressembler de plus en plus à des représentations sémantiques ou logiques — la composante syntagmatique s'identifiant à une variante du calcul des prédicats, où les S sont des propositions, les V des prédicats, et les NP des arguments — et que le travail qui était dévolu dans la théorie standard à des règles d'interprétation sémantique (sur lesquelles cette théorie était d'ailleurs très peu explicite) s'est trouvé de plus en plus réduit. On en est ainsi venu très vite à mettre en question (cf. McCawley, 1968 b, 1968 c) la légitimité de l'existence d'un niveau autonome de structure profonde, distinct à la fois de la représentation sémantique et de la structure superficielle, et on a proposé de simplifier la forme des grammaires de la manière suivante : les règles syntagmatiques engendrent directement des représentations sémantiques (d'où le nom de *sémantique générative* donné à cette théorie), le P_1 de (1) ci-dessus étant donc la présentation sous forme d'arbre d'une représentation sémantique, et ces représentations sémantiques sont converties en structures superficielles par des dérivations soumises à des contraintes locales (les transformations) et à des contraintes globales; la théorie ne définit pas un niveau intermédiaire de structure profonde. Quant au rapport entre structure syntaxique et structure phonétique, il reste essentiellement le même que dans la théorie standard.

Ce qui joue un rôle particulièrement crucial dans cette reformulation, c'est l'abandon de la condition (3) ci-dessus, qui spécifiait que les transformations d'insertion lexicale sont toutes ordonnées avant les transformations proprement syntaxiques. Pour la sémantique générative, la sous-structure Q de la condition (2), à laquelle une transformation lexicale substitue un item lexical I, est désormais, non plus un symbole terminal fixé Δ, mais une configuration syntagmatique, qui peut être assez complexe, dominant une séquence d'éléments terminaux représentant des entités sémantiques minimales. Reprenons l'exemple célèbre de McCawley (1968 c) : les phrases (45) (a) et (b) auraient toutes deux (cf. aussi (40)-(43)) pour structure sous-jacente (46), où les termes en majuscules représentent des éléments de sens primitifs (et présumés universels) [15] :

(45) (a) Pierre a tué Paul
  (b) Pierre a fait mourir Paul

(46) PIERRE CAUSE [S PAUL MOURIR]

Cette structure sous-jacente peut ou non être soumise à une transformation syntaxique facultative, ASSOMPTION DE PRÉDICAT, qui attache le prédicat subordonné (MOURIR) à la gauche du verbe principal (CAUSE), créant la structure intermédiaire (47) :

(47) PIERRE — CAUSE + MOURIR — PAUL

Si cette opération a eu lieu, la règle d'insertion lexicale substitue ensuite l'item lexical (c'est-à-dire ici la forme morphophonologique) *tuer* à cette configuration CAUSE + MOURIR, et on obtient (45) (a); si ASSOMPTION DE PRÉDICAT n'a pas opéré, les item lexicaux *faire* et *mourir* seront substitués, respectivement, à CAUSE et à MOURIR dans (46), et, à la suite d'autres transformations, on obtiendra (45) (b). D'autres analyses semblables ont été proposées récemment (cf. Lakoff, 1970 a, 1971), qui toutes font intervenir crucialement des transformations syntaxiques ordonnées avant les insertions lexicales. La plus détaillée et la plus ambitieuse est celle que Paul Postal (1970 a) a proposée du verbe *remind* (dans une de ses lectures possibles). Postal propose de dériver (48) de la structure sémantique (49) (a), par l'application successive de MONTÉE DU SUJET (cf. (11)), PSYCH-

---

15. Ceci représente une simplification. McCawley dériverait en fait (41) (a) — (b) d'une structure sous-jacente telle que :

(I) PIERRE CAUSE — PAUL DEVIENT — PAUL EST NON-VIVANT

au moyen de plusieurs applications d'ASSOMPTION DE PRÉDICAT (la représentation de (I) est encore très simplifiée; elle ne tient pas compte, notamment, des temps verbaux).

MVT (cf. (42)-(44)), ASSOMPTION DE PRÉDICAT, et formation de *remind* (insertion lexicale) :

(48)   Larry reminds me of Winston Churchill

(49) (a)   I— perceive — [s Larry — is similar to — Winston Churchill]s
→ MONTÉE →

(b)   I — perceive — Larry — [s be similar to — Winston Churchill]s
→ PSYCH-MVT →

(c)   Larry — perceive — me — [s be similar to — Winston Churchill]s
→ ASSOMPTION DE PREDICAT →

(d)   Larry — perceive + similar — me — Winston Churchill
→ formation de *remind* et autres règles → (48)

3.3. Comme le recours aux contraintes dérivationnelles globales, l'abandon de la condition (3) et du niveau de structure profonde a pour résultat d'augmenter considérablement le pouvoir descriptif des grammaires, en contraignant au minimum la forme de celles-ci. Encore une fois, il pourrait se faire qu'on soit obligé, pour des raisons empiriques, d'abandonner cette condition, et Postal (1970 *a*) s'est longuement efforcé de fournir des arguments empiriques en faveur de son analyse. Toute la question est de savoir s'il n'y a pas d'autres alternatives possibles, qui rendraient compte des mêmes faits tout en contraignant beaucoup plus la forme des grammaires.

Tout d'abord, il faut dire que l'accord est loin d'être fait sur la validité d'analyses particulières du genre de celles qu'on vient de signaler. Dougherty (1970 *b*) a proposé une analyse de la coordination qui élimine la règle de RÉDUCTION DE CONJONCTION de la dérivation de phrases comme (33) (b) et qui, du coup, modifie le problème sémantique du rapport entre (33) (a) et (33) (b). Hall-Partee (1970) et Jackendoff (1971 *b*) ont montré que l'analyse proposée par Lakoff des quantificateurs n'allait pas sans difficultés. L'analyse de *remind* de Postal a déjà fait l'objet d'importantes critiques (voir notamment Kimball, 1970, et Ronat, à paraître), qui mettent en cause la réalité d'une partie des faits sur lesquels elle se base et qui montrent qu'il existe certaines généralisations importantes qu'elle échoue à formuler. Divers linguistes (Fodor, 1970, et ici même, chap. IV) ont montré que l'analyse des verbes transitifs factitifs du type de *cuire* (cf. (41)) ou de *tuer* (cf. (45)) entraîne toutes sortes de difficultés, tant sémantiques que syntaxiques. Plusieurs des transformations qui interviennent de manière cruciale dans ces analyses n'ont par ailleurs guère, ou pas du tout, de justification syntaxique indépendante : c'est le cas d'ASSOMPTION DE PRÉDICAT qui (cf. Chomsky, 1972) n'a d'autre raison d'être que de permettre l'analyse proposée par McCawley; c'est le cas aussi dans une large mesure de PSYCH-MVT : les faits invoqués par Postal (1971) pour justifier cette règle peuvent être traités aussi bien dans un autre cadre théorique (cf. Jackendoff, 1969 b) et il existe d'autres faits dont elle rend impossible une description satisfaisante (cf. ici même, chap. v).

D'une manière générale, s'agissant de l'insertion lexicale, les propositions des tenants de la sémantique générative présentent un caractère souvent assez anecdotique : on propose une analyse particulière d'un ou deux item lexicaux, mais la question générale du lexique n'est pas vraiment abordée [16], et des problèmes traditionnellement importants, comme ceux de l'homonymie, de la métaphore, des rapports entre « sens principaux » et « sens dérivés » des mots, etc., sont escamotés (cf. le chapitre v). D'autre part, la sémantique générative repose sur un postulat fondamental, jamais discuté explicitement, qui concerne la possibilité de construire une structure sémantique universelle, indépendante des langues particulières; c'est le vieux problème de la caractéristique universelle, dont les discussions philosophiques nous ont appris à nous méfier. Jackendoff (1969 b, 23) note « qu'il n'est pas clair qu'on puisse construire un objet formel qui corresponde à la notion intuitive de « lecture sémantique », à cause de l'infinie divisibilité des propriétés sémantiques et du problème (peut-être indécidable) de choisir quelle information fait partie de la lecture [sémantique d'un item lexical, N.R.] et quelle information suit simplement de cette lecture ». Chomsky (1969, 80) remarque aussi qu'il n'est peut-être pas possible de « distinguer nettement entre la contribution de la grammaire à la détermination du sens et la contribution des considérations dites « pragmatiques », des questions de fait, de croyance et de contexte des énoncés » (voir aussi, en relation avec l'analyse de Postal de *remind*, Bar-Hillel, 1971).

Il faut dire que certaines équivoques ou imprécisions de la théorie

---

16. Pour des recherches plus approfondies sur le lexique, voir Gruber (1965-1967), et, dans une perspective différente, les travaux poursuivis sous la direction de Maurice Gross au laboratoire d'Automatique documentaire et linguistique du C.N.R.S. (cf. Gross, 1969).

standard, dans les formulations de Katz-Postal (1964) et de Chomsky (1965) ont contribué à l'orientation prise par la sémantique générative. Prenons par exemple l'idée que les relations grammaticales de structure profonde déterminent un aspect fondamental de l'interprétation sémantique des phrases. Chomsky (1965), s'il donne un moyen de définir des relations telles que celles de sujet-prédicat, verbe-objet, etc., n'est guère explicite sur le rôle que ces relations jouent dans l'interprétation sémantique. Comme, d'autre part, la conception purement combinatoire des règles de projection sémantique de Katz-Fodor (1963) ne permettait pas de rendre compte de différences aussi évidentes que celles qu'on trouve (dans le rapport entre le sujet et le verbe par exemple) entre des phrases telles que (41) (a)-(b) ou (42) (a)-(b), le pas qui mène à des analyses du genre de celles proposées par Postal, McCawley (ou encore, dans un autre genre, par Fillmore, 1968) était aisé à franchir. Mais tout dépend de la manière dont on conçoit le rôle de la composante sémantique de la grammaire. Si les règles d'interprétation sémantique sont complexes et diversifiées, si elles ne se ramènent pas à une simple projection des relations grammaticales, d'autres analyses deviennent possibles (cf. Jackendoff, 1969 b, 1971 a; Anderson, 1971). Ainsi, considérons les constructions factitives simples et complexes :

(50) (a) Alice cuit le ragoût (cf. (41) (a))

    (b) Alice fait cuire le ragoût

Une des difficultés sémantiques de l'analyse proposée par Lakoff et McCawley tient au fait que ces constructions apparentées ne sont pas en général synonymes, cf. :

(51) (a) Alice a fait remonter Humpty Dumpty sur son mur mais elle ne l'a pas fait remonter elle-même sur son mur

    (b) Alice a fait remonter Humpty Dumpty sur son mur mais elle ne l'a pas remonté elle-même sur son mur

(52) (a) Graham Hill a fait caler le moteur de la Ferrari de Jacky Ickx

    (b) Graham Hill a calé le moteur de la Ferrari de Jacky Ickx

(51) (a) est contradictoire, mais (51) (b) ne l'est pas; en effet, pour qu'Alice *remonte* Humpty Dumpty sur son mur, il faut qu'elle agisse

sur lui directement, physiquement, en le prenant par exemple dans ses bras pour le déposer sur le mur; tandis qu'elle peut le *faire remonter* simplement par persuasion, sans agir elle-même directement. Le cas de (52) est plus subtil : (52) (b) implique que Graham Hill est au volant de la Ferrari de Ickx, tandis que (52) (a) n'implique rien de semblable : Graham Hill a pu, par exemple, faire caler le moteur de la Ferrari, alors que lui-même pilotait une Lotus et qu'il a gêné Ickx dans un virage. D'autre part, les transitives simples et complexes ne manifestent pas en général les mêmes restrictions de sélection, cf. :

(53) (a) Delphine a fait entrer la voiture dans le garage
     (b) Delphine a entré la voiture dans le garage

(54) (a) Delphine a fait entrer les invités au salon
     (b) * Delphine a entré les invités au salon

Tous ces faits, et bien d'autres, commencent à être compréhensibles si on admet, (i) que les structures profondes de (41) (a)-(b) et des constructions du même type sont, en gros, les mêmes que leurs structures superficielles, et (ii) si on définit une notion sémantique d' « agent » dérivativement à partir de la notion de sujet profond; autrement dit, dans certaines conditions (dépendant du contenu sémantique du sujet, du verbe, etc.), un sujet profond, et seul un sujet profond, peut être interprété sémantiquement comme un agent. Étant donné que, en structure profonde, une construction transitive simple telle que (41) (a) ou (53) (b) n'a qu'un seul sujet tandis qu'une construction factitive complexe en a deux, celui de la principale et celui de la subordonnée, on peut ainsi rendre compte des différences notées; par exemple, dans la première coordonnée de (51) (b), Humpty Dumpty, objet profond, ne peut pas être un agent — tandis qu'il peut l'être dans la seconde coordonnée; d'autre part, (53) (a) et (b) sont également possibles, parce qu'une voiture peut être conçue également comme objet passif d'une action et comme douée d'activité autonome; en revanche, (54) (b) est impossible parce que, en principe, quand on a des invités chez soi, on les traite en individus libres et autonomes. Tout ceci est présenté de manière très rapide; pour plus de détails, voir le chapitre IV.

Ces remarques laissent subsister les difficultés qui étaient à l'origine des propositions de Lakoff et de McCawley, à savoir la parenté de constructions telles que (41) (a)-(b). Mais intervient ici le fait qu'on a négligé certaines possibilités qu'offrait la théorie standard. Dans le cadre de la première théorie de Chomsky, celle de *Syntactic Structures*, la seule manière de relier des phrases apparentées de ce genre était effectivement de les dériver transformationnellement d'une même structure sous-jacente. Mais, à partir du moment où la grammaire comporte un lexique organisé selon les lignes de Chomsky (1965), il y a d'autres possibilités qui s'offrent.

En effet, la théorie standard admet la nécessité de recourir à des *règles de redondance lexicale*, qui extraient des rubriques lexicales tous les traits redondants, c'est-à-dire tous les traits qui sont susceptibles d'être prévus par des règles plus ou moins générales à partir d'autres traits figurant dans ces mêmes rubriques. De telles règles sont familières en phonologie, depuis les premiers travaux de Halle et, déjà, ceux de Jakobson. Elles sont également nécessaires en morphologie. Un bon exemple est celui du genre grammatical en français. Comme chacun sait, le genre grammatical des noms est en français, dans une large mesure, arbitraire, non prédictible par des règles générales. Le fait que *fauteuil* ou *fromage* sont masculins, *armoire* ou *tarte* féminins, devra être marqué dans la rubrique lexicale de ces noms. Si nous employons à cet effet le trait [± MASCULIN], les rubriques lexicales de *fauteuil* et *fromage* comporteront entre autres le trait [+ MASC], et celles d'*armoire* et de *tarte* le trait [— MASC]. Il est bien connu, cependant, que, pour toute une série de cas, le genre grammatical est prévisible. Le cas le plus connu est celui des noms humains : normalement, tous les noms désignant des êtres humains de sexe masculin sont grammaticalement masculins, et tous ceux désignant des êtres humains de sexe féminin sont grammaticalement féminins. Cette régularité peut être exprimée par une règle de redondance figurant en appendice au lexique. Désignons par [± MALE] le trait sémantique différenciant les êtres selon les sexes. Au lieu de faire figurer dans la rubrique de *garçon*, par exemple, les deux traits [+ MASC, + MALE], ou dans celle de *fille* les deux traits [— MASC, — MALE], il suffira d'y faire figurer, respectivement, les traits [+ MALE] et [— MALE]. Une règle de redondance telle que (55) permettra ensuite de rendre compte de la régularité qui, chez les noms humains, lie le sexe et le genre grammatical :

(55) [+ N], [+ HUMAIN], [α MALE] → [α MASC]
       (où α est une variable sur + et —)

Rien n'empêche d'étendre l'usage du même type de mécanisme à la syntaxe (et, éventuellement, à la sémantique). Pour en revenir aux constructions qui nous intéressent ((41) (a)-(b)), on pourrait engendrer les constructions transitives et intransitives apparentées de cette manière, les unes et les autres directement dans la base. Un verbe tel que *cuire* sera spécifié dans le lexique comme ayant uniquement les traits, par exemple, d'un verbe intransitif, soit :

(56) *cuire :* [+ V], [+ ___ #], [+[+ F] ___],...

(où [+ F] recouvre l'ensemble des traits syntactico-sémantiques qui interviennent dans les restrictions de sélection de *cuire*). Ensuite, une règle de redondance assez générale spécifiera que les verbes tels que *cuire* peuvent aussi figurer dans un cadre transitif, avec les mêmes restrictions de sélection sur l'objet que celles qu'ils imposent au sujet dans un cadre intransitif. Cette règle pourrait avoir la forme suivante :

(57) [+ V], [+ ___ #], [+[+ F] ___],... →
      [+ V], [+ ___ NP], [+ ___ [+ F]],...

(Pour plus de détails sur cette règle, voir les chapitres III et IV ci-dessous.)

Des règles de redondance telles que (55) et (57) permettent, au même titre que des transformations, de faire l'économie d'un grand nombre de traits dans le lexique. Mais, à la différence des transformations, elles opèrent « en bloc » (elles sont non-ordonnées) dans le lexique, avant les règles d'insertion lexicale.

Cette méthode consiste donc à faire un usage plus grand et plus systématique des traits lexicaux. C'est l'hypothèse « lexicaliste » — par opposition à l'hypothèse « transformationnaliste » — qui a été proposée par Chomsky dans son article sur les nominalisations en anglais (1970). Elle peut aussi être utilisée pour rendre compte des similitudes de distribution et de sélection signalées plus haut entre les membres de catégories syntaxiques différentes (noms et verbes, verbes et adjectifs, etc.). Au lieu par exemple de ramener les verbes et les adjectifs à une catégorie unique, ou de dériver les nominalisations de phrases (cf. Lees, 1960), on peut introduire noms, verbes et adjectifs comme tels dans la base, mais avec un système de traits qui les classifie (les noms et les verbes auront un trait commun, de même les verbes et les adjectifs, etc.), et les régularités en question seront formulées en termes de ces traits. Diverses recherches, encore largement inédites, sont poursuivies actuellement dans cette perspectives et semblent prometteuses (cf. Bresnan, 1970, 1971, 1972, Selkirk, 1970, etc.).

Une fois qu'on a ainsi la possibilité de recourir à des mécanismes différents — en l'occurrence, des transformations ou des règles de redondance lexicale — pour traiter les mêmes faits, le problème de la justification des analyses devient beaucoup plus aigu. A partir d'une comparaison systématique entre deux types de nominalisation en anglais, les « gérondifs » (cf. (58)) et les « nominaux dérivés » (cf. (59)), Chomsky (1970) a ainsi essayé de dégager certains critères généraux qui tendent à favoriser une analyse plutôt que l'autre :

(58)   John's refusing the offer

(59)   John's refusal of the offer

On constate que ces constructions diffèrent de plusieurs points de vue : productivité du processus, généralité de la relation entre les nominaux et les phrases correspondantes, structure interne des syntagmes. C'est ainsi que le processus de dérivation des « gérondifs » est très productif, que la relation qui les lie aux phrases est très régulière, et qu'ils ont une structure interne de phrase. Ce sont exactement les caractéristiques que prédirait une analyse qui dérive transformationnellement les « gérondifs » de phrases sous-jacentes. En revanche, le processus de formation des « nominaux dérivés » est peu productif (à certains verbes ne correspondent pas de noms et réciproquement); la relation entre phrases et nominaux dérivés est capricieuse (au point de vue sémantique par exemple, les verbes et les noms apparentés divergent par toutes sortes d'idiosyncrasies); enfin, les « nominaux dérivés » ont une structure interne de syntagmes nominaux. C'est ce que prédirait une analyse qui introduit directement les « nominaux dérivés » dans la base, tout en traitant dans le lexique les régularités qui les lient aux phrases (au moyen de règles de redondance), ainsi que les particularités qui les en distinguent. D'autres considérations interviennent : par exemple, il est normal qu'une transformation puisse s'appliquer à une structure déjà dérivée transformationnellement, alors que, par définition, une règle de redondance établit un lien entre deux structures profondes engendrées séparément dans la base. Aussi on s'attend à trouver des « gérondifs » comportant des structures dérivées par transformation, et, d'autre part, à ce que les structures correspondantes soient impossibles dans les « nominaux dérivés ». Or, considérons, avec Chomsky (1970), les exemples suivants :

(60)   (a)   John is eager to please
        (b)   John's being eager to please
        (c)   John's eagerness to please

(61) (a) John is easy to please
(b) John's being easy to please
(c) * John's easiness to please

(62) (a) John gave a book to Mary
(b) John's giving a book to Mary
(c) John's gift of a book to Mary

(63) (a) John gave Mary a book
(b) John's giving Mary a book
(c) * John's giving (of) Mary (of) a book

On constate la chose suivante : (60) (a) et (62) (a) présentent en surface leurs éléments (sujet-prédicat, sujet-verbe-objet direct-objet indirect) dans le même ordre et avec les mêmes relations qu'en structure profonde; les « gérondifs » (60) (b), (62) (b) aussi bien que les « dérivés nominaux » correspondants (60) (c), (62) (c) sont grammaticaux. D'autre part, il a été généralement admis que (61) (a) est dérivé de *it is easy to please John* par la règle de MONTÉE DE L'OBJET (cf. Chomsky, 1964); de même, (63) (a) serait dérivé de (62) (a) par la règle de DATIVE MOVEMENT (voir notamment Emonds, à paraître). Or, si les « gérondifs » correspondants (61) (b) et (63) (b) sont bien grammaticaux, les « dérivés nominaux » correspondants (61) (c), (63) (c) sont exclus. Ces faits sont exactement conformes aux prédictions d'une théorie qui dérive les « gérondifs » par transformation de phrases sous-jacentes et qui, d'autre part, engendre les « dérivés nominaux » directement dans la base. (J'ai quelque peu simplifié; certains faits, notamment ceux relatifs à l'existence de « dérivés nominaux » passifs — *the city's destruction by the enemy*, etc. — posent des problèmes spéciaux, qui sont traités par Chomsky, 1970.)

3.4. Dans l'hypothèse lexicaliste, la condition (3) et le niveau de structure profonde sont donc conservés, et prennent même une importance plus grande qu'auparavant. Revenons maintenant au problème posé au paragraphe 3.1, par des phrases, issues de structures profondes identiques, mais qui diffèrent sémantiquement. Dans la plupart des cas, pour les tenants de l'hypothèse lexicaliste, les structures profondes justifiées syntaxiquement sont bien, pour (31) par exemple, celles qu'on a suggérées d'abord (cf. la note 13). L'hypothèse lexicaliste va donc de pair avec l'abandon de l'idée que seules les structures profondes déterminent le sens. On pourrait à première vue penser que c'est là payer un coût très lourd, l'hypothèse de Katz-

Postal étant une hypothèse très forte et donc très intéressante. Il faut bien voir cependant que cet abandon n'amène pas nécessairement à renoncer à l'espoir qu'on puisse décrire les rapports entre syntaxe et sémantique d'une manière systématique.

On se rappelle que la toute première idée de Katz et Fodor (1963) avait été d'associer, à chaque règle syntaxique, une règle sémantique indiquant ses effets sur l'interprétation. On avait ainsi deux types de règles de projection, les unes associées aux règles syntagmatiques, et les autres associées aux règles de transformation. L'hypothèse que les transformations préservent le sens avait permis de faire l'économie de ce deuxième type de règles. D'autre part, cette hypothèse revenait aussi à associer les règles d'interprétation, non pas directement aux règles syntaxiques, mais aux structures engendrées (en l'occurrence, aux seules structures profondes).

L'hypothèse que font maintenant Chomsky, Jackendoff, etc., dans le cadre de la « théorie standard étendue », c'est qu'on peut encore contraindre suffisamment les rapports entre syntaxe et sémantique, en associant les règles d'interprétation, non pas à n'importe quelle règle ou à n'importe quel stade de la dérivation, mais seulement à deux niveaux, d'une part celui de la structure profonde, et d'autre part celui de la structure superficielle [17]. De plus, les structures profondes, d'une part, et les structures superficielles, d'autre part, détermineraient des aspects différents et bien spécifiques de l'interprétation sémantique. Une illustration fera comprendre de quoi il retourne (je m'inspire ici essentiellement de Jackendoff, 1969 *a*, 1969 *b*). Reprenons l'exemple (31), que je répète ici par commodité, et considérons encore les exemples (64) et (65) :

(31) (a) une seule flèche n'a pas atteint la cible
    (b) pas une seule flèche n'a atteint la cible
    (c) la cible n'a pas été atteinte par une seule flèche

(64) (a) un seul manifestant n'a pas été arrêté par la police
    (b) pas un seul manifestant n'a été arrêté par la police
    (c) la police n'a pas arrêté un seul manifestant

(65) (a) un seul sonnet de Mallarmé n'est pas facile à comprendre

---

17. Peut-être faut-il faire aussi intervenir un autre niveau, intermédiaire, que Postal a proposé d'appeler « shallow structure »; il se définit comme le niveau où toutes les transformations cycliques ont opéré et où commence l'opération des règles post-cycliques.

> (b) pas un seul sonnet de Mallarmé n'est facile à comprendre
>
> (c) il n'est pas facile de comprendre un seul sonnet de Mallarmé

Considérons d'abord (31) seul. Si on admet que toutes ces phrases sont dérivées d'une même structure profonde, on pourrait penser à s'en tirer en associant une ou des règles sémantiques à chacune des transformations qui interviennent dans leur dérivation : celle qui attache les éléments négatifs à l'auxiliaire dans (31) (a), celle qui associe *pas* au NP sujet dans (31) (b) [18], PASSIF et la règle qui attache les éléments négatifs à l'auxiliaire dans (31) (c).

Mais considérons maintenant (64). (64) (a) signifie que tous les manifestants sauf un ont été arrêtés par la police; (64) (b) signifie qu'aucun manifestant n'a été arrêté, et (64) (c) est ambigu, avec une lecture dominante semblable à celle de (64) (b) et une autre signifiant que la police a arrêté plus d'un manifestant.

Il y a un parallélisme évident entre (31) et (64) [19], mais on voit, en considérant seulement les phrases qui ont subi ou non la règle de PASSIF, que les phrases actives de (31) ont des interprétations parallèles aux phrases passives de (64), et vice versa. Il semble difficile dans ces conditions d'associer une règle d'interprétation sémantique constante au PASSIF, puisque cette règle a des effets inverses dans (31) de ceux qu'elle a dans (64).

Les choses se compliquent encore si on considère (65). On a admis communément (cf. Chomsky, 1964) que les phrases du type de (65) (a)-(b) sont dérivées d'une structure profonde proche de (65) (c), par une règle qui convertit un objet subordonné en sujet principal (cf. l'exemple (61) ci-dessus; voir aussi Kayne, 1969, et Bresnan, 1971). Or, les interprétations de (65) (a)-(c) présentent à nouveau un parallélisme frappant avec celles de (31) et de (64) : (65) (a) dit qu'il y a

---

18. On pourrait penser que, dans (31) (b), *pas* est associé dès la structure profonde au NP, mais le fait qu'on ne rencontre jamais ce *pas* associé à un NP autre que le sujet (cf. * *je n'ai rencontré pas une seule personne*, * *la cible n'a été frappée par pas une flèche*, etc.) peut être expliqué par la dérivation transformationnelle esquissée.

19. Les faits sont en réalité plus complexes. (31) (c) me semble avoir aussi une lecture synonyme de (31) (a); une lecture équivalente me semble impossible dans le cas de (64) (c); ceci est peut-être à rattacher au statut d'objet direct de *un seul manifestant* en (64) (c), par opposition au statut de syntagme prépositionnel de *par une seule flèche* dans (31) (c). (65) présente aussi certaines différences subtiles avec (31) et (64) : (65) (a) me semble pouvoir être ambigu. Je laisserai de côté ici ces complications.

un seul sonnet de Mallarmé qui n'est pas facile à comprendre; (65) (b) dit qu'aucun sonnet de Mallarmé n'est facile à comprendre; enfin, (65) (c) est ambigu, avec la même hiérarchie des lectures que dans (31) et (64). Si on gardait l'idée d'associer les règles sémantiques aux transformations, on serait amené, à la fois, à associer des règles interprétatives très voisines à la règle de PASSIF et à celle de MONTÉE DE L'OBJET, d'une part, et à compliquer ces règles en fonction d'autres facteurs.

Regardons de plus près nos exemples. Nous avons déjà noté que la présence de quantificateurs (*une seule flèche, un seul manifestant*, etc.) contribue à perturber l'interprétation sémantique. De même, on a noté depuis longtemps les complications que la négation introduit dans l'interprétation des phrases. Or, il y a quelque chose de commun entre tous les exemples (a), d'une part, tous les exemples (b), d'autre part, tous les exemples (c) enfin : c'est que, dans la structure superficielle, l'ordre linéaire du quantificateur et de la négation est chaque fois le même : dans les exemples (a), le quantificateur (*un(e) seul(e)*) précède la négation (*pas*), et dans les exemples (b) et (c), c'est le contraire. Il semble donc y avoir là une régularité : l'interprétation sémantique, dans la mesure où elle dépend des quantificateurs et de la négation, est liée à leur ordre en structure superficielle, quelles que soient leurs positions en structure profonde, et quelles que soient les transformations qui sont intervenues dans les dérivations. A partir de là, Chomsky (1971) a fait l'hypothèse que, en ce qui concerne du moins le rôle de la négation et des quantificateurs, les structures superficielles, et les structures superficielles seules, déterminent l'interprétation sémantique; en d'autres termes, il est possible de déterminer le champ (*scope*) de la négation ou des quantificateurs en fonction de leur position en structure superficielle (pour plus de détails, voir Jackendoff, 1969 *a*, 1969 *b*).

Par ailleurs, il y a des aspects fondamentaux de l'interprétation sémantique qui semblent rester liés à la structure profonde : *une seule flèche* dans (31), *la police* dans (64), sont les « agents » de l'action exprimée par le verbe; cet aspect de l'interprétation reste constant, quelle que soit la position de ces éléments en structure superficielle, et peut être donné par des règles d'interprétation qui (cf. ci-dessus) associent la fonction sémantique d'agent à la fonction syntaxique de sujet profond. On pourrait faire des remarques analogues concernant le rôle des objets profonds, etc.

On en vient ainsi à une conception plus diversifiée des rapports entre syntaxe et sémantique. Certains aspects de la représentation sémantique sont déterminés par la structure profonde, d'autres par la structure superficielle, d'autres par les deux à la fois. Un premier aspect de la représentation sémantique concerne ce qu'on peut appeler (cf. Jackendoff, 1969 b) la « structure fonctionnelle d'une lecture sémantique »; il s'agit notamment de l'idée que les verbes peuvent être représentés sémantiquement comme des fonctions; cette structure fonctionnelle fait intervenir des notions sémantiques telles que celles d' « agent » et de « patient » d'une action, de « lieu » d'un processus, de « direction », etc. Cette partie de la représentation sémantique semble être déterminée par les relations grammaticales de structure profonde; pour des suggestions intéressantes sur l'articulation de cette structure fonctionnelle et des relations grammaticales, voir notamment les recherches de Gruber (1965, 1967) et de Jackendoff (1969 b) sur les « relations thématiques » (cf. le chapitre v).

D'autres aspects, toutefois, semblent n'avoir rien à voir avec cette structure fonctionnelle, et c'est à propos de ces aspects que se pose la question du rôle de la structure superficielle dans l'interprétation sémantique. Un de ces aspects concerne les phénomènes de coréférence (pronoms, etc.), dont je n'ai rien dit ici; la coréférence pose des problèmes très compliqués, mais il semble qu'aussi bien la structure profonde que la structure superficielle y jouent un rôle (cf. Chomsky, 1971, 1972, Jackendoff, 1969 b, Dougherty, 1969, et, pour une vue « sémantique générativiste », Grinder et Postal, 1971). Un aspect encore différent concerne les faits relatifs à la distinction entre « foyer » et « présupposition » (cf. les exemples (34)-(36) ci-dessus), qui semblent être déterminés par la structure superficielle (cf. Chomsky, 1971, Akmajian, 1970, et pour le point de vue de la sémantique générative, Lakoff, 1970 c). D'autres aspects encore concernent les phénomènes de « champ » de la négation, des quantificateurs, ainsi que de certains adverbes; on vient de voir qu'ils sont aussi déterminés par les structures superficielles. Enfin, il y a toute une série d'aspects liés à la structure interne des NP : le caractère spécifique ou non-spécifique d'un NP, les faits relatifs aux génériques, les phénomènes d' « opacité référentielle », etc. Ces faits, souvent discutés par les philosophes (Carnap, Russell, Quine, etc.) posent des problèmes très compliqués, et il semble que la structure superficielle y joue également un rôle (pour une étude récente de certains de ces problèmes, voir Jackendoff, 1971 a).

3.5. *Conclusion.* Dans ce trop rapide tour d'horizon, je n'ai pas pu rendre pleinement justice à toutes les recherches qui ont été entreprises et qui se poursuivent actuellement. Je n'ai, par exemple, presque rien dit des développements de la grammaire générative en dehors des États-Unis, spécialement en Europe où, dans divers pays (Grande-Bretagne, Pays-Bas, France, Allemagne, Scandinavie, etc.), des recherches très intéressantes ont commencé [20]. J'ai sans doute aussi trop marqué l'opposition entre la sémantique générative et la théorie standard étendue. A bien des égards, comme je le notais en commençant, certaines des divergences sont purement terminologiques. Les règles d'interprétation sémantique des structures superficielles, par exemple, peuvent souvent être reformulées comme des contraintes dérivationnelles globales (cf. Lakoff, *passim*). Le point de divergence le plus important, je crois, reste celui du statut de la structure profonde et de l'insertion lexicale. Sur ces points la théorie standard étendue me paraît décidément préférable à la théorie de la sémantique générative (voir les chapitres IV et V). Ce qui est sans doute le plus frappant — et les discussions variées entre tenants des diverses tendances y ont beaucoup contribué — c'est le degré de sophistication et de raffinement qu'a atteint l'argumentation, ce qui a amené à prendre en considération et à éclairer une multitude de faits concrets qu'on n'aurait même pas pu rêver de traiter dans le cadre des grammaires traditionnelles ou même, seulement il y a quelques années, dans le cadre de la grammaire transformationnelle. De toute façon, il reste, en dépit de toutes les divergences, une profonde unité, dans les modes d'argumentation et de justification, entre tous les linguistes formés à la grammaire générative d'inspiration chomskyenne; cela apparaît à l'évidence si on compare leurs travaux à ceux de linguistes qui continuent à travailler dans d'autres perspectives, même si ceux-ci sont préoccupés de formalisation.

---

20. Pour un panorama de la linguistique générative en Europe, voir Kiefer et Ruwet, eds. (1972).

2

La syntaxe du pronom « en »
et la transformation de « montée du sujet »*

1. Je voudrais ici, à propos d'un problème très particulier et, en apparence, très limité, montrer au moins deux choses. Tout d'abord, seul le recours systématique à des données relevant de l'intuition des sujets parlants — à leurs jugements sur la question de savoir si telle ou telle séquence de mots est ou non une phrase bien formée du français — permet de dégager certains faits bizarres et intéressants, dont une grammaire adéquate du français doit incontestablement rendre compte, mais qu'une recherche limitée à l'étude de corpus finis pourrait très difficilement déceler. Ensuite, alors qu'une grammaire, de type distributionnel par exemple, qui se limite à classer les éléments linguistiques en diverses catégories et à en décrire les séquences permises, peut tout au plus dire quels sont les faits observés, une grammaire comprenant des mécanismes plus puissants et plus abstraits, tels que des règles de transformation, peut, non seulement décrire les faits, mais aussi, en un sens, les expliquer. En effet, les faits apparemment très bizarres dont on va parler découlent naturellement de l'hypothèse que la compétence linguistique des sujets parlant une langue ne peut être décrite que par une grammaire qui comprend au moins un niveau de structure superficielle et un niveau de structure profonde, ces deux niveaux étant reliés par des transformations ordonnées.

2. Les pronoms préverbaux (enclitiques) du français ont déjà fait l'objet d'études approfondies de la part des transformationnistes (cf. Gross, 1968; Kayne, 1969, à paraître). Ces études ont démontré que les pronoms préverbaux sont, dans la structure profonde, des

* Version remaniée et augmentée d'un article paru dans *Langue française* (Paris, Larousse) 6 (1970), 70-83, sous le titre « Note sur la syntaxe du pronom *en* et d'autres sujets apparentés ».

syntagmes nominaux, occupant les positions « normales » des syntagmes nominaux (sujet, objet direct, objet indirect, etc.), et que leur position préverbale doit être obtenue au moyen d'une (ou de plusieurs) transformations qui, notamment, les déplacent de leur position originelle et les attachent à la gauche du verbe principal. Ainsi, la structure profonde de (1) serait quelque chose comme (2), qui ressemble très fort à (3) :

(1) Pierre le lui donnera

(2) Pierre donnera le à lui

(3) Pierre donnera le livre à Paul

Ces règles valent aussi en ce qui concerne le pronom préverbal *en*, qui correspond à la préposition *de* suivie d'un syntagme nominal réduit à un pronom, cf. (4) :

(4) (a) j'en parle
    (b) je parle de cela

Une des particularités de *en*, qui le distingue des autres pronoms enclitiques, est que la séquence *de NP* qui lui correspond dans la structure profonde peut se trouver, soit à droite du verbe, comme dans (4) ou dans (5), soit à gauche comme dans (6) (dans ce cas, *en* correspond à un complément adnominal du sujet) :

(5) (a) Noam a écrit la préface de ce livre
    (b) Noam en a écrit la préface

(6) (a) la préface de ce livre est trop flatteuse
    (b) la préface en est trop flatteuse

Je m'intéresserai ici à certaines particularités de la distribution de *en* quand, comme dans (6), il a son origine dans un complément du sujet. Rappelons d'abord (cf. Gross, 1968, 25) qu'il existe un certain nombre de restrictions sur la possibilité d'avoir *en* dans ce cas. Ces restrictions tiennent, tantôt à la nature de l'élément dont le *de NP* source de *en* est le complément (cf. (7) en face de (8)) :

(7) (a) plusieurs de ces livres sont exécrables
    (b) * plusieurs en sont exécrables

(8) (a) j'ai lu plusieurs de ces livres
(b) j'en ai lu plusieurs

tantôt à la nature du verbe auquel *en* est attaché (cf. (9)-(10)) :

(9) (a) la cheminée de l'usine est penchée
(b) la cheminée en est penchée
(10) (a) la cheminée de l'usine fume
(b) ? la cheminée en fume

Si *en* a son origine dans un complément situé à droite du verbe, on n'a pas les mêmes limitations. Les conditions dans lesquelles *en* venant du sujet est inacceptable ne sont pas claires, et il y a sans doute des variations d'un informateur à l'autre. En général, *en* est toujours acceptable quand le verbe est *être*.

3. Je ne m'occuperai pas ici de ces restrictions, dont la nature reste mystérieuse, mais d'une autre classe de faits. Il existe toute une série de verbes, apparemment très différents les uns des autres — ne fût-ce que du point de vue sémantique — mais qui ont tous, dans la structure superficielle, un complément à l'infinitif (précédé ou non d'une préposition), et qui présentent la particularité suivante : si le sujet de ces verbes comporte un complément adnominal de forme *de NP*, et si on remplace ce complément par *en*, les phrases résultantes sont agrammaticales si *en* précède le verbe en question, mais elles sont grammaticales si, en quelque sorte, *en* « saute par-dessus » le verbe principal, pour être attaché à l'infinitif complément. Comme ces verbes sont très variés, je me permets de donner une liste d'exemples assez longue :

(11) (a) l'auteur de ce livre va devenir célèbre
(b) * l'auteur en va devenir célèbre
(c) l'auteur va en devenir célèbre

(12) (a) la solution de ce problème vient d'être trouvée
(b) * la solution en vient d'être trouvée
(c) la solution vient d'en être trouvée

(13) (a) la porte de la cathédrale semble être fermée
(b) * la porte en semble être fermée
(c) la porte semble en être fermée

(14) (a) la solution de ce problème $\left\{ \begin{array}{l} \text{doit} \\ \text{peut} \end{array} \right\}$ être simple

(b) * la solution en $\left\{ \begin{array}{l} \text{doit} \\ \text{peut} \end{array} \right\}$ être simple

(c) la solution $\left\{ \begin{array}{l} \text{doit} \\ \text{peut} \end{array} \right\}$ en être simple

(15) (a) l'auteur de ce livre commence à être célèbre
(b) * l'auteur en commence à être célèbre
(c) l'auteur commence à en être célèbre

(16) (a) la solution de ce problème mérite d'être publiée
(b) * la solution en mérite d'être publiée
(c) la solution mérite d'en être publiée

(17) (a) l'auteur de ce livre mérite d'être célèbre
(b) * l'auteur en mérite d'être célèbre
(c) l'auteur mérite d'en être célèbre

(18) (a) les conditions du traité menacent d'être dures
(b) * les conditions en menacent d'être dures
(c) les conditions menacent d'en être dures

(19) (a) la lecture de ce livre promet d'être passionnante
(b) * la lecture en promet d'être passionnante
(c) la lecture promet d'en être passionnante

(20) (a) les circonstances de la rencontre risquent d'être désagréables
(b) * les circonstances en risquent d'être désagréables
(c) les circonstances risquent d'en être désagréables

(21) (a) l'histoire de la révolution exige d'être écrite
(b) * l'histoire en exige d'être écrite
(c) l'histoire exige d'en être écrite

(22) (a) la solution de ce problème est susceptible d'être révisée
(b) * la solution en est susceptible d'être révisée
(c) la solution est susceptible d'en être révisée

J'ai présenté tous les exemples (b) comme agrammaticaux et tous les exemples (c) comme grammaticaux. Les faits sont plus complexes en réalité, et la distinction doit être comprise comme relative : toutes choses égales, les exemples (c) sont meilleurs que les exemples (b), c'est là le fait central qui exige d'être expliqué. Mais les exemples (c) sont parfois douteux. C'est le cas peut-être de (17) (c), et, si on compare

51

(17) (c) à (16) (c), on sera peut-être amené à faire certaines distinctions selon la nature [± animé] (ou [± humain]) du nom tête du NP sujet.

Par ailleurs, certains des exemples (b) (notamment (11) (b), (14) (b)) sont acceptables pour certains informateurs. Mais il s'agit là d'archaïsmes. On sait en effet que la distribution des pronoms enclîtiques était différente à des époques plus anciennes de l'histoire de la langue française. Au XVIIe siècle, des phrases telles que (11) (b) ou (14) (b) étaient acceptables, au même titre que (23) (b)-(24) (b), qui sont aujourd'hui exclues :

(23) (a) Pierre $\left\{ \begin{matrix} \text{peut} \\ \text{doit} \end{matrix} \right\}$ faire ce travail

    (b) * Pierre le $\left\{ \begin{matrix} \text{peut} \\ \text{doit} \end{matrix} \right\}$ faire

    (c) Pierre $\left\{ \begin{matrix} \text{peut} \\ \text{doit} \end{matrix} \right\}$ le faire

(24) (a) Pierre veut tuer cet homme
    (b) * Pierre le veut tuer
    (c) Pierre veut le tuer

Il ne sera pas question ici des raisons d'être de ces différences diachroniques. Enfin, signalons, pour éviter toute confusion, que des phrases comportant *en* sont souvent ambiguës, étant donné la diversité des sources possibles de *en* (complément adnominal, objet indirect en *de*, différents types d'adverbiaux). Ainsi, (25) (a) est ambigu, *en* pouvant correspondre à un complément du sujet, comme en (25) (b), ou à un adverbial de cause, comme en (25) (c) :

(25) (a) l'auteur en est devenu célèbre
    (b) l'auteur de ce livre est devenu célèbre
    (c) l'auteur est devenu célèbre $\left\{ \begin{matrix} \text{à cause de cela} \\ \text{de ce fait} \end{matrix} \right\}$

Aussi, une phrase telle que (16) (b) peut être grammaticale, si elle est interprétée comme se rattachant à quelque chose comme (26), plutôt qu'à (16) (a) :

(26) de ce fait, la solution mérite d'être publiée

Je reviendrai plus loin sur certaines implications de ces observations relatives à l'ambiguïté possible de *en* (cf. (44) et la section 10).

Quoi qu'il en soit de ces complexités supplémentaires, quelle doit être l'attitude du linguiste devant des faits tels que ceux de (11)-(22)? Il pourrait se contenter de les noter, comme je l'ai fait jusqu'à présent, avec le plus de détails possible. Notons bien que c'est déjà un progrès considérable par rapport aux grammaires traditionnelles qui, si je ne me trompe, n'ont jamais mentionné ces faits (ils ne sont signalés ni par Sandfeld ni par Martinon (1927), qui ont pourtant amassé de nombreuses observations intéressantes sur les pronoms préverbaux). Ce n'est sans doute pas un hasard : il s'agit du type même de faits qui n'apparaissent que si on se donne pour but de construire des règles explicites rendant compte des intuitions des sujets parlants, et que si on se met à interroger systématiquement ces intuitions, en faisant varier certaines données (ici la place du pronom *en*). Ce type de faits risque de passer inaperçu si on s'en tient à l'observation de corpus.

De toute façon, si on se contente de noter les faits, on ne dépasse pas le niveau d'adéquation observationnelle (cf. Chomsky, 1965). Il reste à les décrire de manière simple et systématique, et surtout à essayer d'expliquer cette distribution bizarre de *en*. Il doit y avoir, à l'œuvre derrière ces faits, un principe systématique. C'est seulement quand on aura dégagé ce principe qu'on pourra prétendre avoir rendu compte de la compétence effective des sujets parlant français.

4. J'ai dit plus haut qu'une grammaire transformationnelle rend compte de la distribution des pronoms enclitiques au moyen de règles qui les déplacent, de leur position originelle de syntagme nominal (ou de syntagme prépositionnel, s'il s'agit de *en* ou de *y*), pour les attacher à gauche du verbe principal dans la même phrase simple. Dans le cas le plus habituel des pronoms qui ont leur origine dans la base à droite du verbe, la règle aura la forme suivante (cf. Kayne, 1969, à paraître) :

(27) PLACEMENT D'ENCLITIQUE :

$$X - V - Y - PRO - Z$$
$$1 \quad 2 \quad 3 \quad 4 \quad 5$$
$$\Rightarrow 1 \quad 4 + 2 \quad 3 \quad \emptyset \quad 5$$

Il faut noter que les « auxiliaires » *être* et *avoir* se comportent de ce point de vue comme des verbes principaux, cf. :

(28) (a) Pierre a rencontré Paul
    (b) Pierre l'a rencontré
    (c) * Pierre a le rencontré

(29) (a) Pierre a trouvé la solution de ce problème
    (b) Pierre en a trouvé la solution
    (c) * Pierre a en trouvé la solution

(30) (a) Pierre est venu de Paris
    (b) Pierre en est venu
    (c) * Pierre est en venu

Dans le cas du *en* qui a son origine dans un complément du sujet, on aura une règle qui déplace un pro-syntagme prépositionnel de gauche à droite. Appelons cette règle la règle de EN-AVANT [1] :

(31) EN-AVANT :

$$X - \left[_{NP} Y - \left[\begin{matrix} PP \\ PRO \end{matrix}\right]\right] - Z - V - W$$

$$\begin{matrix} 1 & 2 & 3 & 4 & 5 & 6 \\ \Rightarrow 1 & 2 & \varnothing & 4 & 3+5 & 6 \end{matrix}$$

PRO désigne donc ici le pro-syntagme prépositionnel dont la forme phonologique est *en*. Pour les raisons de traiter *en*, ainsi qu'*y*, comme des pro-syntagmes prépositionnels, voir Kayne (1969, à paraître). A première vue, si on considère par exemple les phrases de (6), il semble incorrect de parler d'une règle de déplacement : *en* reste apparemment à la même place que le *de NP* auquel il correspond, et on pourrait parler seulement de substitution de *en* à *de NP*. Toutefois, il suffit de considérer les faits de (32) pour voir que *en* a dû être déplacé :

(32) (a) la solution de ce problème n'a pas été publiée
    (b) * la solution en n'a pas été publiée
    (c) la solution n'en a pas été publiée

De plus, Kayne (1969, à paraître) a un certain nombre d'arguments selon lesquels les pronoms préverbaux doivent être attachés au verbe, de telle manière qu'ils soient dominés par le nœud V. Ceci

---

1. Dans la suite du texte, pour des raisons d'exposition, je mentionnerai toujours *de* PRO plutôt que $\left[\begin{matrix} PP \\ PRO \end{matrix}\right]$, mais il doit être entendu que, comme Kayne l'a montré, les règles qui rendent compte des enclitiques ne déplacent que de purs pronoms, en l'occurrence, des pro-syntagmes prépositionnels.

est incompatible avec une simple substitution de *en* à *de NP*, sans déplacement.

On pourrait imaginer de rendre compte des faits de (11)-(22) au moyen d'une contrainte sur l'application de cette règle EN-AVANT, contrainte qui dirait quelque chose comme ceci : « dans certaines conditions, *en* saute par-dessus le verbe principal et est attaché au verbe subordonné ». L'ennui est qu'il est très difficile de formuler de manière précise ces conditions. De toute évidence, il ne suffit pas de dire que *en* saute par-dessus le verbe principal si celui-ci est accompagné d'un complément à l'infinitif, comme le montrent les exemples suivants :

(33) (a) l'auteur de ce livre a oublié d'être à l'heure (pour signer le service de presse)
    (b) ? l'auteur en a oublié d'être à l'heure
    (c) * l'auteur a oublié d'en être à l'heure

(34) (a) le chef de la révolte a daigné être magnanime
    (b) ? le chef en a daigné être magnanime
    (c) * le chef a daigné en être magnanime

Les exemples (33) (b), (34) (b), ne sont pas très bons, à cause des contraintes tenant à la nature du verbe (cf. (9)-(10)); mais il est clair que les exemples (33) (c), (34) (c) sont tout à fait exclus. Notons que (33)-(34) excluent que l'on puisse formuler la contrainte sur EN-AVANT en disant que c'est la présence de certains verbes subordonnés, notamment *être*, qui « attire » *en*.

Certains exemples pourraient suggérer que la condition tient à la nature, animée ou inanimée, du nom tête du sujet dont *en* est le complément, cf. (35)-(36) en face de (18)-(19) :

(35) (a) le chef de cette bande a menacé les révoltés d'être impitoyable
    (b) ? le chef en a menacé les révoltés d'être impitoyable
    (c) * le chef a menacé les révoltés d'en être impitoyable

(36) (a) le chef de la police a promis d'être magnanime
    (b) ? le chef en a promis d'être magnanime
    (c) * le chef a promis d'en être magnanime

(Je reviendrai plus loin sur ces exemples, cf. la section 11.)

Mais si cette distinction semble jouer un rôle, qui du reste n'est pas clair, des exemples tels que (15) et (17) suffisent à montrer qu'elle est insuffisante. Voir aussi les phrases suivantes :

(37) le chef doit en être courageux

(38) l'auteur semble en être stupide

(39) l'auteur risque d'en rester inconnu [2]

Ainsi, si on veut rendre compte des faits au moyen de conditions sur l'application de EN-AVANT, ces conditions devront être très complexes : elles devront comporter une liste des verbes (*aller, sembler, menacer*, etc.) qui permettent à *en* de leur passer par-dessus, avec de plus, pour certains de ces verbes (*menacer, promettre*, etc.) des restrictions liées à la nature (animé/non-animé) de leur sujet, plus peut-être encore d'autres restrictions. De toute façon, et à supposer qu'il soit vraiment possible de formuler ces conditions, on n'aura rien fait d'autre que de constater les faits, on ne les aura pas éclairés. De plus, certains autres faits indiquent que les choses sont encore plus compliquées, cf. :

(40) (a) les conditions du traité semblent commencer à être susceptibles d'être adoucies

    (b) * les conditions en semblent commencer à être susceptibles d'être adoucies

    (c) * les conditions semblent en commencer à être susceptibles d'être adoucies

    (d) * les conditions semblent commencer à en être susceptibles d'être adoucies

    (e) les conditions semblent commencer à être susceptibles d'en être adoucies

(41) (a) la solution du problème risque de devoir être révisée

    (b) * la solution en risque de devoir être révisée

    (c) * la solution risque d'en devoir être révisée

    (d) la solution risque de devoir en être révisée

Ces exemples montrent que, si des verbes de la classe qui permet à *en* de leur passer par-dessus sont enchâssés les uns en-dessous des autres, *en* doit leur passer par-dessus à tous, quel que soit leur nombre ; apparemment, *en* doit pouvoir sauter par-dessus un nombre indéfini de ces verbes, et la condition sur EN-AVANT devrait pouvoir contrôler si tous les verbes enchâssés appartiennent ou non à cette classe.

---

2. (39) est bien entendu ambigu, *en* pouvant correspondre, soit à un complément du sujet, soit à un complément de *inconnu*, comme dans *l'auteur risque de rester inconnu du public*; seule la première lecture m'intéresse ici.

Une condition de ce genre est assez étrange, et, même si on peut la formuler, elle ne revient, encore une fois, à rien d'autre qu'à répéter les faits observés, sans en donner aucune explication.

On pourrait, compte tenu des faits suivants :

(42) (a) l'auteur de ce livre semble être intelligent
     (b) l'auteur semble en être intelligent

(43) (a) Pierre semble avoir donné ce livre à Paul
     (b) Pierre semble le lui avoir donné

dire que *en* « est placé au même endroit que les autres pronoms préverbaux ». Mais cette solution (à supposer qu'on puisse lui donner une formulation précise) échoue devant une phrase telle que (44) (b) :

(44) (a) la solution de ce problème a failli être publiée de ce fait
     (b) la solution en a failli en être publiée

En effet, dans (44) (b), c'est le *en* qui est à gauche de *a failli* qui est interprété comme correspondant à *de ce fait*, et c'est celui qui est attaché à *être publiée* qui est interprété comme correspondant au complément du sujet. Les deux *en* se sont apparemment croisés. On verra plus loin que, dans la solution que je propose, (44) (b) ne pose pas de problème, et vient au contraire confirmer la validité de cette solution (voir ci-dessous, section 10).

5. Il existe en fait un moyen de rendre compte simplement de la distribution de *en* sans introduire de contraintes spéciales sur la règle de EN-AVANT. Mais cela exige deux choses. Tout d'abord, il faudra admettre que la structure profonde des phrases de (11)-(22) est plus abstraite qu'on pourrait le croire; en particulier, elle est assez différente des structures superficielles (11) (a)-(22) (a). Ensuite, il faudra faire intervenir, pour engendrer (11) (c)-(22) (c), plusieurs transformations ordonnées. Ceci pourrait apparaître une complication, mais on verra que, du même coup, s'éclaireront d'autres faits, apparemment sans rapports avec la distribution de *en*.

Pour comprendre où je veux en venir, il faut d'abord faire un détour. Considérons les couples de phrases suivants :

(45) (a) Justine a giflé le marquis
     (b) le marquis a été giflé par Justine

57

(46) (a) il est difficile de corrompre la concierge
    (b) la concierge est difficile à corrompre

(47) (a) il semble que Jean-François n'a rien compris à la démonstration
    (b) Jean-François semble n'avoir rien compris à la démonstration

Les transformationnistes (voir Chomsky, 1957, 1964; Rosenbaum, 1967) ont proposé d'engendrer les phrases (b), non pas directement, par des règles syntagmatiques, mais indirectement, en les dérivant des (structures sous-jacentes aux) phrases (a) correspondantes, au moyen de diverses transformations (par exemple PASSIF dans le cas de (45) (b)). Ces phrases ont alors ceci de commun qu'un NP qui, en structure superficielle, apparaît comme le sujet d'un verbe, n'est pas le sujet de ce verbe en structure profonde. Ainsi, dans (45), *le marquis* est, en structure profonde, objet du verbe *gifler*; dans (46), *la concierge* est objet du verbe subordonné *corrompre* et devient finalement sujet du verbe principal; dans (47), *Jean-François* est d'abord sujet de la subordonnée et devient sujet de la principale.

Il importe de noter que ce type de dérivation transformationnelle n'est pas justifié seulement par des arguments sémantiques — le rapport de paraphrase entre les exemples (a) et (b) dans chaque cas; on sait d'ailleurs que des phrases liées par un rapport similaire ne sont pas toujours en relation de paraphrase (cf. le chap. i). L'identité des restrictions de sélection dans les exemples (a) et (b) ne serait pas non plus un argument suffisant pour justifier cette dérivation (mais voir ci-dessous, section 7). L'important est qu'il existe aussi des arguments syntaxiques en faveur de cette analyse transformationnelle. En voici un, inspiré d'un argument qui a été suggéré pour l'anglais par Chomsky, 1970.

Normalement, en français, un nom commun ne peut pas figurer en position de syntagme nominal sans être précédé d'un déterminant; cf. (48)-(51) :

(48) $\left\{ \begin{array}{l} \text{la} \\ \text{* } \varnothing \end{array} \right\}$ justice est inflexible

(49) $\left\{ \begin{array}{l} \text{le} \\ \text{* } \varnothing \end{array} \right\}$ tort tue

(50) Pierre a mangé $\left\{ \begin{array}{l} \text{cette} \\ \text{* } \varnothing \end{array} \right\}$ pomme

(51) Ernestine se consacre à $\begin{Bmatrix} \text{l'} \\ * \varnothing \end{Bmatrix}$ assistance aux filles publiques repenties

Il existe toutefois un certain nombre d'exceptions à cette règle. Parmi ces exceptions, on compte une série d'expressions, de caractère assez idiomatique, qui comportent un verbe transitif, de contenu sémantique général, suivi d'un « objet direct » réduit à un nom sans article, cf. *faire plaisir, faire peur, avoir soif, avoir honte, prendre garde, perdre courage, donner soif,* etc. Pour la plupart, ces expressions sont figées, en ce sens qu'elles ne peuvent pas être soumises à divers processus transformationnels, cf. :

(52) (a) Jules a repris haleine
      (b) * haleine a été reprise par Jules

(53) (a) Justine a crié grâce
      (b) * grâce semble avoir été criée par Justine

(54) (a) il est facile de prendre froid dans ce pays
      (b) * froid est facile à prendre dans ce pays

Toutefois, à certaines de ces expressions correspondent des phrases passives, cf. :

(55) (a) le roi a rendu justice sous un chêne
      (b) justice a été rendue par le roi sous un chêne

(56) (a) on a prêté assistance aux personnes sans abri
      (b) assistance a été prêtée aux personnes sans abri

(57) (a) tout le monde a donné tort à Gilles de Rais
      (b) tort a été donné par tout le monde à Gilles de Rais

Certaines de ces phrases peuvent passer pour gauches, ou appartenir à un style particulier. L'important est qu'elles soient possibles, alors que (52) (b)-(54) (b) sont totalement exclus. Il est donc nécessaire de rendre compte de cette différence.

Comme le montrent les exemples (48)-(51), des noms tels que *justice, tort, assistance,* etc., ne peuvent figurer sans déterminant que dans des phrases du type de (55)-(57), c'est-à-dire, dans des phrases actives, comme objets de certains verbes spécifiques, et dans des phrases passives, comme sujets de ces mêmes verbes. Quel que soit le caractère exceptionnel de ces expressions, il est clair qu'il y a là une régularité, que peut exprimer une grammaire qui dérive les phrases passives, par transformation, des phrases actives correspondantes. En revanche, une grammaire qui n'établirait pas de rapport entre les phrases actives et passives serait obligée de traiter comme des faits séparés l'existence des phrases (55) (a)-(57) (a), d'une part, et celle des phrases (55) (b)-(57) (b), d'autre part; cette grammaire serait incapable d'exprimer le fait que, si (55) (b) par exemple est possible, alors que (48) ne l'est pas, c'est en un sens pour la même raison que (55) (a) est possible; en d'autres termes, cette grammaire serait incapable de formuler une certaine généralisation sur la grammaire du français. Des faits de ce genre constituent donc un argument purement syntaxique, en faveur de l'existence en français de la transformation passive.

On retrouve des faits semblables dans des constructions analogues à celles de (46) et de (47), cf. :

(58)　(a)　il est difficile de rendre justice
　　　　(b)　justice est difficile à rendre
(59)　(a)　il semble que tort a été donné à la police
　　　　(b)　tort semble avoir été donné à la police

Des phrases telles que (58) (b), (59) (b) s'expliquent facilement si on les dérive, respectivement, des structures sous-jacentes à (58) (a), (59) (a). Arrêtons-nous sur (59), qui met en jeu un des verbes qui nous intéressent (cf. (13) ci-dessus). Admettons que la structure sous-jacente des phrases dont le verbe principal est *sembler*, qu'il s'agisse de (47) (a) ou (b), de (59) (a) ou (b), a la forme suivante :

(60)　[s Δ sembler [s NP VP]]

où Δ représente un sujet « vide ». Nous introduisons la transformation facultative suivante :

(61)　MONTÉE DU SUJET (facultatif) :

$$\Delta - \text{sembler} - [\text{s NP} - \text{X}] - \text{Y}$$
$$1 \qquad 2 \qquad\qquad 3 \qquad 4 \qquad 5$$
$$\Rightarrow 3 \qquad 2 \qquad\qquad \emptyset \qquad 4 \qquad 5$$

Pour engendrer (47) (b), on partira de la structure profonde (62), et la règle (61) convertira celle-ci en (47) (b) :

(62)　[s Δ semble [s₂ [NP Jean-François]VP [n'avoir rien compris à la démonstration]]]

Si la règle (61) n'a pas été appliquée à (62), une règle tardive insérera *il* à la place du sujet vide Δ, et d'autres règles (insertion de *que*, etc.) rendront compte finalement de la phrase (47) (a). Notons que j'ai simplifié les choses; je n'ai notamment pas tenu compte de la manière précise dont les temps verbaux doivent être décrits. Ce point n'a pas d'importance pour ce qui nous intéresse directement ici. Par ailleurs, le terme 2 de l'index structural de (61) ne devrait pas mentionner *sembler*, mais une classe de verbes, qui comprend aussi *paraître, s'avérer, se révéler*, etc. (voir Gross, 1968).

En ce qui concerne (59), on aura la dérivation suivante. On part de la structure profonde (63) (a); on applique ensuite la transformation passive dans la subordonnée, ce qui donne (63) (b); ensuite, l'application de MONTÉE DU SUJET donne (63) (c), qui est identique à (59) (b). Si MONTÉE DU SUJET n'était pas appliquée, on obtiendrait (64).

(63) (a) Δ semble [s Δ avoir donné tort à la police]
     (b) Δ semble [s tort avoir été donné à la police]
     (c) tort semble avoir été donné à la police

(64) il semble que tort a été donné à la police

6. Nous sommes maintenant en position d'éclaircir le problème posé par la distribution de *en*. Revenons à l'exemple (13), que je reproduis ici :

(13) (a) la porte de la cathédrale semble être fermée
     (b) * la porte en semble être fermée
     (c) la porte semble en être fermée

Si, comme pour (47) et (59), on admet que la structure sous-jacente à (13) (a) est (65), on dérivera (13) (a) par application à (65) de MONTÉE DU SUJET; si on n'applique pas cette règle, on obtient (66) :

(65) [s Δ semble [s [NP la porte de la cathédrale] [VP être fermée]]]

(66) il semble que la porte de la cathédrale est fermée

D'autre part, la structure profonde de (13) (c), qui ne diffère de (13) (a) que par la présence d'un pronom au lieu du NP *la cathédrale*, sera (67) :

(67) [s Δ semble [s [NP la porte de PRO] [VP être fermée]]]

Notons que, si on n'applique pas la règle de MONTÉE DU SUJET, la règle de EN-AVANT s'applique normalement dans la subordonnée, sans être soumise à une condition spéciale, ce qui donne la phrase grammaticale (68) :

(68)   il semble que la porte en est fermée

On voit alors qu'il suffit d'ordonner la règle de EN-AVANT *avant* celle de MONTÉE DU SUJET pour obtenir automatiquement la phrase correcte (13) (c) et éliminer la phrase agrammaticale (13) (b). En effet, partant de (67), on obtiendra d'abord (par EN-AVANT), la structure (69) :

(69)   [s Δ semble [s [np la porte] [vp en être fermée]]]

Ensuite, MONTÉE DU SUJET convertira (69) en (13) (c). Le point crucial ici est le fait que, au moment de l'application de MONTÉE DU SUJET, le NP sujet de la subordonnée (terme 3 de l'index structural de (61)) est réduit à *la porte*, du fait de l'application antérieure de EN-AVANT, qui a détaché *de* PRO du NP sujet pour l'attacher au VP (finalement au verbe).

Mon hypothèse est donc que les deux transformations, EN-AVANT et MONTÉE DU SUJET — qui sont de toute façon nécessaires, chacune de son côté, pour rendre compte, par exemple, de (9) (b) ou de (47) (b) — sont appliquées dans l'ordre :

(I)   EN-AVANT
(II)   MONTÉE DU SUJET

De plus — et ceci est un point crucial — je pense que ce type de dérivation, qui, comme on vient de le voir, permet d'engendrer (13) (c) et d'exclure (13) (b), doit aussi permettre de rendre compte des autres exemples de (11)-(22). Autrement dit, je prétends que la règle de MONTÉE DU SUJET intervient dans leur dérivation, ce qui revient à dire que les sujets de ces phrases en structure superficielle n'en sont pas les sujets dans la structure profonde.

Par exemple, je dirai que la structure sous-jacente à (18) (a), au lieu de ressembler d'assez près à sa structure superficielle, est la suivante :

(70)   Δ menace [s les conditions du traité être dures]

C'est l'application de MONTÉE DU SUJET qui rendra compte de (18) (a). L'absence de (18) (b) et la grammaticalité de (18) (c) seraient alors décrites exactement de la même manière que l'absence de (13) (b) et l'existence de (13) (c).

A première vue, toutefois, les exemples du type de (18) — et, en fait, tous les exemples de (11)-(22) à l'exception de (13) — posent un problème que ne posait pas (13). En effet, ce qui rendait immédiatement plausible la dérivation de (13) au moyen de la règle de MONTÉE DU SUJET, c'était l'existence, à côté de (13) (a), d'une phrase bien formée telle que (66). Comme nous l'avons vu, dans le cas de *sembler, paraître, se révéler*, etc., la règle de MONTÉE DU SUJET est facultative : qu'elle s'applique ou non, le résultat est toujours grammatical, on a toujours une structure superficielle bien formée. Or, il n'en va pas de même dans les autres cas de (11)-(22), puisque, en face par exemple de (14), (16) ou (18), on n'a aucune des phrases suivantes :

(71)   * il $\left\{ \begin{array}{l} \text{peut} \\ \text{doit} \end{array} \right\}$ que la solution de ce problème soit simple

(72)   * il mérite que la solution de ce problème soit publiée

(73)   * il menace que les conditions du traité soient dures

Il faudrait donc dire que, pour tous les verbes du type de (11)-(22), à l'exception de *sembler, paraître* et quelques autres, la règle de MONTÉE DU SUJET est obligatoire. En d'autres termes, il faudrait marquer tous ces verbes, dans le lexique, d'un « trait de règle » (*rule feature*) [+ MONTÉE DU SUJET]. Ce genre de mécanisme est prévu par la théorie générative, et Lakoff (1970 *c*) a construit tout un formalisme pour le traiter. Il est possible que, dans toute une série de cas, on soit obligé d'y recourir. Il n'en reste pas moins qu'il s'agit là d'un type de mécanisme très puissant, qui devrait être en principe tenu pour très coûteux. On ne devrait y recourir qu'à toute dernière extrémité, si on n'a pas d'autres moyens de procéder, ou si on a vraiment par ailleurs de bonnes raisons de le faire. Dans le cas qui nous occupe, cette solution paraît, à première vue, d'autant plus gênante qu'il semble que nous n'ayons fait que déplacer la difficulté : au lieu de dire que les verbes *pouvoir, devoir, menacer, commencer*, etc., sont des exceptions à la règle de EN-AVANT, nous les avons marqués comme exceptionnels par rapport à la règle de MONTÉE DU SUJET (exceptionnels en ce sens qu'ils imposent l'application obligatoire d'une règle normalement facultative).

Il s'agit donc de justifier, par d'autres arguments, l'analyse que nous proposons des phrases de (11)-(22). La question est de savoir si cette analyse permet ou non d'éclairer d'autres particularités de la syntaxe des verbes *pouvoir, devoir, commencer*, etc. Si, effectivement, le fait de poser des structures profondes du type de (70) et de faire intervenir la transformation de MONTÉE DU SUJET permet d'expliquer divers faits, en principe différents et indépendants des particularités distributionnelles de *en*, cette analyse sera justifiée, et le coût du recours aux « traits de règles » sera contrebalancé.

Notons en passant que, si les phrases (71)-(73) sont agrammaticales, on trouve en français des phrases qui n'en diffèrent que par peu de chose, telles que :

(74) il faut que la solution de ce problème soit simple

(75) il se peut que la solution du problème soit simple

Par ailleurs, j'ai, intuitivement, l'impression que l'agrammaticalité de phrases telles que (71)-(73) est accidentelle. Il ne semble pas que la structure du français serait profondément bouleversée si de telles phrases devenaient acceptables. L'absence de telles phrases fait plutôt penser à des « trous » (*gaps*) accidentels qu'à une régularité profonde (cf. les particularités des verbes « neutres » traités au chapitre III). S'il s'agit effectivement de trous accidentels, le traitement que nous proposons, qui revient à marquer dans le lexique les verbes *menacer*, etc., comme exceptionnels, serait approprié. Mais ces intuitions, bien entendu, ne suffisent pas à justifier ce traitement à elles seules. D'autres arguments sont nécessaires.

7. Signalons tout d'abord que, tout à fait indépendamment de la question posée en français par la distribution de *en*, certains linguistes (Garcia, 1967; Perlmutter, 1970, 1971) ont proposé, pour les équivalents anglais de certains de nos verbes — à savoir pour des aspectuels tels que *begin*, etc. (cf. (15)) — une dérivation semblable à celle qu'on vient de présenter. Je ne reprendrai pas en détail les arguments proposés, mais la plupart valent aussi pour le français. Ainsi, un verbe comme *commencer* n'impose pas de restrictions de sélection à son sujet superficiel. La plupart des verbes n'acceptent pas indifféremment n'importe quel sujet, cf. :

(76) (a) la foule s'est attroupée
(b) les badauds se sont attroupés
(c) * l'archevêque s'est attroupé

(77) (a) l'archevêque aime la musique pop
(b) * mon couteau de cuisine aime la musique pop

Les verbes doivent être classés selon qu'ils exigent ou non un sujet collectif (ou pluriel), comme *s'attrouper*, un sujet humain, comme *aimer*, etc. Or, un verbe comme *commencer* admet n'importe quel sujet; plus précisément, les contraintes sur le sujet superficiel de *commencer* sont en fait déterminées par la nature du verbe complément de *commencer*, cf. :

(78) (a) la foule a commencé à s'attrouper
    (b) les badauds ont commencé à s'attrouper
    (c) * l'archevêque a commencé à s'attrouper

(79) (a) l'archevêque commence à aimer la musique pop
    (b) * mon couteau de cuisine commence à aimer la musique pop

(80)   mon couteau de cuisine commence à rouiller

C'est exactement ce qui est prédit si la structure profonde des phrases avec *commencer* est telle que nous l'avons supposée, soit :

(81) $[_{s_1} \Delta$ commencer $[_{s_2} \cdots]]$

L'impossibilité d'avoir (78) (c) ou (79) (b) s'explique exactement par les mêmes raisons qui excluent (76) (c) ou (77) (b) — c'est-à-dire par les contraintes de sélection entre sujet et verbe à l'intérieur de S_2 — et le fait que n'importe quel syntagme nominal peut être le sujet de *commencer* s'expliquerait par l'absence de contrainte sur l'opération de MONTÉE DU SUJET.

Les mêmes remarques valent en général pour les autres verbes de (11)-(22) et pour les verbes apparentés, cf. par exemple :

(82) $\left\{ \begin{array}{l} \text{la foule} \\ \text{les badauds} \\ \text{* l'archevêque} \end{array} \right\} \left\{ \begin{array}{l} \text{menace(nt)} \\ \text{risque(nt)} \end{array} \right\}$ de s'attrouper

(83) $\left\{ \begin{array}{l} \text{l'archevêque} \\ \text{* mon couteau de cuisine} \end{array} \right\}$ continue à aimer la musique pop

(84) (a) $\left\{ \begin{array}{l} \text{cette décision} \\ \text{* la sœur de Pierre} \end{array} \right\}$ concerne Paul

   (b) $\left\{ \begin{array}{l} \text{cette décision} \\ \text{* la sœur de Pierre} \end{array} \right\} \left\{ \begin{array}{l} \text{semble} \\ \text{risque de} \\ \text{commence à} \\ \text{pourrait} \end{array} \right\}$ concerner Paul

Un cas particulièrement frappant du même phénomène est présenté par le verbe *barder*, dans son usage intransitif populaire; normalement, ce verbe n'admet pour sujet que le pronom *ça*, cf. :

(85) (a) ça barde drôlement entre Octave et Gudule
     (b) * il barde entre Justine et le marquis
     (c) * Staline barde avec Trotsky
     (d) * la situation barde vachement

On retrouve exactement les mêmes restrictions sur le sujet superficiel de *commencer, menacer, risquer*, etc., si ces verbes ont *barder* pour complément, cf. :

(86) (a) ça a commencé à barder vers deux heures du matin
     (b) ça menace de barder ferme du côté de la Palestine
     (c) * il a commencé à barder du côté de chez Swann
     (d) * les néofascistes commencent à barder avec la police
     (e) * la situation menace de barder en Irlande du Nord

Ces faits, eux aussi, ne posent aucune difficulté à une analyse qui part de structures profondes telles que (70) et en dérive les structures superficielles par MONTÉE DU SUJET. Pour rendre compte à la fois de (85) et de (86), il suffira de marquer dans le lexique *barder* comme ne pouvant prendre comme sujet que le pronom *ça*. On pourrait tenir le même raisonnement pour des phrases dans lesquelles intervient le sujet « impersonnel » *il*. Les verbes météorologiques *neiger, pleuvoir*, etc., admettent seulement *il* comme sujet. Or, on trouve des phrases telles que :

(87) $\left\{ \begin{array}{l} \text{il} \\ \text{* Dieu} \end{array} \right\}$ a commencé à neiger

(88) $\left\{ \begin{array}{l} \text{il} \\ \text{* le temps} \end{array} \right\}$ menace de pleuvoir

Des phrases telles que celles de (89) seraient traitées de la même manière :

(89) il $\left\{ \begin{array}{l} \text{commence à} \\ \text{risque d'} \end{array} \right\}$ y avoir trop de monde ici

66

Notons en passant que ces phrases, où *il* a subi la MONTÉE DU SUJET, montrent que l'expression *il y a* n'est pas aussi figée que certains l'ont dit [3].

7.1. En principe, la théorie grammaticale, dans son état actuel, permettrait de traiter d'une autre manière les faits de sélection dont on vient de parler. On sait que la grammaire du français, comme celle de l'anglais, doit comporter une autre transformation, dite en anglais d'*equivalent noun phrase deletion* (plus simplement, EQUI;

---

3. Deux mots sur la structure sous-jacente de phrases telles que (87)-(89). On pourrait penser à première vue que des phrases telles que *il pleut* ou *il y a du monde ici* ont en structure profonde un NP sujet qui est un pronom de la troisième personne, *lui* ou *celui* (voir Gross, 1968), et que c'est ce pronom qui est déplacé par MONTÉE DU SUJET et devient *il* par la règle qui place les enclitiques sujets (voir Kayne, 1972). Mais il y a des arguments contre la présence en structure profonde d'un tel NP. Quand un NP figure en position sujet en structure profonde, on en trouve normalement des traces s'il s'agit d'un pronom, cf. par exemple :

   (ɪ) (a)   je regarde Pierre travailler
        (b)   je le regarde travailler

Si un NP pronom était présent dans la structure profonde de *il pleut*, etc., on s'attendrait à ce que des phrases telles que (ɪɪɪ) (a) soient grammaticales; or ce n'est pas le cas, et on a au contraire (ɪɪɪ) (b) :

   (ɪɪɪ) (a)   * je regarde pleuvoir
         (b)   je regarde pleuvoir

Ces faits donnent à penser que *pleuvoir, y avoir*, etc., sont introduits en structure profonde avec un sujet vide Δ, qui est converti en *il* par une règle tardive. La structure profonde de (87) serait alors (ɪv), et c'est ce sujet vide Δ qui serait soumis à la règle de MONTÉE.

   (ɪv) [NP Δ] commence [S [NP Δ] pleuvoir]

Si on considère le paradigme :

   (v) (a)   que Pierre arrive en retard est probable
       (b)   il est probable que Pierre arrivera en retard
       (c)   je (* le) crois probable que Pierre arrivera en retard

le même raisonnement nous amène à penser que la règle d'EXTRAPOSITION, qui rend compte de la parenté de (v) (a) et (v) (b), doit être formulée comme en (vɪ) et non comme en (vɪɪ) :

   (vɪ) EXTRAPOSITION : [NP S] — VP
                  1   2   ⇒ ∅ — 2 + 1

   (vɪɪ) EXTRAPOSITION : [NP celui — S] — VP
                     1   2   3   ⇒ 1 — ∅ — 3 + 2

voir Rosenbaum, 1967, Gross, 1968, Postal, 1970 *b*); cette règle efface un sujet subordonné s'il est coréférentiel d'un NP de la principale. Elle engendre (90) (a) à partir de la structure sous-jacente (90) (b) [4] :

    (90) (a) Pierre veut partir
           (b) Pierre$_i$ veut [s PRO$_i$ partir]

Cette transformation est nécessaire si on veut rendre compte du paradigme suivant :

$$
(91)\ (a)\quad \text{je veux}\ \left\{ \text{que} \left\{ \begin{array}{l} \text{tu} \\ \text{il} \\ \text{*je} \end{array} \right\} \text{parte(s)} \atop \text{partir} \right\}
$$

$$
(b)\quad \text{tu veux}\ \left\{ \text{que} \left\{ \begin{array}{l} \text{*tu} \\ \text{il} \\ \text{je} \end{array} \right\} \text{parte(s)} \atop \text{partir} \right\}
$$

$$
(c)\quad \text{Pierre}_i\ \text{veut}\ \left\{ \text{que} \left\{ \begin{array}{l} \text{tu} \\ \text{je} \\ \text{*il}_i \end{array} \right\} \text{parte(s)} \atop \text{partir} \right\}
$$

Avec un verbe principal tel que *vouloir*, il est impossible d'avoir dans la subordonnée un sujet coréférentiel du sujet principal; chaque fois, à la place de ce trou dans le paradigme, on trouve un complément à l'infinitif, et le sens de la phrase en question correspond à celui de la phrase impossible.

La transformation d'EQUI permet également de rendre compte de phrases telles que :

    (92) Pierre veut être présenté à Paul par Marie

---

4. Comme dans la formulation de MONTÉE DU SUJET, je laisse ici dans l'ombre plusieurs points : la question de l'origine du *que* quand EQUI ne s'est pas appliqué, celle des temps verbaux, celle du subjonctif. Pour des arguments en faveur de l'idée que le sujet de la subordonnée, coréférentiel d'un NP de la principale, doit être un pronom au moment de l'application d'EQUI, voir Postal, 1970 *b*, et Jackendoff, 1969 *b*.

De telles phrases ne posent pas de problème si on part de la structure profonde (93) (a). On applique d'abord PASSIF dans la subordonnée, ce qui donne (93) (b), et ensuite EQUI convertit (93) (b) en (92) :

(93) (a) Pierre$_i$ veut [$_S$ Marie présenter PRO$_i$ à Paul]
(b) Pierre$_i$ veut [$_S$ PRO$_i$ être présenté à Paul par Marie]

Certains verbes exigent, non seulement l'application obligatoire d'EQUI si le sujet subordonné est coréférentiel d'un NP de la principale, mais encore la coréférentialité obligatoire du sujet subordonné et d'un NP principal; c'est le cas des verbes de mouvement, tels que *partir*, ou encore de verbes comme *oser*, cf. :

(94) (a) Pierre est parti travailler
(b) * Pierre est parti que Paul travaille

(95) (a) le marquis n'a pas oser frapper Justine
(b) * le marquis n'a pas osé que le jeune page frappe Justine

Il est donc apparemment nécessaire d'imposer sur ces verbes une contrainte exigeant la coréférentialité du sujet subordonné et du sujet principal, ce qui rend obligatoire l'application d'EQUI.

Une fois admise l'existence de cette contrainte, on pourrait envisager de l'étendre à des verbes tels que *menacer, commencer, pouvoir,* etc. Reprenons les exemples de (86). *Barder* étant marqué dans le lexique comme n'admettant qu'un seul sujet, *ça,* seules des structures sous-jacentes telles que (96) satisferaient à cette contrainte, ce qui expliquerait les faits de sélection notés plus haut :

(96) (a) [$_{NP}$ ça] commence à [$_S$ [$_{NP}$ ça] barder]
(b) [$_{NP}$ ça] menace de [$_S$ [$_{NP}$ ça] barder]

Les deux analyses, celle qui recourt à EQUI, et celle qui recourt à MONTÉE, seraient donc également adéquates au niveau d'observation. Toutefois — indépendamment des arguments qui vont suivre — certains faits de sélection font pencher en faveur de l'analyse par MONTÉE. Nous avons vu que, en général, les verbes imposent des restrictions de sélection sur leurs sujets ou leurs objets. Des verbes tels que *commencer, pouvoir,* etc., sont exceptionnels à cet égard. Or, en général, les verbes qui permettent ou exigent la transformation d'EQUI sur leur complément imposent par ailleurs des restrictions sur leur sujet, restrictions qui sont indépendantes de la nature du verbe subordonné, cf. :

(97) $\left\{ \begin{array}{l} \text{l'archevêque} \\ \text{* ce camembert} \end{array} \right\}$ estime que

$\left\{ \begin{array}{l} \text{la foule s'est dispersée trop tôt} \\ \text{Paul n'a rien compris} \\ \text{la solution du problème est fausse} \end{array} \right\}$

Estimer, comme *croire*, *vouloir*, etc., exige un sujet humain. Ceci signifie que, en général, dans une phrase dont la complétive a été soumise à EQUI, la classe des sujets possibles sera l'intersection de la classe des sujets possibles du verbe principal et de la classe des sujets possibles du verbe subordonné, cf. (98), où le sujet doit être à la fois [— sémantiquement singulier] et [+ humain] :

(98) $\left\{ \begin{array}{l} \text{la foule} \\ \text{les badauds} \\ \text{* l'archevêque} \\ \text{* ce camembert} \end{array} \right\}$ estime(nt) s'être dispersé(e) (s) trop tôt

Dans le cas de verbes tels que *partir* ou *oser*, la contrainte de coréférentialité à laquelle ils sont soumis empêche évidemment de déterminer indépendamment les restrictions de sélection dues au verbe principal et celles dues au verbe subordonné. Il est cependant clair que *partir* ou *oser* imposent à leurs sujets des restrictions propres [5], cf. :

(99) $\left\{ \begin{array}{l} \text{Pierre} \\ \text{le train} \\ \text{* ce camembert} \end{array} \right\}$ est parti pour Paris

(100) $\left\{ \begin{array}{l} \text{Pierre} \\ \text{* le train} \\ \text{* ce camembert} \end{array} \right\}$ a osé une plaisanterie risquée

D'une manière générale donc, l'analyse d'une construction en termes d'EQUI tend à prédire que les restrictions de sélection sur le sujet sont fonction, à la fois, des restrictions de sélection imposées par le verbe principal et des restrictions imposées par le verbe subor-

---

5. En gros, *partir* et *oser* exigent des sujets animés, quoique le contenu de la notion d'animé ne soit pas exactement le même dans les deux cas.

donné. Une analyse en termes de MONTÉE prédit au contraire que les restrictions de sélection sont uniquement fonction du verbe subordonné. Même si les deux analyses permettent de décrire les faits de sélection notés à la section précédente, l'analyse en termes de MONTÉE a un plus grand pouvoir explicatif. L'analyse par EQUI prédirait que c'est un hasard si *partir* ou *oser* imposent des restrictions propres alors que *commencer* ou *menacer* n'en imposent pas. Encore un mot. Il n'est pas sûr que le recours à l'action conjointe de la contrainte de coréférentialité et de la transformation d'EQUI soit la meilleure manière de rendre compte du comportement de *partir* ou d'*oser*. En effet, les arguments syntaxiques qui justifient d'introduire EQUI dans la grammaire sont essentiellement ceux que nous avons brièvement rappelés (cf. (91)-(93)). EQUI permet de régulariser certains paradigmes, en excluant des phrases telles que * *je veux que je parte* tout en établissant un lien entre ces formes impossibles et des phrases telles que *je veux partir*. De plus, EQUI doit s'appliquer à des structures qui ont déjà subi des transformations, telles que le PASSIF. Mais ces arguments sont inopérants pour des verbes comme *partir* ou *oser*. L'absence de phrases telles que (94) (b), (95) (b) supprime le problème que posait le paradigme irrégulier (91). D'autre part, il est impossible d'enchâsser sous *partir* ou *oser* des structures dérivées transformationnellement, cf., en face de (92), l'impossibilité de :

(101) * Pierre part être frappé par Paul

(102) * Pierre ose être présenté à Paul par Marie

Partir et *oser* exigent donc non seulement que le sujet subordonné soit coréférentiel du sujet principal, mais encore qu'il soit un sujet profond, non dérivé (pour d'autres exemples, voir le chapitre III, section 5).

Dans ces conditions, on peut se demander s'il ne vaut pas mieux engendrer directement des phrases telles que (94) (a)-(95) (a) dans la base, au moyen de la règle VP → V VP. Par ailleurs, comme nous l'avons déjà vu, *sembler, commencer, pouvoir, menacer*, etc., ne sont pas soumis à cette dernière contrainte. Cf. (59)-(63), (12), (16), (22), etc. [6].

---

6. Il existe cependant des verbes soumis à l'application obligatoire d'EQUI et qui n'exigent pas que le sujet subordonné effacé soit un sujet profond (cf. ci-dessous (138) (a)).

8. Passons à un autre type d'argument. C'est en fait le même que celui que nous avons développé à la section 5 au sujet de *sembler*. Parallèlement aux phrases de (55)-(59), on trouve les phrases grammaticales suivantes :

(103) hommage va être rendu au Prix Nobel de la Paix

(104) monts et merveilles viennent d'être promis par le premier ministre

(105) assistance doit être portée aux gauchistes en péril

(106) tort ne peut pas être donné aux affameurs du peuple

(107) hommage commence à être rendu aux obscurs précurseurs de la pataphysique

(108) justice ne mérite pas d'être rendue dans ces conditions

(109) tort risque (menace) d'être donné à l'opposition de Sa Majesté

(110) assistance doit commencer à être portée aux nécrophiles repentis

(111) justice commence à risquer de ne jamais être rendue

il est clair que, si le sujet profond de tous ces verbes était identique à leur sujet superficiel, il serait difficile d'expliquer comment ces phrases sont possibles — alors que, bien entendu, des phrases telles que (112)-(114) restent tout à fait exclues; si on engendre ces phrases à partir d'une structure profonde du genre de (70), et avec application obligatoire de MONTÉE DU SUJET, il n'y a aucun problème : (103)-(111) seront engendrées de la même manière que (55) (b)-(59) (b), et (112)-(114) seront exclues pour les mêmes raisons que (48)-(54) sont exclues :

(112) * tort doit tuer

(113) * haleine commence à être reprise par Jules

(114) * soif risque d'être donnée à Nicolas par cette conférence

9. Un autre argument en faveur de l'analyse par MONTÉE DU SUJET nous est fourni par certains faits relatifs à la distribution de

l'élément interrogatif *quel*. *Quel* est normalement un déterminant, cf. :

(115) (a) quelle femme porte encore des corsets aujourd'hui?
      (b) quels films de Fritz Lang as-tu vu plus de trois fois?
      (c) à quelle décision Pierre s'est-il arrêté?

Quel peut cependant figurer seul, comme NP, à la condition d'être sujet d'une phrase prédicative avec *être*, dont le prédicat est un NP, cf. :

(116) (a) quel est le meilleur livre de James Joyce?
      (b) quelle est la couleur favorite de Picasso?
      (c) * quel est venu hier?
      (d) * quelle porte des minijupes?
      (e) * quel est furieux?
      (f) * quel as-tu rencontré hier?
      (g) * à quel penses-tu?

Or, cette règle très stricte et très étrange souffre des exceptions. *Quel* peut être le sujet d'une phrase dont le verbe principal est *aller*, *venir de*, *sembler*, *pouvoir*, *devoir*, etc., à la condition que le complément à l'infinitif comporte le verbe *être* suivi d'un NP prédicat :

(117) (a) quelle va $\left\{ \begin{array}{l} \text{être l'issue de cette guerre?} \\ \text{* porter des minijupes?} \end{array} \right\}$

      (b) quel semble $\left\{ \begin{array}{l} \text{être le meilleur livre de James Joyce?} \\ \text{* être venu hier?} \end{array} \right\}$

      (c) quelle pourrait bien $\left\{ \begin{array}{l} \text{être la bonne solution?} \\ \text{* faire taire ce bavard?} \end{array} \right\}$

      (d) quel risque d' $\left\{ \begin{array}{l} \text{être le résultat de ces élections?} \\ \text{* arriver demain?} \end{array} \right\}$

Ces faits, qu'il serait bien difficile d'expliquer autrement, sont une conséquence automatique de l'analyse par MONTÉE [7]. La restriction sur la distribution de *quel* comme NP sera formulée uniquement en termes du contexte / —— *être* NP, et la transformation de MONTÉE

---

7. Je dois dire que tous les verbes de (11)-(22) ne se comportent pas exactement de la même façon. Certains sujets trouvent (117) (d) inacceptable, de même que (I) :

(I) quel mérite d'être le meilleur ami de Paul?

convertira par exemple la structure profonde (118) en (117) (b) :

(118)   Δ semble [$_S$ [$_{NP}$ quel] être le meilleur livre de James Joyce]

10. Dans cette section, je passerai en revue quelques phrases assez complexes; on verra que l'analyse proposée permet de les dériver d'une manière très simple.

Soit d'abord les exemples de (41) ci-dessus, que je reprends pour plus de commodité :

(41)   (a)   la solution du problème risque de devoir être révisée
     (b)   * la solution en risque de devoir être révisée
     (c)   * la solution risque d'en devoir être révisée
     (d)   la solution risque de devoir en être révisée

(41) (a) se verra attribuer la structure profonde suivante :

(119)   [$_{S_0}$ Δ risque [$_{S_1}$ Δ devoir [$_{S_2}$ Δ réviser la solution du problème]]]

A (119) s'appliqueront successivement : (I) PASSIF dans S_2, donnant (120) (a); (II) MONTÉE dans S_1, donnant (120) (b); (III) MONTÉE dans S_0, donnant (41) (a) :

(120)   (a)   [$_{S_0}$ Δ risque [$_{S_1}$ Δ devoir [$_{S_2}$ la solution du problème être révisée]]]
     (b)   [$_{S_0}$ Δ risque [$_{S_1}$ la solution du problème devoir être révisée]]

Passons à (41) (d). La structure sous-jacente sera cette fois (121) :

(121)   [$_{S_0}$ Δ risque [$_{S_1}$Δ devoir [$_{S_2}$ Δ réviser la solution de PRO]]]

On aura alors les transformations suivantes : (I) PASSIF dans S_2, donnant (122) (a); (II) EN-AVANT dans S_2, donnant (122) (b) [8]; (III)

---

8. Sur la justification de l'ordre (I) PASSIF, (II) EN-AVANT, voir Kayne (1969). Cet ordre permet notamment d'expliquer le paradigme suivant :

  (I)   (a)   Pierre a lu plusieurs de ces livres
      (b)   plusieurs de ces livres ont été lus par Pierre
  (II)   (a)   Pierre en a lu plusieurs
      (b)   * plusieurs en ont été lus par Pierre (cf. (7)-(8) ci-dessus)

MONTÉE dans S_1, donnant (122) (c) [9]; (IV) MONTÉE dans S_0, donnant (41) (d). La règle de EN-AVANT ne pouvant opérer que dans S_2, (41) (b) et (41) (c) ne peuvent pas être engendrés.

(122) (a) $[_{S_0} \Delta$ risque $[_{S_1} \Delta$ devoir $[_{S_2}$ la solution de PRO être révisée]]]
     (b) $[_{S_0} \Delta$ risque $[_{S_1} \Delta$ devoir $[_{S_2}$ la solution en être révisée]]]
     (c) $[_{S_0} \Delta$ risque $[_{S_1}$ la solution devoir en être révisée]]

Soit maintenant les phrases (123) et (124) :

(123) Pierre risque de devoir en réviser la solution

(124) Pierre risque de vouloir en réviser la solution

(123) aura pour structure profonde (125) :

(125) $[_{S_0} \Delta$ risque $[_{S_1} \Delta$ devoir $[_{S_2}$ Pierre réviser la solution de PRO]]]

A cette structure s'appliqueront successivement : (I) PLACEMENT D'ENCLITIQUE dans S_2 [10], donnant (126) (a); (II) MONTÉE dans S_1, donnant (126) (b); (III) MONTÉE dans S_0, donnant (123).

(126) (a) $[_{S_0} \Delta$ risque $[_{S_1} \Delta$ devoir $[_{S_2}$ Pierre en réviser la solution]]]
     (b) $[_{S_0} \Delta$ risque $[_{S_1}$ Pierre devoir en réviser la solution]]

La structure profonde de (124) sera (127) :

(127) $[_{S_0} \Delta$ risque $[_{S_1}$ Pierre$_i$ vouloir $[_{S_2}$ PRO$_i$ réviser la solution de PRO]]]

On aura successivement les transformations : (I) PLACEMENT D'ENCLITIQUE dans S_2, donnant (128) (a); (II) EQUI dans S_1, donnant (128) (b); (III) MONTÉE dans S_0, donnant (124).

---

9. Dans la formulation que je donne, j'admets que le nœud S_2 (et ensuite le nœud S_1) est éliminé (« élagué ») comme conséquence de l'opération de MONTÉE DU SUJET. Cette décision n'entraîne aucune conséquence empirique pour les faits qui nous intéressent.
10. En fait, comme Kayne (1969, à paraître) l'a montré, PLACEMENT D'ENCLI-TIQUE est une règle post-cyclique. Ce fait n'a pas de conséquences ici.

(128) (a) $[_{S_0} \Delta$ risque $[_{S_1}$ Pierre$_i$ vouloir $[_{S_2}$ PRO$_i$ en réviser
la solution]]]

(b) $[_{S_0} \Delta$ risque $[_{S_1}$ Pierre vouloir en réviser la solution]]

Enfin, considérons les phrases de (44), que je reproduis :

(44) (a) la solution de ce problème a failli être publiée de ce fait
(b) la solution en a failli en être publiée

Les structures sous-jacentes de (44) (a) et de (44) (b) seront, respectivement, (129) et (130) :

(129) $[_{S_0} \Delta$ avoir failli $[_{S_1} \Delta$ publier la solution de ce problème]
de ce fait]

(130) $[_{S_0} \Delta$ avoir failli $[_{S_1} \Delta$ publier la solution de PRO] de PRO]

(129) sera soumis successivement aux transformations : (I) PASSIF
dans S_1, donnant (131); (II) MONTÉE dans S_0, donnant (44) (a).

(131) $[_{S_0} \Delta$ avoir failli $[_{S_1}$ la solution de ce problème être publiée]
de ce fait]

Quant à (130), il sera soumis successivement à : (I) PASSIF dans S_1,
donnant (132) (a); (II) EN-AVANT dans S_1, donnant (132) (b); (III) MON-
TÉE dans S_0, donnant (132) (c); (IV) PLACEMENT D'ENCLITIQUE dans S_0,
donnant (44) (b).

(132) (a) $[_{S_0} \Delta$ avoir failli $[_{S_1}$ la solution de PRO être publiée]
de PRO]

(b) $[_{S_0} \Delta$ avoir failli $[_{S_1}$ la solution en être publiée] de
PRO]

(c) $[_{S_0}$ la solution avoir failli en être publiée de PRO]

Ainsi s'explique tout naturellement le « croisement » des deux *en*
dans (44) (b). Chacun d'eux est attaché, conformément au principe
général gouvernant le placement des pronoms enclitiques, à gauche
du verbe principal de la phrase simple à laquelle il appartient.

11.1. A vrai dire, ce serait une simplification abusive de prétendre
que tous les verbes de (11)-(22) n'entrent que dans des structures

profondes du type de (70). Si cette thèse semble correcte au moins pour les verbes de (11)-(14), elle exige d'être corrigée pour des verbes tels que *menacer* ou *promettre*, notamment. Mais ce correctif même va nous permettre de mieux comprendre un certain nombre de faits intéressants concernant la syntaxe et la sémantique de ces verbes, et rendre du même coup plus vraisemblable l'analyse proposée. Considérons le cas de *menacer*. Ce verbe figure, en structure superficielle, dans deux types de « cadres » syntaxiques (voir Gross, 1968, 1969), représentés, respectivement, par (133) et (134) ((18) est aussi un exemple du second cadre) :

(133)   le marquis a menacé Justine de la fouetter

(134) (a)   la maison menace de s'écrouler
       (b)   l'enquête menace d'être longue
       (c)   la situation menace d'empirer

A première vue, le second cadre semble être seulement une variante du premier, sans objet direct, et la formule du cadre syntaxique dans lequel entre *menacer* pourrait être (137), compte tenu de (135)-(136) :

(135)   le marquis a menacé Justine

(136)   la $\left\{ \begin{array}{c} \text{pluie} \\ \text{guerre} \end{array} \right\}$ menace

(137)   NP V (NP) (*de* VP)

Mais la situation est plus complexe. Notons tout d'abord que, dans le cas de (133), il n'y a pas de raisons de postuler une structure profonde très différente de la structure superficielle (à une réserve près, sur laquelle je vais revenir tout de suite). En effet, tout d'abord, le NP objet a tous les caractères d'un objet profond : possibilité de devenir sujet d'une phrase passive (cf. (138) (a)), d'être pronominalisé en *le* ou *la* (cf. (138) (b)). Il peut aussi être absent (cf. (138) (c)) :

(138) (a)   Justine a été menacée par le marquis d'être fouettée [11]
       (b)   le marquis l'a menacée de la fouetter
       (c)   le marquis a menacé de la fouetter

---

11. Maurice Gross (1969) a remarqué que, quand la phrase principale dont *menacer* est le verbe a été mise au passif, le verbe subordonné doit également être mis au passif, cf. :

(i)   * Justine a été menacée par le marquis de la fouetter

D'autre part, la séquence *de VP* présente des propriétés de syntagme prépositionnel : elle peut être pronominalisée au moyen de *en* (cf. (139) (a)), relativisée en *dont* (cf. (139) (b)), questionnée en *de quoi* (cf. (139) (c)), clivée (cf. (139) (d)) :

(139) (a) le marquis en a menacé Justine
       (b) ce dont le marquis a menacé Justine, c'est de la fouetter
       (c) de quoi le marquis a-t-il menacé Justine?
       (d) c'est de la fouetter que le marquis a menacé Justine

Par ailleurs, il est possible d'avoir un syntagme nominal à la place du VP à droite du *de*, cf. :

La vraie généralisation, cependant, semble être la suivante : (i) le sujet (effacé par EQUI) de la subordonnée est obligatoirement coréférentiel du sujet *superficiel* de la principale; (ii) si la principale est au passif, le sujet subordonné ne peut pas être sémantiquement un agent. En effet, les phrases suivantes sont grammaticales :

(ii) Justine a été menacée (par le marquis) $\left\{ \begin{array}{l} \text{de subir les pires tortures} \\ \text{de recevoir des coups de bâton} \\ \text{de se faire fouetter} \end{array} \right\}$

Une autre particularité bizarre de *menacer* est que l'objet direct ne peut pas être soumis à une transformation de mouvement (formation de question ou de relative, clivage, mais non placement d'enclitique, cf. (138) (b)) s'il est coréférentiel d'un NP de la complétive, différent du sujet effacé de celle-ci, cf. :

(iii) * qui le marquis a-t-il menacé de le fouetter?

(iv) * la pauvre fille que le marquis a menacée de la fouetter s'est évanouie de peur

(v) * c'est Justine que le marquis a menacée de la fouetter

Les phrases (vi)-(viii) sont grammaticales, mais elles correspondent à une structure profonde du type de (ix), sans objet direct de *menacer* :

(vi) qui le marquis a-t-il menacé de fouetter?

(vii) la pauvre fille que le marquis a menacé de fouetter s'est évanouie de peur

(viii) c'est Justine que le marquis a menacé de fouetter

(ix) le marquis$_i$ a menacé de [$_s$ PRO$_i$ fouetter NP]

Notons que *menacer*, s'il impose une contrainte d'identité entre son sujet et le sujet (effacé par EQUI) de la subordonnée, n'impose pas de contrainte syntaxique

(140) (a) le marquis a menacé Justine de mort
     (b) le marquis a menacé Justine de son fouet [12]

Ce fait pourrait faire penser que le VP de (137) doit être à un certain stade dominé par NP.

Par ailleurs, la grammaticalité de phrases telles que (138) (a) indique qu'il serait incorrect de s'en tenir simplement à (137) comme cadre syntaxique profond de (133). Comme on l'a vu plus haut (cf. sec-

_____

d'identité entre son objet et un NP de la subordonnée. Il suffit que, du point de vue sémantique (ou simplement du point de vue de la connaissance du monde), il y ait des raisons de penser que le référent du NP objet de *menacer* « a un intérêt » dans le « thème » de la menace exprimée (voir section 11.2), cf. :

(x)   Ney a menacé Napoléon de refuser la Légion d'Honneur

(xi) le producteur a menacé Fritz Lang de couper la dernière scène du *Tombeau hindou*

(xii) le marquis a menacé Justine de faire subir les derniers outrages à Juliette

Il n'est pas clair que ces phrases puissent être soumises aux transformations de mouvement, cf. :

(xiii) ? c'est Napoléon que Ney a menacé de refuser la Légion d'Honneur

(xiv) ? Justine, que le marquis a menacée de faire subir les derniers outrages à Juliette, en est morte de peur

Les faits de (iii)-(v) pourraient être traités au moyen d'une contrainte dérivationnelle globale (cf. Lakoff, 1969, 1971) mentionnant qu'une dérivation qui comporte les stades (xv) (a) et (xv) (b) est mal formée :

(xv) (a) $X - Y - menacer - NP_i - Z - NP_j - W$
     (b) $X - NP_i - Y - menacer - Z - NP_j - W$

(où NP_i est coréférentiel de NP_j).

Mais il est évident qu'une telle contrainte n'aurait aucune valeur explicative. De plus, elle ne rendrait pas compte du caractère douteux de (xiii)-(xiv).

12. (140) (b) est ambigu : *de son fouet* peut être compris, soit comme à peu près synonyme de *de la faire fouetter* en (133), soit comme un instrumental; cf. la possibilité de questionner en *comment* :

(i) comment le marquis a-t-il menacé Justine? { —— de son fouet / —— * de la faire fouetter / —— * de mort }

Cet instrumental, tout en étant clairement distinct du complément en *de* VP

tion 7.1, notamment la discussion de l'exemple (92)), cette phrase
indique que *menacer* prend pour complément une phrase, dont le
sujet subit obligatoirement la règle d'EQUI. La structure profonde
de (133) serait donc (141) :

(141)   [NP le marquis$_i$] [V a menacé] [NP Justine$_j$] [PP[P de] [NP
        [S PRO$_i$ fouetter PRO$_j$]]]

Cette structure profonde est effectivement très différente de celle
proposée en (70) ci-dessus. Mais, précisément, outre les arguments
présentés plus haut en faveur de (70), nous allons voir qu'il y a plusieurs raisons de penser que les constructions du type de (134) sont
très différentes de celles du type de (133). Un des moyens de décrire
cette différence sera de poser deux structures profondes distinctes :
l'une — du type de (141) (avec ou sans objet direct présent) — servira
pour les phrases du genre de (133); l'autre, du type de (70), servira
pour les cas de (134).

Notons d'abord que, s'il est possible d'omettre l'objet dans (133),
(cf. (138) (c)), il est impossible d'en introduire un dans (134). Toutes
les phrases suivantes sont agrammaticales :

(142)   (a)   * la maison menace le propriétaire de s'écrouler
        (b)   * l'enquête menace les détectives d'être longue
        (c)   * la situation menace le doyen d'empirer

Ensuite, contrairement à ce qui se passe dans (139)-(140), il n'y a
aucune raison de postuler un NP ou un PP sous-jacent au *de VP*
de (134). Tous les tests qui réussissent pour (133) échouent ici :

(143)   (a)   * la maison en menace (de s'écrouler)
        (b)   * ce dont la maison menace, c'est de s'écrouler
        (c)   * de quoi menace la maison?
        (d)   * c'est de s'écrouler que la maison menace

---

ou *de* NP qui nous intéresse ici, est cependant incompatible avec celui-ci dans la
même phrase. De plus, *menacer* n'a pas exactement le même sens selon qu'on
a l'un de ces deux types de compléments : dans un cas (celui de (133); voir ci-
dessous dans le texte), une menace est exprimée verbalement; dans l'autre (celui
de l'instrumental), le verbe *menacer* exclut l'idée d'une expression verbale.

Enfin, certaines au moins des phrases ayant la forme NP *menacer de* VP (sans objet direct) sont ambiguës. Cette ambiguïté est sensible, par exemple, dans (144), qui peut être paraphrasé approximativement, soit par (145) (a), soit par (145) (b) :

(144) le Lichtenstein menace d'envahir Monaco

(145) (a) le Lichtenstein menace Monaco de l'envahir
       (b) le Lichtenstein risque d'envahir Monaco

Un autre exemple est offert par (146), qui peut être approximativement paraphrasé par (147) (a) ou par (147) (b) :

(146) les gauchistes menacent de faire un scandale

(147) (a) les gauchistes menacent les autorités de faire un scandale
       (b) les gauchistes risquent de faire un scandale

Notons que le verbe *promettre*, dont on pourrait faire une analyse très voisine de celle que nous faisons de *menacer*, présente les mêmes faits d'ambiguïté ; cf. (148), qu'on peut paraphraser approximativement par (149) (a) ou (b) :

(148) ce jeune garçon promet de devenir un grand artiste

(149) (a) ce jeune garçon a promis à ses parents de devenir un grand artiste
       (b) ce jeune garçon a des chances de devenir un grand artiste

Tous ces faits s'éclairent si on admet que *menacer* entre dans deux structures profondes différentes. Il y aura donc, dans le lexique, deux verbes *menacer*, qui seront marqués, respectivement, des traits (150) et (151) :

(150) *menacer$_1$* : $\left\{ \begin{array}{l} [+ \underline{\quad} \text{ (NP) } (de \text{ NP)}] \text{ (où le dernier NP} \\ \qquad\qquad\qquad\qquad\qquad\quad \text{peut dominer S)} \\ [+ [+ \text{ animé}] \underline{\quad}] \\ [+ \underline{\quad} [+ \text{ animé}]] \end{array} \right.$

(151) *menacer$_2$* : $\left\{ \begin{array}{l} [+ \Delta \underline{\quad} \text{ S}] \\ [+ \text{ MONTÉE DU SUJET OBL.}] \end{array} \right.$

*Menacer*₁ apparaît dans (133). Les traits de (150) permettent de rendre compte des propriétés distributionnelles, transformationnelles et de sélection que nous avons relevées. *Menacer*₂ apparaît dans (134) et est soumis obligatoirement à la règle de MONTÉE DU SUJET. Les contraintes de sélection sur *menacer*₁, l'absence d'objet direct dans (151) et l'absence de restrictions de sélection imposées par *menacer*₂ expliquent, à la fois l'agrammaticalité de (142) et l'ambiguïté de (144) et de (146) (dans (144) les noms de nations peuvent être traités comme animés). Signalons enfin qu'il y a une nette différence de sens entre *menacer*₁ et *menacer*₂ : le premier implique que le sujet « exprime une menace » [13], ce qui n'est évidemment pas le cas pour *menacer*₂.

Revenons une dernière fois aux particularités de la distribution de *en*. Nous avons vu que la structure profonde dans laquelle entre *menacer*₂ et l'ordre (I) EN-AVANT, (II) MONTÉE permettent d'expliquer les faits de (18), etc. Mais, d'autre part, nous avions noté le comportement différent de *en* dans (35)-(36). Je reproduis ici (35) :

(35) (a) le chef de cette bande a menacé les révoltés d'être impitoyable
      (b) ? le chef en a menacé les révoltés d'être impitoyable
      (c) * le chef a menacé les révoltés d'en être impitoyable

Nous sommes maintenant en mesure de rendre compte de ces différences, qui n'ont pas de rapport direct avec la distinction animé/inanimé. Les phrases de (35) ont en effet le même type de structure profonde que (133), soit (152) (a) ou (b) (correspondant respectivement à (35) (a) et (b)) :

(152) (a) [NP le chef de cette bande]ᵢ a menacé les révoltés de [S PROᵢ être impitoyable]
       (b) [le chef de PRO]ᵢ a menacé les révoltés de [S PROᵢ être impitoyable]

C'est l'application d'EQUI qui convertit (152) (a) en (35) (a). L'application de la même règle et celle de EN-AVANT à (152) (b) donnent (35) (b). Le point important est que, le syntagme *de* PRO correspondant à *en* se trouvant dès le début dans le sujet de la principale, il lui est impossible de sauter par-dessus le verbe principal, *menacer*, pour s'attacher au verbe subordonné. D'où l'agrammaticalité de

---

13. Mais pas toujours. Voir la note 12.

(35) (c). Si, par ailleurs, (35) (b) n'est pas parfait, ce fait est dû aux contraintes spéciales sur EN-AVANT, tenant à la nature du verbe auquel *en* s'attache, et que nous avions signalées à la section 2.

11.2. L'analyse qu'on vient de proposer laisse subsister plusieurs problèmes. Le premier concerne le statut de *de* dans les phrases du type (134). Nous avons vu qu'il n'y avait aucune raison d'introduire ce *de* dans la structure profonde. La question est de savoir comment il est introduit. Le même problème se pose pour le *de* de *risquer de*, *venir de*, etc., pour le *à* de *commencer à*, etc. Il est en fait plus général et ne concerne pas seulement les verbes qui nous intéressent, cf. le paradigme :

(153) (a) travailler ici est impossible
      (b) il est impossible de travailler ici
      (c) * il en est impossible

Le formalisme de la théorie générative dans son état actuel est suffisamment riche pour permettre d'introduire ces « prépositions », en marquant les verbes de traits spéciaux (*menacer₂* sera marqué [+ DE], *commencer* [+ A], etc.) et en « épelant » ces traits en morphèmes par des règles tardives. Mais cette manière de procéder reste *ad hoc* et n'explique rien. En particulier, ce n'est sans doute pas un hasard si *de* figure dans la structure superficielle de *menacer₂* comme dans celle de *menacer₁*. Ce genre de problème, qui est très général (pour de nombreux exemples, voir Gross, 1968, 1969) a résisté jusqu'à présent à toute tentative de systématisation, et je n'en dirai pas plus ici.

Un second problème tient à l'existence, à côté de (134), de phrases telles que (136) :

(136)   la $\left\{ \begin{array}{c} \text{pluie} \\ \text{guerre} \end{array} \right\}$ menace

Ces phrases sont très voisines par le sens de phrases du type (134), telles que :

(154) (a) il menace de pleuvoir
      (b) la guerre menace d'éclater

Il pourrait être utile d'unifier ces phénomènes en posant, pour les phrases (134), non pas la structure profonde (70), mais la structure (155) :

(155) NP *menacer*

où le NP sujet pourrait dominer un S. (S'il ne domine pas S, il serait soumis à des restrictions de sélection assez sévères.) Les structures du type (70) en seraient dérivées par la règle d'EXTRAPOSITION, nécessaire par ailleurs (voir Gross, 1968), et la règle de MONTÉE DU SUJET s'appliquerait ensuite. Si je n'ai pas proposé dès l'abord cette structure profonde, c'est qu'il y a d'autres verbes pour lesquels la structure profonde (70) est justifiée; c'est le cas de *sembler, risquer*, etc. (pour *sembler*, voir Gross, 1968). En effet, ces verbes n'apparaissent jamais comme verbes intransitifs à NP sujet, cf. :

(156) (a) * la folie de Pierre semble
      (b) il semble que Pierre est fou

(157) (a) * la pluie risque
      (b) il risque de pleuvoir

En revanche, un verbe comme *commencer* se comporte de ce point de vue comme *menacer₂*, cf. :

(157) $\left\{ \begin{array}{l} \text{le concert} \\ \text{la guerre} \end{array} \right\}$ a commencé

On pourrait donc rendre compte de ces différences entre les verbes de (21)-(22) en leur accordant des structures profondes différentes et en les marquant différemment dans le lexique. *Risquer*, par exemple, aurait les traits (158) (qui sont ceux que nous avions d'abord attribués à *menacer₂*, cf. (151)), et *menacer₂* ou *commencer* auraient les traits (159) :

(158)   *risquer* : $[+ \Delta \text{——— S}]$
        $[+ \text{MONTÉE DU SUJET OBL.}]$

(159) $\left\{ \begin{array}{l} \textit{menacer}_2 \\ \textit{commencer} \end{array} \right\} : \begin{array}{l} [+ \text{NP} \text{——— } \#] \\ [+ \text{EXTRAPOSITION OBL.}] \\ [+ \text{MONTÉE DU SUJET OBL.}] \end{array}$

Ces faits demanderaient toutefois une analyse plus poussée, tout comme la question de savoir si, en dehors de *menacer* et de *promettre*, d'autres verbes de (11)-(22) ne demandent pas une double analyse en termes d'EQUI et de MONTÉE (voir Perlmutter, 1970, 1971; Newmeyer, 1969, 1970).

Cette double analyse pose d'ailleurs un dernier problème. En distinguant deux verbes *menacer* dans le lexique, nous avons permis d'expliquer un certain nombre de faits, mais nous avons du même coup renoncé à l'unité de *menacer*. Proposer les deux rubriques lexicales (150) et (151) (ou (159)), revient à dire que *menacer*$_1$ et *menacer*$_2$ sont deux homonymes, ce qui, intuitivement, paraît peu satisfaisant. Il est clair qu'il y a un rapport de sens entre ces deux verbes. Nous verrons plus loin (cf. chap. III) des cas où, tout en posant des verbes distincts dans le lexique, il est possible de rendre compte de leur parenté en termes de règles de redondance lexicale. Mais ces règles portent sur d'assez grandes classes de verbes. Il est clair qu'une règle semblable, portant seulement sur *menacer*$_1$ et *menacer*$_2$ ne serait pas plus économique que de poser directement deux entrées lexicales distinctes. La solution de ce problème demande donc une analyse plus poussée de tous les verbes de la classe (11)-(22).

Notons cependant que l'analyse proposée de *menacer* permet de faire un pas important dans la direction d'une interprétation sémantique correcte tant de *menacer*$_1$ que de *menacer*$_2$, tout en suggérant un rapport entre les deux. Selon Chomsky (1965), les seules relations grammaticales qui contribuent à l'interprétation sémantique sont les relations grammaticales définies en structure profonde. Or, si nous reprenons encore une fois les deux structures profondes attribuées à *menacer*, nous voyons que, dans un cas (*menacer*$_1$), la structure profonde définit trois relations grammaticales auxquelles participe le verbe : sujet-verbe, verbe-objet direct, et verbe- « complément ». Si nous utilisons la théorie des « fonctions thématiques » de Gruber (1965, 1967) et de Jackendoff (1969 b) (voir le chap. V), il semble assez naturel d'interpréter, dans (133), le sujet *le marquis* comme « agent » de la menace, l'objet *Justine* comme « patient », ou « cible », de cette menace, et le complément (*le marquis*) *fouetter* (*Justine*) comme « thème » de la menace. En revanche, la configuration de structure profonde dans laquelle entre *menacer*$_2$ (qu'on l'analyse comme dans (151) ou comme dans (159)), définit une seule relation grammaticale, et il semble assez naturel d'identifier cette relation à celle qui lie le verbe au « complément » dans le cas de *menacer*$_1$. Autrement dit, dans (134) (a) par exemple, *la maison... s'écrouler* serait interprété comme « thème » de la menace, et il n'y aurait pas de sens à parler d'un « agent » ou d'un « patient ». De même, dans (136) *la pluie* ou *la guerre* seraient interprétés comme

« thèmes » de la menace. Ceci semble intuitivement assez satisfaisant. Mais il reste beaucoup à faire pour donner à ces remarques une formulation précise et pour les intégrer à une théorie sémantique unifiée.

12. En guise de conclusion, je voudrais revenir sur la question, mentionnée à la section 1, de la validité descriptive et explicative du modèle transformationnel.

Le modèle transformationnel est descriptivement adéquat en ce sens qu'il nous a permis de décrire, au moyen de quelques règles assez simples, un ensemble de faits très variés : la distribution de *en*, la distribution de *quel* sujet, l'existence d'expressions idiomatiques du genre de (55)-(59), (103)-(114), des restrictions de sélection variées, les différences syntaxiques entre (138)-(139) et (142)-(143), l'ambiguïté de (144), (146), etc. Il nous a donc permis de donner une vue raisonnablement unifiée d'un ensemble de faits qui font incontestablement partie de la compétence linguistique des sujets parlant français.

Le modèle a une valeur explicative dans le sens suivant. L'idée que, pour décrire adéquatement les langues naturelles, la théorie linguistique doit fournir certains concepts spécifiques, et que les grammaires des langues doivent avoir une forme déterminée — comprenant notamment un niveau de structure profonde et un niveau de structure superficielle, reliés par des règles de transformations d'une certaine forme, linéairement ordonnées, etc. — a été élaborée à partir d'observations (sur l'anglais, principalement, cf. Chomsky, 1957) qui n'avaient rien à voir avec les faits qui nous ont occupés. Ce qui compte c'est que, une fois que la théorie générale dispose de ces concepts, les faits relatifs, par exemple, à la distribution de *en*, aussi bizarres qu'ils paraissent à première vue, sont précisément le genre de faits qu'on doit s'attendre à trouver si cette théorie est juste. La théorie, en un sens, les prédit et les explique.

3

Les constructions pronominales neutres et moyennes *

1. Parmi les verbes qui entrent, en français, dans des constructions pronominales de forme NP — *se* — V — X, un grand nombre se retrouvent dans des constructions transitives de forme NP — V — NP — X. Si on considère les rapports entre ces deux types de constructions du seul point de vue des restrictions de sélection, on constate que, dans un certain nombre de cas, le verbe présente, dans la construction pronominale, des restrictions de sélection avec son sujet qui sont les mêmes que celles qu'il a avec son sujet dans la construction transitive (en général, l'ensemble des sujets possibles représente alors un sous-ensemble de l'ensemble des objets possibles [1]); c'est le cas des « vrais réfléchis » (ou des réciproques), comme dans :

(1) (a) $\left\{ \begin{array}{l} \text{Juliette} \\ \text{* la sincérité} \end{array} \right\}$ se lave

(b) $\left\{ \begin{array}{l} \text{Juliette} \\ \text{* la sincérité} \end{array} \right\}$ lave $\left\{ \begin{array}{l} \text{Émile} \\ \text{les enfants} \\ \text{sa nouvelle voiture de sport} \end{array} \right\}$

---

* A l'origine une communication au Colloque sur la Formalisation en Phonologie, Syntaxe et Sémantique (IRIA, Roquencourt, 27-29 avril 1970), ce texte a paru, sous le titre « Les constructions pronominales en français. Restrictions de sélection, transformations et règles de redondance », dans le *Français moderne* (Paris, d'Artrey, avril 1972); il doit paraître aussi dans les *Actes* du Colloque, édités par Maurice Gross, Morris Halle, et M. P. Schützenberger (La Haye : Mouton). Il est ici remanié.

1. Je laisse ici de côté des phrases telles que *Pierre se répète*, *Paul s'est exprimé avec clarté*, *la rivière se déroulait devant nos yeux*, etc., qui, comme me l'a signalé Maurice Gross (communication personnelle), posent des problèmes particuliers. Des verbes comme *répéter*, etc., apparaissent en effet dans les deux cadres NP1 *se* — X et NP1 — NP2 X, mais, à la différence du cas des réfléchis et des réciproques, les NP1 possibles ne sont pas ici un sous-ensemble des NP2 possibles.

(2) (a) $\left\{ \begin{array}{l} \text{Fritz} \\ \text{* ce sapin} \end{array} \right\}$ s'admire [2]

(b) $\left\{ \begin{array}{l} \text{Fritz} \\ \\ \text{* ce sapin} \end{array} \right\}$ admire $\left\{ \begin{array}{l} \text{Raoul} \\ \text{le courage} \\ \text{la voiture de sports de Marlène} \end{array} \right\}$

(3) (a) $\left\{ \begin{array}{l} \text{Gary et Marylin} \\ \text{les chrétiens} \\ \text{* le miel et les cendres} \\ \text{* les théorèmes} \end{array} \right\}$ s'aiment (les uns les autres)

(b) $\left\{ \begin{array}{l} \text{Gary et Marylin} \\ \text{les chrétiens} \\ \text{* le miel et les cendres} \\ \text{* les théorèmes} \end{array} \right\}$ aiment $\left\{ \begin{array}{l} \text{Paul et Virginie} \\ \text{la musique} \\ \text{les pommes de} \\ \text{terre au lard} \end{array} \right\}$

Dans un grand nombre d'autres cas, qui sont ceux qui vont nous concerner, le verbe de la construction pronominale présente avec son sujet des restrictions de sélection qui sont identiques, non plus à celles qui existent entre le verbe et le sujet de la construction transitive, mais à celles qui existent entre le verbe et l'objet, cf. :

En effet, on a :

(i) (a) $\left\{ \begin{array}{l} \text{Paul} \\ \text{Pierre} \end{array} \right\}$ se répète sans arrêt
  (b) * Pierre répète Paul sans arrêt
  (c) Pierre répète sans arrêt les mêmes idées

(ii) (a) Paul s'est exprimé avec clarté
  (b) * Pierre a exprimé Paul avec clarté
  (c) Pierre a exprimé $\left\{ \begin{array}{l} \text{ses idées} \\ \text{les idées de Paul} \end{array} \right\}$ avec clarté

(iii) (a) $\left\{ \begin{array}{l} \text{la rivière} \\ \text{la route} \end{array} \right\}$ se déroulait devant nos yeux
  (b) * la rivière déroulait la route devant nos yeux
  (c) la rivière déroulait ses méandres devant nos yeux

On voit que les phrases de type (a) peuvent être approximativement paraphrasées par des phrases de type (c), celles de type (b) étant impossibles. Dans les phrases de type (c), il y a un rapport de coréférence possible, non entre le sujet et l'objet (ce qui caractériserait la structure sous-jacente des vrais réfléchis), mais entre le sujet et un élément du déterminant de l'objet. Je laisserai ici de côté la question de savoir s'il faut dériver les phrases de type (a) de constructions de type (c), ou s'il faut au contraire traiter les verbes de type (a) comme des pronominaux « intrinsèques » (voir plus loin). Je compte revenir sur cette question ailleurs.

2. *Ce sapin s'admire* est sans doute possible, mais il s'agit alors d'une construction moyenne (voir plus loin).

(4) (a) le chef a réuni { les soldats / l'équipe / * Pierre }

   (b) { les soldats se sont réunis / l'équipe s'est réunie / * Pierre s'est réuni }

(5) (a) les policiers ont dispersé { * le taureau / la foule / les étudiants }

   (b) { * le taureau s'est dispersé / la foule s'est dispersée / les étudiants se sont dispersés }

(6) (a) le vent a dissipé { le brouillard / les nuages / * mon couteau de poche }

   (b) { le brouillard s'est dissipé / les nuages se sont dissipés / * mon couteau de poche s'est dissipé }

(7) (a) le vent a aggloméré la neige contre les murs de la maison
   (b) la neige s'est agglomérée contre les murs de la maison

(8) (a) la NASA va espacer { * le programme spatial / les vols vers la lune }

   (b) { * le programme spatial va / les vols vers la lune vont } s'espacer

(9) (a) Pierre a brisé { la glace / * l'eau }

   (b) { la glace / * l'eau } s'est brisée

(10) (a) Ernestine a lavé ce veston en dix minutes
    (b) ce veston se lave en dix minutes

(11) (a) nous avons mangé le caviar avec de la vodka
    (b) le caviar se mange avec de la vodka

(12) (a) mon libraire m'a vendu ce livre
    (b) ce livre s'est bien vendu

Il est évidemment nécessaire de rendre compte du caractère systématique de la correspondance entre les restrictions de sélection dans les deux types de constructions illustrées par les exemples (a) et (b). Mais, dans le cadre de la théorie transformationnelle (cf. Chomsky, 1965, 1970), plusieurs solutions sont *a priori* possibles.

Une première solution consisterait à considérer que seules les constructions transitives (exemples (a)) sont engendrées directement dans la base, et que les constructions pronominales en sont dérivées transformationnellement. Plus précisément, on admettrait que les NP sujets des constructions pronominales sont engendrés en position objet de phrases transitives à sujet « vide », et les structures superficielles des exemples (b) seraient obtenues au moyen d'une ou de plusieurs transformations dont l'effet serait de déplacer le NP objet en position sujet et d'insérer le *se* (la première de ces opérations ressemblant beaucoup à une des deux règles qui interviennent dans le PASSIF — le NP-PREPOSING de Chomsky, 1970); on aurait donc alors quelque chose comme :

$$(13) \quad \Delta - V - NP - X$$
$$1 \quad 2 \quad 3 \quad 4 \Rightarrow 3 - se + 2 - \emptyset - 4$$

Cette solution a été suggérée par Gross (1968) pour certains de ces exemples. Gross appelle cette règle la transformation de SE-MOYEN.

Une autre solution serait d'introduire directement dans la base les deux constructions correspondant aux exemples (a) et (b), par une règle telle que :

$$(14) \quad VP \rightarrow (se) \cdots V (NP) \cdots$$

Les verbes pronominaux seraient alors sous-catégorisés, dans le lexique, en termes du trait $[+ se \cdots \underline{\quad}]$; ou, alternativement, ils seraient pourvus d'un trait $[+$ réfléchi$]$, qui serait ultérieurement « épelé » en *se*. (Dans ce cas, *se* ne serait pas introduit par la règle (14)). Je ne prendrai pas ici position sur la question de savoir laquelle de ces deux possibilités doit être choisie; ce choix n'est pas pertinent pour le problème qui nous intéresse. Ce qui compte dans ce cas, et que l'on choisisse d'introduire *se* directement dans la base, comme en (14), ou de l'épeler ultérieurement comme réalisation d'un trait $[+$ réfléchi$]$, c'est que les régularités de sélection seraient décrites au moyen de règles de redondance lexicale (cf. Chomsky, 1965, chap. II). Par exemple, il est clair que, pour rendre compte du choix des objets en (4) (a)-(7) (a), des verbes tels que *réunir, disperser, dissiper, rassembler, agglomérer*, etc., doivent être marqués, dans leur entrée lexicale, du trait $[+ \underline{\quad}[-$ sémantiquement singulier$]]$ (cf. Dougherty, 1970 *b*). Pour rendre compte du choix des sujets dans (4) (b)-(7) (b), il suffirait de poser une règle de redondance telle que :

(15) $[+ V], [+ \underline{\quad} [- \text{sém. sing.}] X] \rightarrow [+ V],$
$\qquad [+ [- \text{sém. sing.}] \, se \, \underline{\quad} X]$

Les verbes *réunir, disperser*, etc., seraient alors marqués individuellement dans le lexique comme figurant seulement dans les contextes $[+ \underline{\quad} NP], [+ \underline{\quad} [- \text{sém. sing.}]]$, et ce serait la règle (15) qui rendrait compte de la possibilité qu'ils ont de figurer également dans le cadre pronominal [3].

On voit que les deux solutions, l'une « transformationnelle » (recours à la règle (13)) et l'autre « lexicale » (recours aux règles (14) et (15)), permettent également de formuler en une seule fois les régularités de sélection communes aux exemples (a) et (b) ci-dessus. *A priori*, il n'y a aucune raison de choisir l'une plutôt que l'autre, et il n'y aurait pas de sens à postuler *a priori* que l'une des deux est plus simple que l'autre. De plus, rien ne dit qu'il faille s'arrêter à la même solution pour tous les verbes des exemples (4)-(12). Il s'agit donc de trouver des arguments empiriques qui nous permettent de trancher.

En fait, mon but principal dans cet article sera d'essayer de montrer que les constructions pronominales des exemples (4)-(12) se divisent en deux grands groupes, et que l'un doit être traité en termes transformationnels, et l'autre en termes de règles de redondance lexicales.

2. Avant toute chose, il faut d'ailleurs envisager la possibilité que certains de nos exemples (b), sinon tous, puissent être engendrés à partir de la ou des règles de transformation qui rendent compte des « vrais réfléchis » (pour un traitement transformationnel des réfléchis et des réciproques en français, voir Kayne, 1969, à paraître). On a généralement admis (cf. Lees et Klima, 1963, Postal, 1964) que la condition d'application de ces règles tient à la possibilité d'avoir les mêmes NP en position sujet et en position objet de phrases transitives. La possibilité de (16) est liée au paradigme (17) (où les indices souscrits indiquent que les deux NP sont coréférentiels [4].

3. Pour une modification et une amélioration de la règle (15), voir le chapitre IV.
4. Je ne prendrai pas position ici sur la question, fort débattue, de savoir si les constructions réfléchies sont dérivées de structures profondes par substitution du pronom réfléchi à un NP « plein », identique à un autre NP coréférentiel (en ce cas (16) serait dérivé de (17) (c)) (cf. Lees et Klima, 1963), ou si les pronoms

(16)   Juliette se lave

(17)   (a)   Juliette lave Justine
       (b)   Justine lave Juliette
       (c)   * Juliette$_i$ lave Juliette$_i$

On voit tout de suite pourquoi il est impossible de traiter certains de nos exemples comme de vrais réfléchis. Si on considère, par exemple, (8) et (10), on ne voit pas quelles phrases transitives correctes on pourrait construire qui aient pour sujets les sujets des exemples (b), cf. :

(18)   * les vols vers la lune vont espacer les opérations du cœur

(19)   * ce veston a lavé une jolie cravate

Mais les choses sont beaucoup moins claires pour un certain nombre d'autres exemples, en particulier ceux qui mettent en jeu des syntagmes nominaux animés. Si on considère le paradigme (20), il semble à première vue qu'on est exactement dans la même situation que dans (16)-(17) :

(20)   (a)   les manifestants se sont dispersés
       (b)   les policiers ont dispersé les manifestants
       (c)   les manifestants ont dispersé les policiers
       (d)   * les manifestants$_i$ ont dispersé les manifestants$_i$

En dehors de considérations sémantiques, il y a cependant des arguments contre cette assimilation de nos exemples à de vrais réfléchis (ou à des réciproques). Dans le cas des vrais réfléchis, en effet, il existe un certain nombre de situations syntaxiques où, les règles qui introduisent *se* n'ayant pu opérer, on trouve, au lieu de *se*, le pronom réfléchi non-enclitique *lui-même* (où *-même* est en général facultatif), dans les mêmes positions qu'un NP normal. C'est ainsi que, à côté de (21), on trouve (22)-(23) (les règles qui placent les enclitiques sont bloquées par les constructions restrictives en *ne* · · · *que*) :

---

réfléchis sont engendrés dans la base en position de NP, soit directement sous leur forme forte (*lui-même*, etc.), soit sous la forme d'un pronom abstrait (PRO), pour être ultérieurement marqués coréférentiels avec d'autres NP par des règles d'interprétation sémantique (c'est la position de Jackendoff, 1969 *b*). Ce point ne concerne pas mon propos. On verra plus loin que, pour des raisons d'exposition, je choisis de représenter les pronoms dans la base par une forme abstraite PRO.

(21) (a) Pierre la regarde
(b) Pierre ne regarde qu'elle

(22) (a) Pierre se regarde (dans le miroir)
(b) Pierre ne regarde que lui(-même)

(23) (a) Pierre s'admire
(b) Pierre n'admire que lui(-même)

Or, les phrases suivantes sont agrammaticales :

(24) * les manifestants n'ont dispersé qu'eux(-mêmes)

(25) * l'équipe n'a réuni qu'elle(-même)

(26) * le brouillard n'a dissipé que lui(-même)

On a des faits du même genre dans les phrases clivées (*cleft sentences*; cf. Moreau, 1970) : des réfléchis non-enclitiques sont possibles en position de *focus* (sur ce terme, cf. Akmajian, 1970, Chomsky, 1971) :

(27) (a) Pierre se regarde dans le miroir
(b) ce n'est pas lui-même que Pierre regardait dans le miroir, mais Marie

(28) (a) Pierre s'est nui (à lui-même)
(b) ce n'est pas à lui-même que Pierre a nui, mais à Marie

Mais (29)-(30) sont impossibles :

(29) * ce n'est pas elle-même que l'équipe de football a réuni, mais celle de rugby

(30) * ce n'est pas eux-mêmes que les manifestants ont dispersé, mais les policiers

Enfin, en général, quand une construction pronominale est possible avec valeur de réfléchi, elle peut aussi avoir une valeur de réciproque, cf. (31)-(32) :

(31) Pierre et Paul se sont lavés l'un l'autre

(32) Juliette et Justine s'admirent l'une l'autre

93

Or, il est impossible d'avoir :

(33)   * les deux équipes se sont réunies l'une l'autre [5]

et, si (34) est possible, c'est en réalité parce que (20) (a) est ambigu entre un sens « neutre » (voir ci-dessous) et un sens réciproque :

(34)   les manifestants se sont dispersés les uns les autres

Ces faits suggèrent qu'une distinction entre nos exemples qui se baserait sur la possibilité ou l'impossibilité pour le sujet et l'objet de la construction transitive d'appartenir à la même classe de sélection, et qui aboutirait à grouper certains de ces exemples avec les « vrais réfléchis », est superficielle. En fait, je me propose de démontrer qu'il faut effectivement distinguer au moins deux grands groupes parmi les exemples (4)-(12), mais que la division passe ailleurs. Il faut distinguer, d'une part, les exemples du type de (10)-(12), que j'appellerai désormais, pour reprendre un terme classique, les constructions « moyennes », et, d'autre part, les exemples du type de (4)-(9), que j'appellerai, faute d'un meilleur terme, les constructions pronominales « neutres ».

3. Je n'entreprendrai pas ici de décrire dans le détail les différences entre les constructions moyennes et les neutres; ces différences s'éclaireront d'ailleurs progressivement au cours de l'exposé. Les grammairiens traditionnels (Grevisse, Martinon, Sandfeld, Blinkenberg, Stéfanini) ont longuement discuté des différences sémantiques entre les deux constructions; ils disent, en général, que les constructions que j'appelle moyennes ont « un sens passif », ce qui veut dire qu'elles sont perçues comme impliquant la présence d'un agent, non exprimé, et différent du sujet superficiel, tandis que la présence d'un tel agent n'est pas perçue dans le cas des neutres. Indépendamment de ces considérations sémantiques, je dirai simplement, pour le moment, que la possibilité d'avoir une construction neutre tient à des contraintes, très diverses, de nature lexicale, tandis que la construction moyenne, qui est très productive, est soumise à certaines contraintes syntaxiques et sémantiques de caractère général. Je donnerai plus loin des exemples des limitations lexicales auxquelles

---

5. Notons que *les deux équipes se sont réunies l'une à l'autre* est possible, mais il s'agit là d'une autre construction, NP *se réunir à* NP.

est soumise la construction neutre; la construction moyenne peut se rencontrer avec un très grand nombre de verbes, mais elle est, par exemple, soumise à des contraintes de temps qui n'existent pas dans le cas des neutres; la construction moyenne est impossible avec un temps ponctuel, cf. :

(35) (a) ces lunettes se nettoient facilement
     (b) * ces lunettes se sont nettoyées hier à huit heures et quart

à comparer à :

(36) (a) on a nettoyé ces lunettes hier à huit heures et quart
     (b) ces lunettes ont été nettoyées hier à huit heures et quart

De même :

(37) (a) ce genre de livre se vend surtout aux bonnes sœurs
     (b) ce livre $\left\{ \begin{array}{l} \text{* s'est} \\ \text{a été} \end{array} \right\}$ vendu hier à une bonne sœur

On notera le contraste entre (35) (b) et (38), qui est un exemple typique de construction neutre :

(38) cette branche s'est cassée hier à huit heures et quart

D'une manière générale, la construction moyenne ne peut pas être utilisée pour signifier un événement particulier localisé en un point du temps; elle peut en revanche prendre des valeurs habituelles, normatives, ou génériques. C'est sans doute ce qui explique le fait, noté également par les grammairiens traditionnels, qu'elle se rencontre fréquemment avec certains adverbes, comme *facilement* dans (35) (a), ou *fréquemment* dans la phrase que je suis en train d'écrire, ou encore avec le sujet *cela* ou *ça*; celui-ci intervient en effet fréquemment dans des constructions génériques telles que :

(39) (a) $\left\{ \begin{array}{l} \text{les femmes} \\ \text{* Justine} \end{array} \right\}$, ça bavarde sans arrêt

     (b) $\left\{ \begin{array}{l} \text{les femmes} \\ \text{* Justine} \end{array} \right\}$, c'est inconstant

     (c) * les femmes, ça a bavardé hier soir

et les constructions moyennes génériques de ce type sont très communes, cf. :

(40) $\left\{ \begin{array}{l} \text{les maximanteaux} \\ \text{un maximanteau} \end{array} \right\}$, ça se porte sur une minijupe

(41) les patrons, ça se séquestre

(42) $\left\{ \begin{array}{l} \text{les erreurs} \\ \text{une erreur pareille} \end{array} \right\}$, ça se paie

Il faut noter que la présence d'adverbes comme *facilement*, etc., ou d'ailleurs celle de *cela* ou *ça*, n'est pas une condition suffisante pour avoir la construction moyenne, cf. l'agrammaticalité de :

(43) * ces lunettes se sont facilement nettoyées hier à huit heures et quart

(44) * cette cravate, ça s'est porté hier pendant toute la soirée

La présence de ces éléments est simplement un corollaire fréquent de la valeur générique ou habituelle d'une phrase. Une autre observation des grammairiens traditionnels, selon qui les constructions moyennes sont plus acceptables avec des sujets superficiels non-animés (cf. (10)-(12)), est contredite par l'exemple (41) (voir aussi, ci-dessous, (52)-(54)). Si, dans certains cas, on tend à éviter les constructions moyennes à sujet superficiel animé, c'est peut-être pour des raisons de performance, dans la mesure où ces constructions sont souvent ambiguës (voir ci-dessous).

Par ailleurs, Richie Kayne et Hans Obenauer m'ont signalé qu'il y aurait des contraintes sémantiques sur l'agent sous-entendu des constructions moyennes : celui-ci devrait être toujours interprété comme animé, et même, plus précisément, comme humain. Si (45) et (46) sont également possibles, dans (47) l'agent sous-entendu ne pourrait pas être interprété comme étant *l'orage*; de même, (48) serait bizarre, étant donné que *lapper* ne peut se dire normalement que d'un animal :

(45) les soldats ont détruit le pont

(46) l'orage a détruit le pont

(47) les ponts, ça se détruit facilement

(48) le lait, ça se lappe facilement

Je ne suis cependant pas convaincu de la réalité de cette restriction sur l'agent sous-entendu, dans la mesure où les phrases suivantes me paraissent toutes naturelles :

(49) un pont, ça se détruit facilement, il y suffit d'un gros orage

(50) une barrière pareille, ça se renverse facilement, il y suffit d'un peu de vent

(51) $\begin{cases} \text{pour un chat} \\ \text{si on est un chat} \end{cases}$, le lait, ça se lappe facilement

Ce point demanderait toutefois à être regardé de plus près.

La productivité de la construction moyenne fait qu'un très grand nombre de constructions pronominales sont ambiguës. Ainsi, (52) (a) peut être interprété comme moyen (sadisme), réfléchi (masochisme) ou réciproque (sado-masochisme); (52) (b) est impossible, à cause de sa valeur générique, (52) (c) ne peut être que réciproque ou réfléchi, et (52) (d) ne peut être que réfléchi (*fouetter* n'est pas possible comme verbe neutre) :

(52) (a) les femmes, ça se fouette
     (b) * Justine, ça se fouette
     (c) les femmes se sont fouettées hier soir
     (d) Justine s'est fouettée hier soir

De même, (53) (a) peut être soit moyen, soit réfléchi ou réciproque, mais (53) (b) est seulement réfléchi ou réciproque :

(53) (a) les enfants, ça se lave en dix minutes
     (b) les enfants se sont lavés en dix minutes

Enfin, (54) (a) et (55) (a) peuvent être soit neutres soit moyens (dans le cas de (54) (a), ou bien la foule se disperse d'elle-même ou bien elle est dispersée, par exemple, par la police), tandis que (54) (b) et (55) (b) ne peuvent être que neutres :

(54) (a) une foule, ça se disperse aisément
     (b) la foule s'est dispersée vers huit heures

(55) (a) ce genre de branche se casse facilement
     (b) cette branche s'est cassée hier matin

97

Malgré son caractère productif, la construction moyenne souffre certaines exceptions, mais celles-ci sont d'une nature très différente de celles que comporte la construction neutre. Celles-ci sont typiquement capricieuses, sujettes à toutes sortes de variations dialectales, idiolectales, et diachroniques (cf. ci-dessous, section 5). En revanche, les exceptions à la construction moyenne sont elles-mêmes l'indice de régularités sous-jacentes. Par exemple, Jean-Paul Boons et Maurice Gross m'ont signalé que le verbe *comporter* ne peut pas être mis au moyen, cf. :

(56) (a) le gouvernement comporte dix-sept ministres
     (b) * des ministres, ça se comporte

Mais, tout d'abord, notons que ce verbe interdit également d'autres opérations, telles que le PASSIF ou la MONTÉE DE L'OBJET, cf. :

(57) (a) * dix-sept ministres sont comportés par le gouvernement
     (b) il est difficile à un gouvernement de comporter plus de dix-sept ministres
     (c) * plus de dix-sept ministres sont difficiles à comporter pour un gouvernement

D'autre part, il est clair que le sujet de *comporter*, dans (56) (a), n'est pas un agent (cf. sur cette notion, le chapitre IV). Or, il semble bien que le complément sous-entendu des phrases moyennes ne peut être interprété que comme un agent [6] (qu'il soit ou non soumis

---

6. A première vue, le verbe *subir* présente un contre-exemple à cette généralisation, cf :

  (I) les tortures, ça se subit sans broncher

Il semble difficile d'interpréter le sujet de *subir* comme un agent. En fait, il me semble que *subir* est ambigu, et qu'il admet une interprétation agentive ou non-agentive de son sujet, cf. :

(II) (a) Pierre a forcé Paul à subir un interrogatoire serré
    (b) Paul a $\left\{\begin{array}{l}\text{stoïquement}\\ \text{de son plein gré}\\ \text{volontairement}\\ \text{joyeusement}\end{array}\right\}$ subi $\left\{\begin{array}{l}\text{d'horribles tortures}\\ \text{un interrogatoire serré}\end{array}\right\}$

Dans (II) (a), *subir* est enchâssé comme complément d'un verbe qui impose normalement une interprétation agentive au sujet subordonné (effacé par EQUI

en plus à des restrictions en termes du trait humain/non-humain). Et, effectivement, tous les verbes dont le sujet a normalement une interprétation non-agentive semblent admettre très difficilement la construction moyenne, cf. :

(58) (a) Don Juan adorait les femmes
     (b) ? les femmes, ça s'adore

(59) (a) les bandes dessinées amusent les enfants
     (b) ? les enfants, ça s'amuse difficilement [7]

(60) (a) Pierre m'a touché (par sa prévenance)
     (b) * les gens susceptibles, ça se touche difficilement

(comparer (60) (b) à la phrase *cette cible, ça se touche difficilement*, où *toucher* est pris dans un sens physique, avec agent sous-entendu). Si je fais une différence, en termes d'acceptabilité, entre (58) (b)-(59) (b) d'une part et (60) (b) d'autre part, c'est que *toucher* (au sens psychologique) n'a jamais d'interprétation agentive, tandis qu'*adorer* ou *amuser* peuvent avoir cette interprétation (cf. chap. v); et, effectivement, des phrases analogues à (58) (b) me paraissent acceptables dans des conditions appropriées, imposant une interprétation « volontariste », cf. :

(61) les impérialistes, ça se déteste

(62) les mouchards, ça se méprise

Les exceptions à la construction moyenne se ramèneraient donc à une régularité, dont on rendrait compte en soumettant cette construction à la condition que le complément sous-entendu soit toujours interprété comme un agent. Les exceptions ont donc ici un statut très différent de celui qu'elles ont dans la construction neutre, où, comme nous le verrons à la section 5, elles présentent le plus souvent un caractère de « trous » (*gaps*) accidentels.

4. Ces distinctions faites, la question se pose maintenant de savoir quel type de dérivation il faut donner à nos deux constructions,

---

par coréférence avec l'objet direct principal); dans (II) (b), on voit que *subir* admet des adverbes typiques des constructions agentives. Pour plus de détails sur la notion d'agent, voir les chapitres IV et V.

7. Bien entendu (59) (b) est possible dans son interprétation neutre. Sur les verbes de la classe d'*amuser*, *toucher*, etc., voir le chapitre V.

neutres et moyennes, si on veut rendre compte des faits de sélection notés en commençant. Mon hypothèse est que les constructions moyennes doivent être dérivées transformationnellement, au moyen de la règle (13), tandis que les constructions neutres seront engendrées directement dans la base par la règle (14), et que les régularités de sélection qu'elles manifestent seront traitées au moyen de règles de redondance lexicale, du type de (15).

Notons tout de suite qu'un des meilleurs arguments qu'on puisse invoquer, en général, en faveur d'une dérivation transformationnelle, ne peut être utilisé ici, qu'il s'agisse des neutres ou des moyens. L'introduction d'une transformation se justifie si elle permet de simplifier de manière significative les règles de base; c'est le genre d'argument classique qui justifie les transformations qui forment les interrogatives (cf. Kayne, 1972), les relatives, la règle de déplacement des affixes, celle de DO-SUPPORT en anglais (cf. Chomsky, 1957), etc. Or, il existe, en français, un assez grand nombre de verbes pronominaux « intrinsèques », tels que *s'évanouir, se désister, s'imaginer*, etc., que, contrairement aux réfléchis, aux réciproques, aux neutres et aux moyens, il est impossible de rattacher à une construction transitive quelconque (directe ou indirecte), cf. par exemple :

(63) (a) Pierre s'est évanoui
      (b) * Pierre a évanoui Paul
      (c) * Pierre a évanoui à Paul
      (d) * le choc a évanoui Pierre
      (e) * Pierre n'a évanoui $\left\{ \begin{array}{l} \text{que lui-même} \\ \text{qu'à lui-même} \end{array} \right\}$
      (f) * c'est (à) lui-même que Pierre a évanoui

Les faits de (63) semblent bien indiquer qu'il n'y a aucune raison de ne pas introduire directement *s'évanouir*, tel quel, dans la base; plus exactement, *évanouir* sera introduit dans la base avec le trait de sous-catégorisation obligatoire [+ *se* ··· ____] [8]. Toutefois, avant de choisir cette solution, il convient d'envisager une autre possibilité. On pourrait également traiter *évanouir* comme un verbe transitif ordinaire, soumis toutefois à la condition que son sujet et son objet soient obligatoirement coréférentiels. C'est la solution suggérée par

---

8. Plus exactement, *évanouir* sera marqué dans le lexique des traits [+ *se* ... ____] et [+ [ₐ ____ pé]ₐ], celui-ci pour rendre compte de phrases telles que *Pierre est évanoui*.

Jackendoff (1969 *b*) pour l'anglais, pour rendre compte de phrases telles que :

(64)   John $\left\{ \begin{array}{l} \text{behaved} \\ \text{perjured} \end{array} \right\}$ $\left\{ \begin{array}{l} \text{himself} \\ \text{* Bill} \end{array} \right\}$

En anglais, cette solution est raisonnable dans la mesure où *himself* figure effectivement en position d'objet direct. En français, les choses sont moins nettes. Bien sûr, comme le montre (63), il n'existe aucune trace positive de l'existence d'un objet, direct ou indirect, d'un verbe comme *évanouir*. Mais cela seul ne suffit pas à justifier l'introduction de *se* dans la base et à éliminer la solution « anglaise ». En effet, à partir d'une structure de base *Pierre$_i$ a évanoui Pierre$_i$* (ou *Pierre$_i$ a évanoui lui$_i$*, selon qu'on introduit les pronoms transformationnellement ou directement dans la base), on obtiendrait (63) (a) par les règles habituelles pour la formation de *se* dans le cas des réfléchis. D'autre part, l'impossibilité de (63) (e)-(f) n'est qu'en apparence un contre-argument à l'idée qu'*évanouir* a un objet direct dans la base. Des considérations sémantiques permettraient en effet de ne voir, dans cette impossibilité, qu'une conséquence de la coréférentialité obligatoire du sujet et de l'objet d'*évanouir*. Considérons en effet des phrases telles que :

(65)   c'est Marie que Pierre a embrassée

(66)   Hamlet n'a aimé qu'Ophélie

Sémantiquement, ces phrases comportent une partie présupposée (respectivement, « Pierre a embrassé quelqu'un », et « Hamlet a aimé quelqu'un »), et une partie assertée (respectivement « ... Marie » et « ... seulement Ophélie ») (sur la notion de présupposition, voir notamment Ducrot, 1972). Il est clair que ce jeu de la présupposition et de l'assertion n'est possible que s'il existe une certaine liberté dans le choix des objets des verbes *embrasser* et *aimer* : Pierre ou Hamlet peuvent en principe aimer ou embrasser plusieurs personnes différentes. Or, il est clair que, si un verbe est spécifié dans le lexique comme prenant un sujet et un objet obligatoirement coréférentiels, toute liberté dans le choix de l'objet devient impossible, et avec elle, le jeu de la présupposition et de l'assertion. Dans cette perspective, (63) (e)-(f) seraient donc sémantiquement absurdes plutôt qu'agrammaticaux et ne constitueraient pas un argument contre la dérivation de (63) (a) à partir d'une construction transitive.

R. S. Kayne (1969, à paraître) a cependant noté quelques faits qui indiquent qu'au moins certains des verbes pronominaux « intrinsèques » doivent être introduits tels quels dans la base. C'est le cas de *s'imaginer* (où le *se* est senti comme « datif » plutôt que comme objet direct). Si (67) était vraiment dérivé de (68) :

(67) Jean se l'imagine

(68) * Jean$_i$ l'imagine à lui$_i$-(même)

il serait difficile de comprendre pourquoi il est impossible d'avoir (69), parallèlement à (70), et (71), parallèlement à (72) :

(69) * Jean m'imagine à lui-même

(70) Jean me présentera à elle

(71) * Jean se l'imagine à lui-même

(72) Jean se l'est dit à lui-même

Ces faits, qui sont indépendants de toute considération sémantique, suffisent à indiquer que certains au moins des pronominaux « intrinsèques » ne peuvent pas être dérivés de constructions transitives (indirectes dans ce cas) et doivent figurer tels quels dans la base (ce serait aussi le cas de verbes tels que *s'en aller*, qui présentent deux enclitiques intrinsèques, *se* et *en*). Le principe de simplicité, en l'absence d'arguments positifs en sens contraire, nous impose alors de traiter de la même manière les autres intrinsèques, tels que *s'évanouir*.

Notons que la discussion qui précède (relative à (63) (e)-(f)) n'invalide pas l'argumentation que nous avons utilisée, à la section 2, pour distinguer les neutres des réfléchis, en nous basant précisément sur les exemples de phrases restrictives et clivées. En effet, des verbes tels que *disperser*, *réunir*, etc., admettent de toute évidence des objets variés. Le type d'explication sémantique qui permet de rendre compte de l'impossibilité de (63) (e)-(f) ne vaut pas pour (24)-(26) ou (29)-(30).

Une fois que certains pronominaux intrinsèques sont introduits dans la base, et quelle que soit la nature exacte du mécanisme qui les introduit, il est clair que ce mécanisme est disponible pour servir éventuellement à introduire les moyens et/ou les neutres. L'introduction d'une transformation (du type de (13)) pour rendre compte de ces constructions, en tout cas, n'entraînerait aucune simplification des règles de base. Si une telle transformation s'avérait nécessaire pour d'autres raisons, il s'agirait alors d'une transformation « conservatrice de structure », au sens d'Emonds (1969) (voir le chap. I).

5. En ce qui concerne les neutres, il existe un certain nombre d'indications en faveur d'une solution lexicale plutôt que transformationnelle. J'ai dit plus haut que la possibilité pour un verbe de se rencontrer dans la construction neutre était soumise à des restrictions de nature lexicale, et nous avons vu des exemples de verbes (*manger, vendre, nettoyer, fouetter*, etc.) qui, tout en figurant dans les constructions transitive et moyenne, ne peuvent pas figurer dans la construction neutre. En fait, on est frappé par le caractère capricieux, idiosyncratique, des correspondances entre les constructions neutres et transitives. Si on dérivait transformationnellement les premières des secondes (par la règle (13)), on pourrait s'attendre (cf. Chomsky, 1970) à une correspondance régulière, et à ce que, s'il y a des restrictions sur la transformation, il s'agisse de restrictions de caractère général, indiquant que, dans certaines conditions générales, la transformation ne s'applique pas. Autrement dit, on s'attendrait à avoir des cas, prédictibles en termes généraux, où NP_2 V NP_1 existe, et où NP_1 *se* V n'existe pas. On a vu que c'est ce qui se passe dans le cas de la construction moyenne (ce fait n'est évidemment pas en soi un argument en faveur d'une dérivation transformationnelle des moyens; il est seulement « consistant » avec une telle solution).

Pour les neutres, les faits sont très différents. On rencontre un grand nombre de verbes figurant dans la construction NP_1 *se* V et ne figurant pas dans la construction NP_2 V NP_1, et cela malgré leur grande similitude sémantique avec des verbes qui figurent dans les deux constructions, et sans qu'on puisse formuler des généralisations quelconques sur la raison d'être de ces « trous ». En voici quelques exemples (on notera que les phrases agrammaticales sont ici toutes parfaitement compréhensibles; il n'y a donc pas de raison sémantique générale pour exclure ces phrases) :

(73) (a) Marie a $\left\{ \begin{array}{c} \text{* évanoui} \\ \text{endormi} \end{array} \right\}$ Pierre

(b) Pierre s'est $\left\{ \begin{array}{c} \text{évanoui} \\ \text{endormi} \end{array} \right\}$

(74) (a) Irène a $\left\{ \begin{array}{c} \text{? * levé} \\ \text{couché} \end{array} \right\}$ les enfants

(b) les enfants se sont $\left\{ \begin{array}{c} \text{levés} \\ \text{couchés} \end{array} \right\}$

(75) (a) les prêtres ont $\left\{ \begin{array}{l} \text{assis} \\ \text{agenouillé} \\ \text{? accroupi} \\ \text{? prosterné} \\ \text{* affalé} \\ \text{* affaissé} \end{array} \right\}$ la victime de force

(b) la victime s'est $\left\{ \begin{array}{l} \text{assise} \\ \text{agenouillée} \\ \text{accroupie} \\ \text{prosternée} \\ \text{affalée} \\ \text{affaissée} \end{array} \right\}$

(76) (a) Hélène $\left\{ \begin{array}{l} \text{* empiffre} \\ \text{gave} \end{array} \right\}$ ses enfants de bonbons

(b) les enfants $\left\{ \begin{array}{l} \text{s'empiffrent} \\ \text{se gavent} \end{array} \right\}$ de bonbons

(77) (a) ? * les policiers ont attroupé les passants (comparer à (4))
(b) les passants se sont attroupés

(78) (a) * le poids des marchandises a $\left\{ \begin{array}{l} \text{écroulé} \\ \text{effondré} \end{array} \right\}$ le plancher

(b) le plancher s'est $\left\{ \begin{array}{l} \text{écroulé} \\ \text{effondré} \end{array} \right\}$ (comparer à (8))

(79) (a) Pierre a $\left\{ \begin{array}{l} \text{engueulé} \\ \text{* querellé} \\ \text{?* disputé} \end{array} \right\}$ Paul

(b) Pierre s'est $\left\{ \begin{array}{l} \text{engueulé} \\ \text{querellé} \\ \text{disputé} \end{array} \right\}$ avec Paul

Comme je l'ai indiqué déjà plus haut, nous sommes ici dans un domaine où il faut s'attendre à bien des variations d'un dialecte à l'autre. J'ai rencontré des sujets qui acceptent *Irène a levé les enfants* (cf. (74)) ou *Pierre a querellé Paul* (cf. (79)), et je ne serais pas surpris que certains acceptent (77) (a) (pour moi, *l'accident a attroupé les passants*, avec sujet inanimé, est acceptable). De même, on peut s'attendre à des fluctuations au cours de l'histoire de la langue. Haase (1965, 136 sv.) donne des exemples, au xviie siècle, de *prosterner* employé transitivement (cf. (75)) et, inversement, de *se démanger*

(« Il se gratte où il se démange » Molière), là où le français moderne tend à n'admettre que la construction transitive (*sa cicatrice le démange*). Toutes ces fluctuations (qu'on retrouve aussi dans les rapports entre neutres pronominaux et non-pronominaux (voir ci-dessous) sont évidemment en harmonie avec une théorie lexicaliste des neutres.

Il peut être utile de faire remarquer, comme me l'a suggéré R. Kayne, que les dictionnaires standards (*Petit Larousse, dictionnaire Larousse du Français contemporain, Mansion's French-English Dictionary*) ont coutume de signaler les neutres, avec leur sens propre, à côté des transitifs, alors qu'ils n'accordent pas de rubrique spéciale à *se nettoyer, se vendre, se manger*, etc. Ceci correspond évidemment à la reconnaissance intuitive, d'une part, de la régularité du processus de formation des moyens, et, d'autre part, du caractère fréquemment idiosyncratique, tant du point de vue syntaxique que sémantique, des neutres.

On voit que la différence que j'ai faite, pour des raisons d'exposition, entre les intrinsèques et les neutres, est artificielle. Apparemment, la seule différence entre les deux constructions tient au fait que certains verbes pronominaux, mais non tous, se rencontrent également dans des constructions transitives directes. Ce n'est pas tout. On constate aussi que des verbes, possibles dans les deux constructions, sont soumis dans l'une à des contraintes de sélection particulières qu'ils ne connaissent pas dans l'autre, cf. :

(80) (a)   le cuisinier a éparpillé les petits pois
     (b)   les petits pois se sont éparpillés
     (c)   ?* les policiers ont éparpillé les manifestants
     (d)   les manifestants se sont éparpillés

(81) (a)   on a écoulé l'eau de pluie par cette canalisation
     (b)   l'eau de pluie s'est écoulée par cette canalisation
     (c)   * le temps écoule $\left\{ \begin{array}{l} \text{la rivière} \\ \text{la journée} \end{array} \right\}$
     (d) $\left\{ \begin{array}{l} \text{la rivière} \\ \text{la journée} \end{array} \right\}$ s'écoule

(82) (a)   on a tassé $\left\{ \begin{array}{l} \text{la farine} \\ \text{* les désaccords} \end{array} \right\}$
     (b) $\left\{ \begin{array}{l} \text{la farine s'est tassée} \\ \text{les désaccords se sont tassés} \end{array} \right\}$

Dans tous ces cas, les contraintes portent sur la construction transitive; en voici un autre où c'est au contraire la construction pronominale qui est soumise à des restrictions supplémentaires (voir aussi le chap. v) :

(83) (a) Pierre remplit le tonneau de bière
    (b) le tonneau se remplit de bière

(84) (a) cette nouvelle remplit Paul de joie
    (b) * Paul se remplit de joie.

Des faits de ce genre, joints aux différences sémantiques (sur lesquelles je reviendrai; voir le chap. iv) entre la construction transitive et la construction neutre, me paraissent des indices importants que celle-ci doit être engendrée dans la base, et que les régularités qui la lient à la construction transitive seront adéquatement exprimées par des règles de redondance du type de (15). D'autres types de faits viennent à l'appui de cette hypothèse.

Tout d'abord, il y a le problème de l'existence ou de l'absence de certaines expressions idiomatiques. On sait que la grammaticalité de phrases telles que :

(85) (a) le roi a rendu justice sous un chêne
    (b) justice a été rendue par le roi
    (c) en ces temps troublés, justice est difficile à rendre

a été tenue pour un argument en faveur d'une dérivation transformationnelle de (85) (b) et (85) (c) à partir de (85) (a) (cf. Chomsky, 1970, Perlmutter, 1970, et ici-même, chap. ii); autrement dit, les sujets superficiels de (85) (b)-(c) sont des objets en structure profonde. Or, il est frappant que des idiotismes correspondants ne se rencontrent pas dans les constructions neutres, cf. :

(86)   * justice s'est rendue hier à huit heures du soir

(87) (a) nos troupes ont livré bataille ce matin
    (b) bataille a été livrée ce matin
    (c) * bataille s'est livrée ce matin

(88) (a) le premier ministre nous a promis monts et merveilles
    (b) monts et merveilles nous ont été promis par le premier ministre
    (c) * monts et merveilles se sont promis

Un second type de faits pertinents est lié à l'existence de certains verbes — tels que, en français, *oser* ou *daigner* — qui prennent des compléments à l'infinitif dont le sujet sous-entendu, compris comme identique au sujet du verbe principal, doit, de plus, être un sujet profond, non dérivé (cf. Perlmutter, 1971). C'est ainsi qu'on a les faits suivants :

(89)   Justine a osé
$$\left\{ \begin{array}{l} \text{gifler le marquis} \\ \text{* être caressée par le petit page} \\ \text{se faire caresser par le petit page} \\ \text{être insolente} \\ \text{* me sembler être une allumeuse} \\ \text{* sembler aimer un nègre} \end{array} \right\}$$

Toutes les constructions exclues sont celles dont on a de bonnes raisons de penser qu'elles comportent un sujet dérivé transformationnellement, par PASSIF ou MONTÉE DU SUJET (cf. ici-même, chap. II). Si les constructions neutres du type des exemples (4)-(9) étaient introduites par une transformation telle que (13), on s'attendrait à ne pas les trouver enchâssées sous des verbes comme *oser* ou *daigner*. Si elles sont dans la base, on s'attend au contraire à ce que des constructions complexes de ce type soient possibles, et c'est effectivement ce qui se passe, cf. :

(90)   l'équipe a osé $\left\{ \begin{array}{l} \text{* être réunie} \\ \text{se réunir} \end{array} \right\}$

(91)   la foule a daigné $\left\{ \begin{array}{l} \text{* être dispersée} \\ \text{se disperser} \end{array} \right\}$

Notons en revanche qu'il est impossible d'obtenir une interprétation moyenne dans ces conditions, ce qui est consistant avec l'idée d'une dérivation transformationnelle des moyens. Si on se reporte aux exemples (52)-(53), qui étaient ambigus entre des interprétations réfléchies (ou réciproques) et moyennes, on constate que, dans (92)-(93), et en dépit de la valeur générique ou habituelle de ces phrases, seule subsiste l'interprétation réfléchie (ou réciproque) :

(92)   les femmes, ça n'ose généralement pas se fouetter

(93)   les enfants, ça n'ose pas se laver en dix minutes

On a des faits du même genre avec des verbes tels que *forcer*, qui exigent l'identité de leur objet direct avec le sujet sous-entendu du complément infinitif, et qui exigent également que ce sujet sous-entendu soit un sujet profond, cf. :

(94) le marquis a forcé Justine à
$$\left\{\begin{array}{l}\text{faire le ménage}\\ \text{* être caressée par le petit page}\\ \text{se faire caresser par le petit page}\\ \text{se quereller avec Juliette}\\ \text{s'empiffrer de foie gras}\end{array}\right\}$$

(95) les policiers ont forcé la foule à $\left\{\begin{array}{l}\text{se disperser}\\ \text{s'attrouper}\end{array}\right\}$

(96) le président a contraint le conseil à se réunir à cinq heures du matin

R. Kayne m'a enfin signalé un cas, non directement pertinent pour ce qui concerne la dérivation transformationnelle vs. lexicale des neutres, mais par rapport auquel les neutres se comportent comme les intrinsèques, tout en se différenciant aussi bien des réfléchis et réciproques que des moyens. On sait que, dans certaines conditions (enchâssement sous certains verbes tels que *faire*, *laisser*, etc.), il arrive que *se* alterne avec $\emptyset$; or, cette alternance n'est possible que pour certains intrinsèques, cf. *faites-le taire*, et pour certains neutres, cf. *je les ai fait asseoir, j'ai envoyé les enfants promener*. Elle est impossible pour les réfléchis et les réciproques : en aucun cas, *j'ai fait laver les enfants, j'ai fait détester Pierre et Marie* ne peuvent s'interpréter comme synonymes de *j'ai fait se laver les enfants, j'ai fait se détester Pierre et Marie*. Quant aux moyens, on sait (cf. Gross, 1968) qu'il est impossible, sans doute à cause de leur interprétation générique ou habituelle, de les enchâsser sous *faire* ou *laisser* (cf. * *j'ai fait se nettoyer ma veste*). Le caractère idiomatique, résiduel, de ces expressions, limite évidemment la portée de cette observation, mais il est utile de noter que, au XVIIe siècle, où cette alternance entre *se* et $\emptyset$ était plus fréquente, elle se limitait également aux neutres et intrinsèques, à l'exclusion des réfléchis et réciproques (cf. Haase, 1965, 144 sv.) [9].

_____

9. R. Kayne me signale encore une autre différence entre neutres et moyens, assez mystérieuse il est vrai. Dans les constructions neutres, la présence de l'enclitique *se* empêche le placement en position enclitique du pronom datif, de manière

6. Si nous passons maintenant aux constructions moyennes, nous constatons qu'il n'est pas très facile de trouver des arguments décisifs en faveur d'une solution transformationnelle, compte tenu de ce qu'une telle solution ne contribue pas dans ce cas à simplifier les règles de base. Nous avons cependant déjà vu quelques points — notamment la régularité et la productivité du moyen — qui constituent une présomption en faveur d'une dérivation transformationnelle, sans toutefois être décisifs (une règle de redondance peut être très générale et productive).

Comme nous l'avons vu, les grammairiens traditionnels ont remarqué les similitudes sémantiques entre le moyen et le passif. Il serait tentant, si on dérive les constructions moyennes au moyen de la règle (13), de voir dans celle-ci — du moins dans la partie de cette règle qui place le NP objet en position sujet — la même règle que la partie de la règle de PASSIF qui place l'objet en position de sujet (la règle de NP-PREPOSING proposée par Chomsky, 1970). Cette éventualité a été envisagée par H. G. Obenauer (dans un mémoire de maîtrise de l'Université de Paris VIII), mais certains faits militent contre cette identification. Par exemple, on sait que certains verbes à objet indirect, *obéir* et *pardonner*, peuvent être mis au passif (cf. (97) (a)-(b), (98) (a)-(b)); mais (97) (c), (98) (c) me semblent très

parallèle à ce qui se passe dans le cas des enclitiques ordinaires, cf. (I)-(II) :

(I) (a)   cela s'est révélé à moi
     (b)   * cela se m'est révélé
(II) (a)   je me suis déclaré à elle
     (b)   * je me lui suis déclaré

Dans les constructions moyennes, en revanche, on a le paradigme suivant :

(III) Δ achète ça pour soi   → ça s'achète pour soi
(IV)   Δ achète ça à soi   → * ça s'achète à soi
(V)   Δ dit ça de soi   → ça se dit de soi
(VI)   Δ dit ça à soi   → * ça se dit à soi

Autrement dit, si on a *soi* (ou d'ailleurs *soi-même*) dans des positions (cf. (III), (V)) qui ne sont pas sources de pronoms enclitiques, les phrases moyennes sont grammaticales. Mais si, comme en (IV) et en (VI), *soi(-même)* est engendré dans une position qui est la source d'un pronom enclitique datif, il est impossible d'obtenir une structure superficielle bien formée correspondant à la structure profonde source : le pronom, apparemment, ne peut pas rester dans sa position de base, et d'autre part, * *ça se s'achète*, * *ça se se dit*, sont exclus par la contrainte générale qui interdit toute séquence de *se se, se me, se lui*, etc. Il semble donc que la présence d'un *se* d'origine moyenne ne permet pas, contrairement à la règle générale, de bloquer la règle de placement d'enclitiques.

douteux, alors qu'on s'attendrait à les avoir si les moyens et les passifs étaient dérivés par la même règle de NP-PREPOSING :

(97) (a) le caporal a obéi au colonel
(b) le colonel a été obéi par le caporal
(c) ?* un chef pareil, ça ne s'obéit pas

(98) (a) un chrétien pardonne à ses ennemis
(b) nos ennemis seront pardonnés
(c) ?* les ennemis, ça ne se pardonne pas

(Maurice Gross me signale toutefois qu'il accepte ces phrases moyennes).

A l'inverse, certaines constructions, impossibles au passif, sont peut-être acceptables au moyen (encore que les données soient ici assez douteuses), cf. :

(99) (a) on a tiré sur les policiers
(b) les policiers, on leur a tiré dessus
(c) * les policiers ont été tirés dessus
(d) ? les policiers, ça se tire dessus à vue

Nous verrons encore ci-dessous (section 6.1) deux cas où les constructions passives et moyennes se comportent de manière tout à fait différente. Par ailleurs, on sait que le syntagme en *par NP*, correspondant à l'agent des phrases passives, qui se rencontrait autrefois dans les constructions moyennes, n'est plus grammatical dans ces constructions en français moderne : (100), acceptable au XVIIIe siècle (cf. Martinon, 1927, 302), est impossible aujourd'hui :

(100)   * cela se dit par le peuple

On a parfois (cf. Stéfanini, 1962, 126) présenté des phrases telles que (101)-(102) comme des contre-exemples à cette restriction :

(101)   l'éducation du cœur se fait par les mères

(102)   ce genre de liaison se rompt par le départ

Mais les syntagmes en *par NP* de ces exemples sont, en réalité, non des agents, mais des instrumentaux, comme le prouve bien le fait qu'ils peuvent être questionnés au moyen de *comment*; que l'on compare, de ce point de vue, (103)-(104) à (105) (b) :

(103) comment se fait l'éducation du cœur? ··· Par les mères

(104) comment se rompt ce genre de liaison? ··· Par le départ

(105) (a) Pierre a été frappé $\left\{\begin{array}{l}\text{par Paul}\\\text{avec une matraque}\end{array}\right\}$

    (b) comment Pierre a-t-il été frappé? ... $\left\{\begin{array}{l}\text{* par Paul}\\\text{avec une matraque}\end{array}\right\}$

Notons aussi la possibilité d'avoir les syntagmes en *par NP* de (101)-(102) dans des phrases actives, à sujet exprimé, ce qui n'est pas possible pour celui de (105) (a); comparer (106)-(107) à (108) :

(106) on fait l'éducation du cœur par les mères

(107) on rompt ce genre de liaisons par le départ

(108) on a frappé Pierre $\left\{\begin{array}{l}\text{* par Paul}\\\text{avec une matraque}\end{array}\right\}$

La confusion vient de la possibilité d'avoir les mêmes syntagmes fonctionnant tantôt comme agents (et occupant notamment la position sujet) et tantôt comme instrumentaux, cf. :

(109) les mères font l'éducation du cœur

(110) le départ rompt ce genre de liaison

Par parenthèse, cette discussion montre que, contrairement à l'opinion de Fillmore (1968; voir aussi la critique de Chomsky, 1972, et celle de Dougherty, 1970 *a*), il n'est pas possible d'identifier la distinction entre agents et instrumentaux et celle entre syntagmes nominaux animés et non-animés. Les exemples (101), (103), (106) montrent que certains NP animés peuvent fonctionner comme instrumentaux. A l'inverse, si divers inanimés peuvent fonctionner comme agents (cf. (110), ainsi que (111)-(112)), certains sont impossibles, ou très peu naturels, en fonction d'instrumentaux (comparer (113) à (114)) :

(111)   le feu a détruit le pont

(112)   le vent a renversé la barrière

(113) (a) on a détruit le pont par le feu
    (b) un pont, ça se détruit par le feu

111

(114) (a) * on a renversé la barrière par le vent
     (b) * une barrière, ça se renverse par le vent

En vérité, un NP, animé ou inanimé, peut être interprété comme agent s'il intervient de manière autonome dans l'action exprimée par le verbe (pour plus de détails, voir le chapitre IV), et, inversement, une des conditions pour qu'il puisse être interprété comme instrumental tient à la possibilité d'interpréter son rôle dans l'action comme non autonome. Si les phrases de (114) — par opposition à celles de (113) — sont si peu naturelles, c'est qu'il est difficile d'imaginer des situations où le vent est utilisé comme moyen dans une action donnée. Si on arrive à imaginer de telles situations, des phrases de ce genre deviennent possibles, cf. :

(115)   Zeus a détruit la flotte d'Ulysse par le vent et la tempête

(116)   quand on est un dieu en colère, les villes, ça se détruit par le vent et la tempête

6.1. Essayons de trouver d'autres arguments en faveur d'une dérivation transformationnelle des moyens. Celui qui est basé sur les expressions idiomatiques est assez peu conclusif. Je trouve assez douteux les exemples donnés par Kayne (1969, 162) comme grammaticaux. S'ils me paraissent moins bons que les passifs correspondants, ils sont toutefois apparemment meilleurs que les neutres (cf. (86)-(88)) :

(117)   ? assistance se porterait facilement à une si belle fille

(118)   ? justice se rendrait facilement dans ces conditions

Un des arguments les plus décisifs qu'on puisse donner en faveur d'une dérivation transformationnelle (cf. Chomsky, 1970) est de montrer que la ou les règles concernées doivent pouvoir s'appliquer, non seulement à des structures de base, mais également à des structures dont on sait par ailleurs qu'elles doivent être dérivées par transformation. Quelques-uns des meilleurs arguments fournis en faveur de règles telles que celles de PASSIF, EQUI, MONTÉE, etc. (cf. le chapitre II), sont de ce type; elles impliquent un recours crucial à l'ordre des règles de transformation. Si, en ce qui concerne les neutres, il est impossible d'invoquer des faits de ce genre — ce qui est un argument négatif contre une dérivation transformationnelle des neutres — les faits sont moins clairs pour ce qui est des moyens. Considérons tout d'abord un verbe tel que *juger*. Ce verbe entre dans les constructions NP V NP (cf. (119) (a)), NP V [s NP VP]s (cf. (120) (a), et NP V AP (cf. (120) (b)). Certains linguistes (Gross, 1968, Fauconnier, 1971) ont admis que la dernière de ces constructions était dérivée de la deuxième par une transformation (FORMATION D'OBJET) qui convertit le sujet subordonné en objet du verbe principal : (120) (b) serait dérivé de (120) (a) par FORMATION D'OBJET, suivie d'une transformation qui efface le verbe subordonné *être*. Ultérieurement, l'application de PASSIF dans la principale donne (120) (c) au même titre que (119) (b). Le problème est le suivant : si on s'attend à ce que (120) (d) — construction neutre — soit agrammatical, une dérivation transformationnelle des moyens prédirait plutôt la grammaticalité de (120) (e). Or, (120) (e) est tout aussi mauvais que (120) (d).

(119) (a) on a jugé ce criminel
     (b) ce criminel a été jugé
     (c) un criminel pareil, ça se juge

(120) (a) on a jugé que cet acte était odieux
     (b) on a jugé cet acte odieux
     (c) cet acte a été jugé odieux
     (d) * cet acte s'est jugé odieux
     (e) * un acte pareil, ça se juge odieux

Tout ceci est fort peu conclusif. De toute façon, il n'est pas sûr que la règle de FORMATION D'OBJET soit justifiée. Quoi qu'il en soit, nous avons ici un fait de plus qui distingue les phrases moyennes des phrases passives.

Un cas plus intéressant est offert par des phrases présentant une interaction des constructions moyennes et factitives. Certains sujets au moins acceptent des phrases telles que (121) (a), (122) (a), tout en rejetant (121) (b), (122) (b). D'une manière générale, si, pour beaucoup de sujets, les exemples (a) sont assez douteux, ils sont toujours perçus comme meilleurs que les exemples (b) correspondants — nouvelle différence entre les neutres et les moyens :

(121) (a) ? les enfants, ça se fait taire difficilement
     (b) * les enfants se sont fait taire difficilement hier soir

(122) (a) ? les pommes de terre, ça se fait manger difficilement aux enfants

(b) * les pommes de terre se sont fait manger difficilement aux enfants hier soir

Il semble qu'on ait bien ici un argument pour une dérivation transformationnelle des moyens. En effet, la structure de base de (122) (a), par exemple, serait (123) (a), qui est convertie, par les règles de formation des factitives (cf. Kayne, 1969, à paraître), en (123) (b); ensuite, la règle de SE-MOYEN (13), reformulée de manière à pouvoir opérer par-dessus la séquence *faire* V, convertirait, au second cycle, (123) (b) en (122) (a) :

(123) (a) Δ faire [s les enfants mangent difficilement les pommes de terre s]

(b) Δ faire manger difficilement les pommes de terre aux enfants

Quant aux neutres (121) (b) et (122) (b), ils seraient exclus automatiquement si les neutres sont engendrés directement dans la base, étant donné l'absence dans la base d'une construction NP *se faire* S. Notons, par ailleurs, à nouveau, une différence de comportement entre les phrases moyennes et les passives : en face de l'acceptabilité relative de (121) (a)-(122) (a), les passives correspondantes sont exclues, cf. :

(124) * les enfants ont été fait taire

(125) * les pommes de terre ont été fait manger

Ici donc, ce sont les phrases passives qui sont soumises à une restriction à laquelle les phrases moyennes échappent apparemment. C'est exactement la situation inverse de celle qu'on avait dans les exemples (119)-(120).

6.2. Certains faits, qui me sont signalés par R. Kayne, suggèrent un autre argument en faveur de la dérivation des phrases moyennes par la règle (13). Ils concernent la distribution des pronoms *soi* et *soi-même*. On sait que, en français moderne (cf. Sandfeld, 1962, et Kayne, 1969, à paraître), *soi* n'est plus la forme forte correspondant au réfléchi enclitique *se*, mais un pronom objet correspondant à un pronom sujet indéfini, en général *on* (parfois aussi *chacun* ou *tout le monde*), cf. :

(126)   en période troublée $\left\{ \begin{array}{c} \text{on} \\ \text{chacun} \end{array} \right\}$ ne pense qu'à soi

A côté de *soi*, on trouve *soi-même*, dont la distribution est soumise à des restrictions semblables à celles qui régissent celle des autres réfléchis en *-même* :

(127)   Pierre parle trop souvent de lui(-même)

(128)   quand on parle trop souvent de soi(-même), on risque de faire fuir ses amis

(129)   Pierre croit que Marie est amoureuse de lui(*-même)

(130)   quand on croit qu'une jolie femme est amoureuse de soi(*-même), on est prêt à faire toutes les folies

En bref, les formes en PRO-*même* sont possibles si elles sont coréférentielles d'un NP, à condition que ce NP se trouve dans la même phrase simple que la forme en PRO-*même*; les pronoms personnels simples ne sont pas soumis à cette restriction. *Lui-même* est possible dans (127) parce qu'il est coréférentiel de *Pierre*, sujet de la même phrase simple, mais *lui-même* est impossible dans (129) parce que le NP qui lui est coréférentiel, *Pierre* à nouveau, n'est pas dans la même phrase simple (dans la subordonnée). On a les mêmes restrictions sur *soi-même* dans (128) et (130).

Or, on a les faits suivants :

(131)   cela se dit facilement de soi-même

(132)   ce genre d'objet s'achète facilement pour soi-même

mais :

(133)   quand tout s'effondre autour de soi(*-même), on perd la tête

(131) et (132) sont des phrases moyennes; *s'effondrer*, dans la subordonnée de (133), est un verbe neutre. Si les neutres et les moyens avaient la même structure profonde, on ne comprendrait pas les différences dans la distribution de *soi(-même)*. Tout s'explique

naturellement au contraire si on admet les structures profondes que nous avons proposées — à condition d'admettre également que le sujet « vide » Δ que nous avons posé dans la structure profonde en (13) permet la coréférence avec *soi(-même)* tout comme *on*; s'il se révélait (cf. section 3) que l'agent sous-entendu des moyens doit être humain, ce sujet vide pourrait être remplacé en (13) par un pronom marqué du trait [+ humain], et donc voisin de *on*.

En effet, (131) par exemple aura alors la structure profonde suivante :

(134)   Δ dit facilement cela de PRO (mais voir la note 4)

Cette structure sera convertie en (131) par l'application successive de la règle de RÉFLEXIVISATION, introduisant *soi-même* à la place de PRO, par coréférence avec Δ (cf. Kayne, 1969, à paraître), et de celle de SE-MOYEN. En revanche, (133) aura pour structure profonde (135) :

(135)   quand tout s'effondre autour de PRO, on perd la tête

PRO étant coréférentiel de *on*, qui n'est pas dans la même phrase simple, la règle de RÉFLEXIVISATION, qui introduit *soi-même*, ne pourra pas s'appliquer. Seule pourra s'appliquer la règle de PRONO-MINALISATION, introduisant *soi*, qui n'est pas soumise à cette restriction sur les phrases simples.

Plus simplement, si on considère seulement des phrases simples, la différence entre (131)-(132) d'une part, et (136)-(137) d'autre part, s'explique si on pose les structures profondes postulées :

(136)   * tout s'est effondré autour de soi(-même)

(137)   * tous les amis se sont réunis autour de soi(-même)

Les neutres étant engendrés tels quels dans la base, il n'y a dans (136) ou (137) aucun NP (ni *on*, ni *chacun*, ni *tout le monde*, ni Δ) susceptible d'être coréférentiel de *soi(-même)*. Si *soi* est possible dans la subordonnée de (133), c'est que *soi*, contrairement à *soi-même*, peut être coréférentiel d'un NP ne figurant pas dans la même phrase simple.

7. J'en viens à un dernier argument, d'un type très différent, qui indique que les moyens doivent être traités transformationnellement,

et qui confirme du même coup que les neutres doivent être engendrés dans la base. Cet argument repose sur des considérations relatives aux relations qui existent entre certaines catégories d'adverbiaux et les sujets des phrases.

On a déjà souvent remarqué (cf. Fodor, 1970) que certains adverbiaux sont interprétés comme se rapportant au sujet de la phrase en structure profonde. Ainsi, dans (138) :

$$(138) \quad \text{les policiers ont dispersé les étudiants} \left\{ \begin{array}{l} \text{avec enthousiasme} \\ \text{à regret} \end{array} \right\}$$

les compléments de manière se rapportent au sujet : il est clair que ce sont les policiers, et non les étudiants qui, selon le cas, manifestent de l'enthousiasme ou témoignent du regret. Ce qui est important, c'est que cette relation reste intacte si la structure profonde a subi des transformations, par exemple le PASSIF, comme dans (139) :

$$(139) \quad \begin{array}{l} \text{les étudiants ont été dis-} \\ \text{persés par les policiers} \end{array} \left\{ \begin{array}{l} \text{avec enthousiasme} \\ \text{à regret} \end{array} \right\}$$

Ouvrons une parenthèse. Je ne me prononcerai pas ici sur la manière exacte dont les adverbiaux doivent être représentés en structure profonde; peut-être, sous-jacent à *avec enthousiasme* dans (138), y a-t-il une phrase enchâssée (cf. Kuroda, 1970), dont le sujet est ultérieurement effacé par identité avec le sujet principal; sous-jacent à (138), on aurait alors quelque chose comme :

(140)   les policiers ont dispersé les étudiants [s les policiers avaient de l'enthousiasme]

Dans ce cas, les contraintes de sélection qu'on observe entre le sujet et l'adverbial seraient traitées à l'intérieur de la phrase enchâssée. Peut-être au contraire les adverbiaux sont-ils engendrés tels quels dans la base, et un mécanisme interprétatif quelconque les rattache au sujet, rendant compte en même temps des restrictions de sélection. Cette alternative ne porte pas directement sur le point qui nous intéresse ici.

Par ailleurs, s'il est clair dans tous les exemples donnés et dans ceux qui vont suivre que les adverbiaux se rapportent aux sujets profonds, il faut dire que la possibilité d'obtenir des structures dérivées quand certains de ces adverbiaux sont présents est soumise à certaines restrictions. Ainsi, les phrases passives ne sont pas toujours possibles, cf. l'agrammaticalité de (141) :

> (141)   * les étudiants ont été dispersés par les policiers en utilisant des matraques

Les conditions dans lesquelles une structure dérivée contenant des adverbiaux est possible sont, semble-t-il, assez complexes, et mettent en jeu divers facteurs, tels que la structure interne de l'adverbial, la nature (animé ou inanimé) du sujet dérivé, la présence ou l'absence d'un complément d'agent exprimé, etc. Ces conditions demanderaient à elles seules une étude particulière, que je n'entreprendrai pas ici. De toute façon, elles ne touchent pas au point qui nous intéresse, à savoir que, de toute façon, ces adverbiaux, quand ils sont possibles, se rapportent au sujet profond.

Considérons maintenant les exemples suivants :

> (142) (a)   les étudiants se sont dispersés $\left\{ \begin{array}{l} \text{avec enthousiasme} \\ \text{à regret} \end{array} \right\}$
>
> (b)   les étudiants, ça se disperse $\left\{ \begin{array}{l} \text{avec enthousiasme} \\ \text{à regret} \end{array} \right\}$

Il est évident (I) que dans (142) (a), ce sont les étudiants, et non un quelconque agent indéterminé, qui manifestent de l'enthousiasme ou témoignent du regret, (II) que (142) (b) est ambigu (cf. ci-dessus les exemples (52)-(55)), et peut être interprété avec les adverbes modifiant, soit *les étudiants*, soit un agent non-spécifié. Les faits sont encore plus clairs dans (143), où *les vitres*, étant [— animé], ne peut être modifié par un adverbial de manière tel que *avec enthousiasme* :

> (143) (a)   les manifestants ont brisé les vitres avec enthousiasme
> (b)   les vitres ont été brisées (par les manifestants) avec enthousiasme
> (c)   * les vitres se sont brisées avec enthousiasme
> (d)   les vitres, ça se brise avec enthousiasme

Cette fois, (143) (c), qui est neutre, est agrammatical, et (143) (d) est non ambigu et interprété comme un moyen.

Ces faits ne sont pas limités aux adverbiaux de manière, mais ils valent également pour les adverbiaux instrumentaux, cf. (144)-(145), et pour ceux de but, cf. (146) :

(144) (a) j'ai cassé cette branche $\left\{\begin{array}{l}\text{* sous son propre poids} \\ \text{d'une seule main} \\ \text{à coups de hache}\end{array}\right\}$

(b) cette branche a été cassée $\left\{\begin{array}{l}\text{* sous son propre poids} \\ \text{d'une seule main} \\ \text{à coups de hache}\end{array}\right\}$

(c) cette branche s'est cassée $\left\{\begin{array}{l}\text{sous son propre poids} \\ \text{* d'une seule main} \\ \text{* à coups de hache}\end{array}\right\}$

(d) une branche comme ça, ça se casse $\left\{\begin{array}{l}\text{sous son propre poids} \\ \text{d'une seule main} \\ \text{à coups de hache}\end{array}\right\}$ [10]

(145) (a) les policiers ont dispersé les étudiants à coups de matraques

(b) les étudiants ont été dispersés (par les policiers) à coups de matraques

(c) * les étudiants se sont dispersés à coups de matraques[11]

(d) les étudiants, ça se disperse à coups de matraques

(146) (a) nous avons cassé les branches mortes pour faire du feu

(b) les branches mortes ont été cassées pour faire du feu

(c) * les branches mortes se sont cassées pour faire du feu

(d) les branches mortes, ça se casse pour faire du feu

Admettons que les adverbiaux de manière, de but, ou les instrumentaux [12], sont engendrés (à la manière de Chomsky, 1965) en

---

10. (144) (d) est grammatical, quel que soit l'adverbial choisi, pour la raison suivante : *une branche comme ça, ça se casse* est ambigu (cf. (52)-(55)); *une branche comme ça, ça se casse sous son propre poids* est alors interprété comme une construction neutre, et les deux autres phrases sont prises comme des cas de moyens.

11. Bien entendu (145) (c) est grammatical si cette phrase est interprétée dans un sens réciproque (cf. (34)).

12. Il importe de noter que l'obligation d'interpréter un adverbial comme se rapportant au sujet profond ne vaut pas pour tous les types d'adverbiaux. Comme l'a déjà noté Fodor (1970), elle ne vaut pas pour ceux de temps, cf. :

(I) la police a arrêté Pierre avant de fusiller Paul

(II) Paul a été arrêté (par la police) avant d'avoir pu finir son repas

Dans (I), c'est *la police* (sujet profond et superficiel à la fois) qui est interprété comme sujet de *fusiller*, mais dans (II) c'est *Paul*, sujet superficiel, qui est interstructure profonde, soit tels quels, soit sous la forme de phrases enchâssées, dans les mêmes positions que celles qu'ils occupent en structure superficielle (cette conception a été rejetée par Lakoff, 1968 *a*, 1970 *c*, en faveur de l'idée que les adverbiaux sont des prédicats de phrases supérieures, mais ses arguments sont peu convaincants; pour une critique de Lakoff, 1968 *a*, voir Bresnan, 1968); ce sera aussi à ce niveau que seront déterminées les contraintes qui les lient au sujet. Dans cette conception, tous les faits que nous venons de passer en revue découlent naturellement de l'hypothèse que les constructions neutres sont basiques et que les moyennes, en revanche,

---

prêté comme sujet de *avoir pu finir*. D'autres cas sont moins clairs, comme par exemple celui des « gérondifs » de forme *en* V-*ant* X. Si, dans certains cas, ils se comportent comme les adverbiaux de manière ou instrumentaux :

(III)   les policiers ont dispersé les manifestants en hurlant

(IV)   les manifestants, ça se disperse en hurlant

(V)   ? les manifestants ont été dispersés (par les policiers) en hurlant

(notons toutefois la différence d'acceptabilité entre la construction moyenne et la passive), dans d'autres cas, on les rencontre se rapportant soit à des sujets superficiels (VI) soit à des syntagmes non-sujets (VII) qui ne sont pas nécessairement exprimés :

(VI)   (a)   j'ai été convaincu en lisant Chomsky
      (b)   ? Marie a été violée en prenant son bain

(VII)   (a)   l'appétit vient en mangeant
      (b)   cette idée m'est venue en dormant

Notons encore :

(VIII)   Pierre a été arrêté sans savoir pourquoi

Ces faits demanderaient une étude plus approfondie. En ce qui concerne les « gérondifs », ces éléments semblent très ambigus : ils peuvent être interprétés aussi bien comme des adverbiaux de manière, des instrumentaux, ou des adverbiaux de temps, ce qui expliquerait peut-être les variations de leur comportement. Le caractère d'agent ou de non-agent du sujet joue sans doute également un rôle (dans (VII) les sujets ne sont pas des agents).

Signalons encore, en ce qui concerne les adverbiaux de but, que, dans certaines conditions, leur présence bloque la transformation passive, cf. :

(IX)   on a torturé Pierre $\begin{cases} \text{pour sauver la France} \\ \text{pour le faire parler} \end{cases}$

(X)   Pierre a été torturé $\begin{cases} \text{pour sauver la France} \\ \text{* pour le faire parler} \end{cases}$

Ceci serait peut-être à rapprocher des contraintes concernant le verbe *menacer* signalées au chapitre II, note 11.

sont dérivées transformationnellement. Considérons, en effet, les phrases de (143). La structure profonde de (143) (a)-(b) sera quelque chose comme (147) (je simplifie, en ne retenant que les aspects de la structure qui sont pertinents pour notre propos) :

(147)

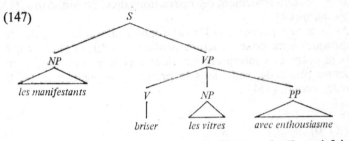

Le sujet profond, *les manifestants*, étant [+ animé], satisfait les contraintes sur l'occurrence de l'adverbial de manière *avec enthousiasme*, d'où la grammaticalité, et de (143) (a) et de (143) (b). Quant à (143) (c) et (143) (d), ils auront respectivement, pour structures profondes, (148) et (149) :

(148)

(149)

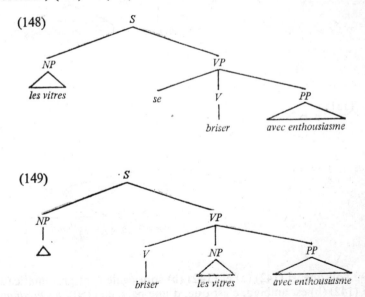

Il apparaît que, si (143) (c) est exclu, c'est parce que, dans (148), les restrictions de sélection entre le sujet et l'adverbial sont violées.

En ce qui concerne (143) (d), le sujet « vide » de (149) est, par défi-nition, non-distinct (cf. Chomsky, 1965, 81) d'un sujet satisfaisant les restrictions de sélection imposées par l'adverbial. Alternative-ment, si on pose, à la place du sujet « vide », un pronom humain, celui-ci satisfera également ces restrictions de sélection. Ainsi, (143) (d) est grammatical.

De la même manière, (142) (a) (dans l'interprétation neutre, non réciproque) aura pour structure profonde (150), et (142) (b), qui est ambigu entre une interprétation neutre et une moyenne, aura pour structure profonde, soit, dans le premier cas, également (150), soit, dans le second, (151) :

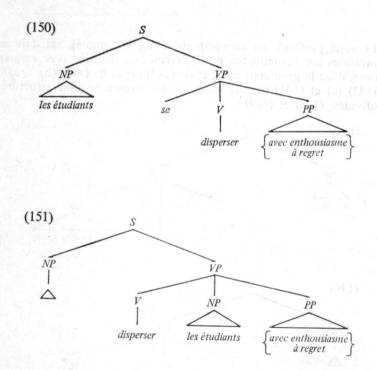

On voit que, si (142) (a) et (142) (b) sont également grammaticaux, et si (142) (b) est ambigu, c'est que, d'une part, en (150), *les étudiants*, étant [+ animé], satisfait les restrictions de sélection de l'adverbial *avec enthousiasme* ou *à regret*, tandis que, d'autre part, en (151), on a les mêmes conditions qu'en (149), le sujet « vide » étant non-distinct d'un sujet satisfaisant ces restrictions de sélection [13].

8. Il importe de remarquer que les verbes, non-pronominaux, dits traditionnellement moyens, se comportent en fait, en général, comme les neutres. Je pense à des phrases telles que (152) (b)-(154) (b) :

(152) (a) Pierre a cassé la branche
     (b) la branche a cassé

(153) (a) Adèle cuit le ragoût
     (b) le ragoût cuit

(154) (a) le médecin a accouché Madeleine hier à six heures du soir
     (b) Madeleine a accouché hier à six heures du soir

Comme on le voit (cf. notamment (154)), ces phrases ne sont pas soumises aux contraintes de temps caractéristiques des constructions moyennes. D'autre part, elles présentent des rapports très idiosyncratiques avec les constructions transitives correspondantes, aussi bien qu'avec les constructions neutres pronominales. Cf. par exemple, d'une part :

(155) (a) ?? Adèle marine les maquereaux (comparer à (153))
     (b) les maquereaux marinent

(156) (a) l'ennemi a coulé le cuirassé
     (b) le cuirassé a coulé

---

13. Le même type d'argument, qu'on vient d'employer au sujet des adverbiaux qui se rapportent nécessairement au sujet profond, pourrait être reproduit quand il s'agit d'adverbiaux qui se rapportent, cette fois, à l'objet profond. On a en effet les phrases suivantes :

  (I) (a) Philip Marlowe boit toujours son whisky sec
     (b) Marie-Hélène a pris son bain très chaud
     (c) Rodrigue a embrassé Chimène dans le cou

  (II) (a) ce whisky a été bu sec
     (b) ce bain a été pris trop chaud (par Marie-Hélène)
     (c) Chimène a été embrassée dans le cou par Rodrigue

Comme prévu, les constructions moyennes admettent ces adverbiaux, se rapportant au sujet superficiel, c'est-à-dire à l'objet profond, cf. :

  (III) (a) un whisky de douze ans d'âge, ça se boit sec
     (b) un bon bain, ça se prend très chaud
     (c) { les filles / une fille comme ça }, ça s'embrasse dans le cou

(157) (a) * l'ennemi a sombré le cuirassé
    (b) le cuirassé a sombré

(158) (a) ?? le médecin a avorté Iphigénie (comparer à (154))
    (b) Iphigénie a avorté

(159) (a) * Pierre a trébuché Paul
    (b) Paul a trébuché

Et, d'autre part :

(160) (a) la branche a cassé
    (b) la branche s'est cassée

(161) (a) * la branche a brisé
    (b) la branche s'est brisée

(162) (a) Madeleine a accouché
    (b) * Madeleine s'est accouchée

Dans les deux cas, on peut s'attendre à des variantes dialectales. Il existe des dialectes où (162) (b), et peut-être aussi (155) (a), (158) (a), sont grammaticaux.

Les sujets de ces constructions — qu'on pourrait appeler neutres non-pronominales — ont également toutes les propriétés de sujets profonds, comme le prouvent le fait qu'elles peuvent être enchâssées comme compléments de certains verbes :

(163) Madeleine a daigné accoucher à l'heure prévue

(164) le médecin a forcé Madeleine à accoucher prématurément

ainsi que les contraintes sur les adverbiaux :

(165) (a) Pierre a cassé la branche $\left\{\begin{array}{l}\text{pour faire du feu} \\ \text{* sous son propre poids } ^{14} \\ \text{d'une seule main}\end{array}\right\}$

    (b) la branche a cassé $\left\{\begin{array}{l}\text{* pour faire du feu} \\ \text{sous son propre poids} \\ \text{* d'une seule main}\end{array}\right\}$

---

14. La phrase *Pierre a cassé la branche sous son propre poids* est sans doute grammaticale si on admet qu'il s'agit du propre poids de Pierre, non de celui de la branche. Ceci confirme que l'adverbial modifie le sujet profond.

(166) (a) Adèle a cuit le canard $\begin{cases} \text{avec précaution} \\ \text{tout en lisant} \\ \text{* en grésillant} \end{cases}$

(b) le canard a cuit $\begin{cases} \text{* avec précaution} \\ \text{* tout en lisant} \\ \text{en grésillant} \end{cases}$

L'absence d'une construction moyenne (dans notre sens) non-pronominale apparaît bien si on compare (167) (a) et (167) (b). (167) (a) est un exemple ordinaire de construction moyenne, et (167) (b) est agrammatical :

(167) (a) un rôti, ça se cuit tout en lisant
       (b) * un rôti, ça cuit tout en lisant

4

Les constructions factitives *

0. Parmi les discussions qui opposent actuellement les tenants de la « sémantique générative » à ceux de la théorie générative « classique » ou à ceux de la théorie « classique étendue » (sur ces distinctions, voir notamment Chomsky, 1971, 1972), une bonne part tourne autour de la question de savoir s'il est légitime de poser, dans la représentation des phrases d'une langue, un niveau de *structure profonde* qui soit distinct à la fois du niveau de la structure superficielle et de celui de la représentation sémantique des phrases. Ce niveau joue, on le sait, un rôle central dans la théorie classique (voir Chomsky, 1965).

La théorie classique étendue (voir Chomsky, 1971, 1972, Jackendoff, 1969 *b*, Dougherty, 1969, etc.), si elle a abandonné l'hypothèse que seule l'information syntaxique contenue dans la structure profonde est pertinente pour l'interprétation sémantique, et si elle admet que certains aspects de la structure superficielle (et peut-être aussi de certains autres niveaux intermédiaires) contribuent à l'interprétation sémantique, n'en maintient pas moins le niveau de structure profonde. Elle continue, notamment, à affirmer, d'une part, que celle-ci se caractérise par le fait que tous les items lexicaux ont été insérés dans les indicateurs syntagmatiques engendrés par les règles de base (autrement dit, toutes les règles — transformationnelles — d'insertion lexicale sont ordonnées avant les transformations syntaxiques), et, d'autre part, que, en ce qui concerne du moins le rôle sémantique des relations et fonctions grammaticales (telles qu'elles sont définies dans Chomsky, 1965), seules les relations et fonctions grammaticales définies en structure profonde contribuent à l'interprétation sémantique.

Les tenants de la sémantique générative, de leur côté (cf. McCawley,

---

* Version remaniée de « Défense de la structure profonde : les constructions factitives en français » *Scritti e Ricerche di Grammatica Italiana*, Trieste, Editrice Lint, 1972.

1968 *b*, 1968 *c*, Postal, 1970 *a*, Lakoff, 1970 *a*, 1971), affirment que ce niveau intermédiaire est superflu. Chez eux, les règles de base, assimilables aux règles d'un calcul logique, engendrent des représentations sémantiques, qui sont converties en structures superficielles au moyen de règles d'un seul type, qui sont des transformations.

Plus précisément, dans ses versions les plus récentes (cf. divers travaux de Lakoff, notamment 1971), la sémantique générative conçoit la dérivation d'une phrase comme une séquence d'indicateurs syntagmatiques I_1,..., I_n, où I_1 est la représentation sémantique de la phrase et I_n sa structure superficielle, séquence qui est soumise à des « contraintes dérivationnelles » qui définissent des conditions de bonne formation sur des configurations de nœuds correspondants dans des indicateurs syntagmatiques; ceux-ci ne sont pas nécessairement adjacents. Les transformations sont alors conçues comme des cas particuliers de ces contraintes dérivationnelles : ce sont des contraintes « locales », en ce sens qu'elles définissent des conditions de bonne formation sur des indicateurs syntagmatiques adjacents; il existerait également des contraintes « globales », définissant des conditions de bonne formation sur des indicateurs syntagmatiques non adjacents. Pour une discussion de cette notion de contraintes dérivationnelles globales, dont le pouvoir descriptif est énorme, et sur la question de savoir s'il est légitime d'identifier les transformations à des contraintes dérivationnelles locales, voir Chomsky, 1972.

Un point crucial est que, pour la sémantique générative, les transformations lexicales, au lieu de substituer, comme dans Chomsky (1965), des items lexicaux (représentés par des matrices de traits syntaxiques, sémantiques et phonologiques) à des occurrences du symbole postiche Δ, substituent des représentations phonologiques d'items lexicaux à des configurations (sémantiques) dans des indicateurs syntagmatiques, et elles ne sont pas nécessairement ordonnées avant les transformations syntaxiques [1].

Comme Chomsky (1971, 1972) et Katz (1970, 1971) ont essayé de le montrer, une bonne part de ces discussions est purement terminologique, et il semble que, du moins sur certains points, la sémantique générative n'est rien d'autre qu'une variante notationnelle de la théorie classique. Toutefois, je ne suivrai pas Katz dans son assimilation totale des deux théories (assimilation qui aboutit d'ailleurs à vider, pour une grande part, la notion de structure profonde

---

1. Sur tous ces points, voir le chapitre I.

de son contenu). Si Katz a raison de soutenir qu'il n'est pas légitime de parler, au sens strict, de deux *théories* distinctes, certaines différences d'accent me paraissent plus intéressantes que les ressemblances, et j'essaierai de suggérer qu'une théorie qui comporte un niveau de structure profonde est mieux équipée pour traiter des types de faits, dont certains sont d'ordre sémantique, qu'une théorie qui ne fait pas de place à ce niveau.

On sait que le développement de la sémantique générative est l'aboutissement logique d'une tendance qui avait amené certains linguistes, tenant pour acquise l'idée que les transformations ne changent pas le sens, à proposer des structures profondes de plus en plus abstraites (c'est-à-dire, de plus en plus éloignées de la surface) (cf. par exemple, Lakoff, 1968 *a*); corrélativement, ces linguistes proposaient d'introduire dans la grammaire un certain nombre de transformations nouvelles, aux propriétés souvent bizarres, qui étaient destinées à convertir ces structures très abstraites en structures plus familières. Ces nouvelles transformations ont été par la suite mises à contribution de plus en plus fréquemment pour justifier des analyses syntaxiques de plus en plus abstraites. Il ne serait pas exagéré de dire que tout l'édifice de la sémantique générative repose sur l'hypothèse que trois ou quatre transformations particulières ont droit de cité dans les grammaires. Or, tous les linguistes sont loin d'être d'accord sur la légitimité de ces transformations. D'une part, plusieurs de ces transformations (cf. Chomsky, 1972, Hasegawa, 1970) ont des propriétés formelles peu souhaitables. D'autre part, si on se reporte aux types d'arguments, purement syntaxiques, qui étaient traditionnellement invoqués pour justifier l'introduction dans une grammaire de telle ou telle transformation (régularisation des paradigmes, simplification de la structure de base, arguments d'ordre, etc., cf. Chomsky, 1970, et ici-même, chap. II et III, etc.), on s'aperçoit que ce genre d'arguments fait défaut, en général, quand il s'agit de justifier les nouvelles transformations proposées. Comme l'ont indiqué, notamment, Chomsky (1970) et Jackendoff (1969 *b*), les types de faits invoqués, quand ils ne sont pas de nature purement sémantique, peuvent souvent être traités au moyen de mécanismes autres que transformationnels (par exemple, des règles de redondance lexicale), mécanismes qui sont disponibles dans la théorie classique.

Mon intention est de considérer, dans ce chapitre et dans le suivant, des types de faits, pour traiter lesquels les sémanticiens génératifs ont proposé d'introduire des transformations, qui ont été ensuite utilisées dans un grand nombre d'autres analyses. Les arguments syntaxiques invoqués en leur faveur sont assez faibles, et ont déjà souvent été discutés ailleurs, du moins pour l'anglais (il s'agit de faits qui sont assez voisins en français et en anglais). Je m'attacherai surtout à montrer que certains aspects, d'ordre lexical ou sémantique, des constructions en cause, non seulement posent des problèmes à la sémantique générative, mais semblent être susceptibles d'un traitement plus révélateur dans le cadre de la théorie classique ou de la théorie classique étendue (il ne sera pas ici question des types de faits qui ont amené Chomsky et d'autres linguistes à abandonner la théorie classique en faveur de la théorie classique étendue).

1. Dans le chapitre précédent, j'ai proposé de traiter le rapport entre les constructions pronominales neutres et les constructions transitives, non en dérivant les premières des secondes par la transformation de SE-MOYEN (cf. chap. III, (13)), mais au moyen de règles de redondance (cf. chap. III, (15)), dont la forme générale serait :

$$(1) \quad [+ \text{V}], [+ \underline{\quad} \text{NP X}], [+ \underline{\quad} [\alpha \text{ F}]]$$
$$\rightarrow [+ \text{V}], [+ [\alpha \text{ F}] \, se \cdots \underline{\quad} \text{X}]$$

(où $[\alpha \text{ F}]$ représente les traits du NP objet pertinents pour la sélection du verbe transitif).

A vrai dire, cette formulation me paraît maintenant incorrecte, et je voudrais remplacer la règle (1) par la règle suivante :

$$(2) \quad [+ \text{V}], [+ (se) \cdots \underline{\quad} \text{X}], [+ [\alpha \text{ F}] \cdots \underline{\quad}]$$
$$\rightarrow [+ \text{V}], [+ \text{CAUSE}], [+ \underline{\quad} \text{NP X}], [+ \underline{\quad} [\alpha\text{F}]]$$

Cette reformulation revient à introduire les verbes dans le lexique, non plus comme transitifs, mais comme intransitifs, et à rendre compte de leur emploi transitif par la règle de redondance (2). Un verbe tel que *réunir* figurera donc dans le lexique avec les traits $[+ \text{V}]$, $[+ se \cdots \underline{\quad}]$, $[+ [- \text{ sém. sing.}] \cdots \underline{\quad}]$, ce qui rend compte de *l'équipe se réunit, les soldats se réunissent, * Pierre se réunit*, etc., et ce sera la règle (2) qui rendra compte de ses emplois transitifs, dans *l'entraîneur a réuni l'équipe, le chef a réuni les soldats, * le chef a réuni Pierre*, etc.

Les raisons de cette modification (qui rejoint la formulation suggérée par Chomsky, 1970) sont les suivantes. Tout d'abord, la règle (2) distingue les traits de sélection ($[+ [\alpha \text{ F}] \cdots \underline{\quad}]$) des traits de sous-catégorisation stricte ($[+ (se) \cdots \underline{\quad}]$), alors que la règle (1

Théorie syntaxique.   5

les confondait. Ensuite, elle rend compte, au moyen de l'introduction du trait [+ CAUSE], de la différence sémantique systématique entre les verbes neutres et les transitifs correspondants, ceux-ci étant interprétés comme des causatifs de ceux-là. Enfin, elle permet de mieux traiter les différences entre intransitifs pronominaux et non-pronominaux. J'avais indiqué en effet (chap. III, section 8) que les constructions intransitives non-pronominales, qui ont les mêmes propriétés que les constructions neutres pronominales, doivent être traitées de la même manière, cf. les paradigmes :

(3)   l'équipe s'est réunie

(4)   la branche s'est brisée

(5)   le chef a réuni l'équipe

(6)   Pierre a brisé la branche

(7)   la branche a cassé

(8)   le ragoût cuit

(9)   ce galopin a cassé la branche

(10)   Adèle cuit le ragoût

Or, comme je le notais également, il y a beaucoup d'idiosyncrasies dans la répartition des intransitifs en pronominaux et non-pronominaux (cf. *la branche se casse, la branche se brise,* en face de *la branche casse, * la branche brise*). Le lieu naturel pour traiter ces idiosyncrasies est la rubrique lexicale de ces verbes. Ainsi, si on admet la formulation de (2), *casser* sera introduit dans le lexique avec le trait [+ (*se*) ··· _____ #], *se briser* avec seulement le trait [+ *se* ··· _____ #], et *cuire* avec seulement le trait [+ _____ #]; les verbes transitifs *casser, briser, cuire,* seront tous introduits par la règle (2). Si au contraire on introduisait les transitifs directement dans le lexique et si on obtenait les intransitifs au moyen de règles telles que (1), on serait obligé de compliquer ces règles, pour rendre compte de la répartition capricieuse des intransitifs pronominaux et non-pronominaux. Pour introduire les non-pronominaux, il faudrait une autre règle,

(11) [+ V], [+ _____ NP X], [+ _____ [α F]]
      → [+ V], [+[α F] ··· _____ X],

et il faudrait marquer les verbes comme pouvant subir (1) et (11) indifféremment (c'est le cas de *casser*), ou comme ne pouvant subir que (1) (*briser*), ou comme ne pouvant subir que (11) (*cuire*).

Il existe toutefois, *a priori*, une autre solution transformationnelle possible pour relier les constructions intransitives de (3), (4), (7), (8), aux constructions transitives correspondantes, (5), (6), (9), (10). Cette solution consiste, non plus à dériver les constructions intransitives des transitives par l'intermédiaire de SE-MOYEN (ou d'une règle voisine n'introduisant pas le *se* dans le cas de (7)-(8)), mais, au contraire, à dériver les constructions transitives de phrases complexes dans lesquelles une phrase intransitive se trouve enchâssée comme complément d'un verbe causatif; cette solution, on le voit tout de suite, permet également de formuler en une seule fois les restrictions de sélection, mais, alors que la solution par SE-MOYEN revenait à les formuler au niveau des rapports entre le verbe et l'objet dans les phrases transitives, celle-ci revient à les formuler au niveau des rapports entre le sujet et le verbe dans les phrases intransitives. Cette seconde solution aurait, comme la solution lexicale, l'avantage de supprimer le problème qui existait pour la solution par SE-MOYEN, à savoir que les sujets de phrases telles que (3)-(4) se comportent à tous égards comme des sujets profonds.

Cette seconde solution transformationnelle a été en fait proposée, pour l'anglais, par Lakoff (1970 *c*), qui suggère de dériver (12) d'une structure sous-jacente analogue à celle de (13) :

(12)   Floyd melted the glass (Floyd a fondu le verre)

(13)   Floyd caused the glass to melt (Floyd a fait fondre le verre)

Cette solution a été ensuite reprise par McCawley (1968 *c*), et étendue à des cas où l'identité morphématique des deux verbes, le transitif et l'intransitif, n'est pas réalisée; c'est ainsi que McCawley propose de dériver (14) de (15) :

(14)   John killed Mary (John a tué Mary)

(15)   John caused Mary to die (John a fait mourir Mary)

Plus précisément, Lakoff et McCawley proposent de dériver (12) et (13), d'une part, et (14) et (15), d'autre part, de structures sémantiques telles que (16) et (17) [2], où les éléments terminaux, écrits en

---

2. Ces représentations sont très simplifiées, mais elles suffisent pour ce qui nous concerne ici. McCawley (1968 *c*) dérive en fait *John killed Mary* de quelque chose

majuscules, sont censés représenter des entités sémantiques primitives :

    (16)   FLOYD CAUSE [s THE GLASS MELT]

    (17)   JOHN CAUSE [s MARY DIE]

Les structures de surface (12) et (14) sont dérivées de ces structures sous-jacentes au moyen de deux règles de transformation : (a) on a d'abord une règle, dite *predicate lifting* (je traduirai par ASSOMPTION DE PRÉDICAT), qui extrait le verbe subordonné de sa proposition et l'adjoint à la droite du verbe principal, donnant les structures intermédiaires :

    (18)   FLOYD CAUSE-TO-MELT THE GLASS

    (19)   JOHN CAUSE-TO-DIE MARY

(b) on a ensuite une opération de LEXICALISATION, qui substitue un item lexical, plus précisément une forme morpho-phonologique, *melt* ou *kill*, à la séquence d'éléments sémantiques constituée du verbe causatif et du verbe subordonné. La règle d'ASSOMPTION DE PRÉDICAT est facultative; si elle n'opère pas, les opérations de LEXICALISATION auront des résultats différents, MELT sera épelé *melt*, DIE *die*, et le verbe causatif deviendra *cause*; on obtient alors les structures superficielles (13) et (15).

Cette analyse, si elle était correcte, aurait des conséquences théoriques importantes. Elle implique en effet que certaines transformations syntaxiques (en l'occurrence ASSOMPTION DE PRÉDICAT) peuvent s'appliquer avant les transformations d'insertion lexicale, ce qui oblige à abandonner une des hypothèses essentielles quant au statut de la structure profonde. A première vue, en ce qui concerne le français, elle peut paraître séduisante. Reprenons l'exemple (10). On voit que, à côté de (10), il existe une phrase factitive telle que (20), qui est d'un type extrêmement courant, et qui, de plus, est apparemment dans un rapport de paraphrase avec (10) :

    (10)   Adèle cuit le ragoût

    (20)   Adèle fait cuire le ragoût

---

comme *John caused Mary to become not alive*, avec plusieurs applications successives de la règle d'ASSOMPTION DE PRÉDICAT.

On pourrait donc suggérer de dériver, à la manière de Lakoff et de McCawley, (10) et (20) d'une même structure sous-jacente, soit (21) :

(21) ADÈLE CAUSE [s LE RAGOÛT CUIRE]

En fait, toujours à première vue, le français présente même une situation plus favorable pour cette analyse que l'anglais. En effet, Chomsky (1972) a montré que, en anglais, la règle d'ASSOMPTION DE PRÉDICAT, telle qu'elle est formulée par McCawley, est tout à fait *ad hoc*; elle n'a d'autre raison d'être que de permettre cette analyse des phrases transitives à partir de phrases complexes, et notamment de créer les conditions pour que la séquence d'éléments (sémantiques) à laquelle est substitué un item lexical (*kill* par exemple dans (19)) soit un constituant. McCawley admet en effet que la règle de LEXI-CALISATION ne peut substituer un item lexical à une séquence d'élé-ments terminaux que si celle-ci est un constituant. Or, R. S. Kayne (1969) a montré que, si l'on veut décrire la syntaxe des constructions factitives françaises du type de (20), on est amené, pour des raisons totalement indépendantes, à les dériver, à partir de structures pro-fondes telles que (22) :

(22) Adèle fait [s le ragoût cuire]

au moyen, notamment, d'une transformation (dite par Kayne de FAIRE-ATTRACTION) qui attache le verbe subordonné à la droite du verbe principal *faire* (ce qui a diverses conséquences syntaxiques importantes, qui ne nous concernent pas ici), et qui est donc for-mellement proche d'ASSOMPTION DE PRÉDICAT. Si on ordonnait FAIRE-ATTRACTION avant LEXICALISATION, une partie importante de la dérivation de (10) à partir de (21) serait donc justifiée de manière indépendante, et la seule chose nouvelle serait le choix, au niveau de la LEXICALISATION, entre le remplacement de CAUSE + CUIRE par *cuire* et son remplacement par *faire* + *cuire*.

A vrai dire, telle que Kayne la formule, la règle de FAIRE-ATTRAC-TION ne résout pas la difficulté soulevée par Chomsky : en effet, selon Kayne, la structure dérivée résultant de FAIRE-ATTRACTION est, soit (23) (a), soit (23) (b) :

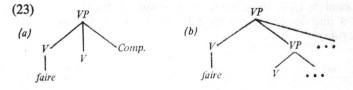

On voit que, dans un cas comme dans l'autre, la séquence *faire* + V n'est pas un constituant, et que, pour la rendre telle, il faudrait une nouvelle opération totalement injustifiée par ailleurs.

Toutefois, si ceci représente une difficulté pour l'analyse « étendue » de McCawley (celle qui a les implications théoriques les plus importantes), ce n'en est pas une pour celle (compatible avec la conception traditionnelle de la structure profonde), qui considérerait, non plus (21) (structure purement sémantique), mais (22) (structure syntaxique profonde, où les items lexicaux ont déjà été insérés), comme la structure sous-jacente de (10). (10) serait obtenu par l'application successive de FAIRE-ATTRACTION et d'une règle qui substituerait, non pas une forme morpho-phonologique à une séquence d'éléments sémantiques, mais simplement le verbe subordonné au verbe principal *faire* ; cette transformation, de type plus traditionnel, pourrait être formulée comme suit :

(24) FAIRE-SUBSTITUTION : (facultative) :

$$X - faire - V - Y$$
$$1 \quad 2 \quad 3 \quad 4$$
$$\Rightarrow 1 \quad 3 \quad \emptyset \quad 4$$

En fait, les objections qui vont suivre valent aussi bien contre cette conception restreinte que contre la conception étendue, indépendamment des difficultés supplémentaires que celle-ci rencontre par ailleurs ; ma conclusion sera donc que, quelle que soit la formulation qu'on lui donne, une solution transformationnelle est inadéquate pour traiter des régularités de sélection qui lient les phrases intransitives comme (3), (4), (8) aux phrases transitives comme (5), (6), (10). Dans le cadre de la théorie actuelle, seule reste donc la possibilité de traiter ces régularités en termes de règles de redondance lexicales. Ceci pourrait suggérer (cf. aussi les remarques de Jackendoff, 1969 *b* (Introduction) et aussi celles de Fodor, 1970) qu'il serait nécessaire de contraindre, plus sévèrement que dans la théorie classique, les types d'opérations transformationnelles qui peuvent affecter les items lexicaux. On pourrait par exemple interdire les transformations qui, comme (24), substituent les uns aux autres des items appartenant à une des catégories lexicales N, V, A (cf. Chomsky, 1965, 74 et *passim*).

2. Déjà, pour l'anglais, l'analyse de Lakoff et de McCawley a suscité diverses critiques (cf. Chomsky, 1971, 1972, Hall-Partee, 1971, et surtout Fodor, 1970). Je reprendrai en passant certaines de ces critiques, j'en proposerai d'autres, et je suggérerai un moyen de traiter d'une manière uniforme les divers types de faits évoqués.

Je n'insisterai pas sur le fait que les arguments classiques en faveur d'une solution transformationnelle ne jouent pas ici. A moins de démontrer (ce que personne, à ma connaissance, n'a tenté de faire jusqu'à présent) que toutes les constructions transitives directes peuvent être ramenées à des constructions complexes où sont enchâssées des constructions intransitives, l'analyse proposée n'apporte aucune simplification des règles de base [3]. Aucune transformation bien établie ne semble précéder les règles d'ASSOMPTION DE PRÉDICAT, de LEXICALISATION, ou de FAIRE-SUBSTITUTION [4]. Enfin, pour un grand nombre de verbes, on n'a pas également les deux constructions, et, pour un certain nombre de ces verbes en tout cas, il semble impossible de ramener ces lacunes à une quelconque régularité syntaxique ou sémantique (cf. le chap. III), ce qui est un indice sérieux qu'une solution lexicale doit être préférée.

Lakoff (1970 c) avait cru trouver certains faits, d'ordre pronominal, qu'une analyse transformationnelle du genre de celle qu'il propose permettrait d'expliquer, mais Fodor (1970) en a fait une critique convaincante, et a suggéré une autre solution restant dans le cadre de l'analyse « lexicaliste »; de plus, apparemment, et plus encore

---

3. On voit mal, par exemple, comment des phrases telles que :

    (I)   Claude a présenté Igor à Arnold

    (II)   L'astronome a observé la comète

    (III) Gary a trompé Marlène (avec Greta)

    (IV) Dave a embrassé Debbie

pourraient être réduites à des constructions de forme NP — *faire* — V — X.

4. Évidemment, si on admet FAIRE-SUBSTITUTION, cette règle doit suivre FAIRE-ATTRACTION et toutes les règles qui précèdent celle-ci (voir Kayne, 1969, à paraître). Mais le fait est qu'il n'y a pas de justification indépendante à cette manière de procéder.

L'effort le plus important qui ait été entrepris pour trouver des justifications à l'idée que certaines transformations syntaxiques sont ordonnées avant l'insertion lexicale est représenté par le travail de Postal (1970 a). Or, celui-ci a déjà fait l'objet de plusieurs critiques sévères (voir Kimball, 1970; Ronat, à paraître). Je reviendrai plus loin (section 7) aux problèmes que pose, en français, l'analyse « étendue » de McCawley, celle qui recourt à ASSOMPTION DE PRÉDICAT.

en français qu'en anglais les faits invoqués par Lakoff sont souvent d'une grammaticalité assez douteuse.

Les exemples de Lakoff sont du type suivant :

(25) Floyd melted the glass, and *it* surprised me

(où *it* est ambigu, signifiant soit « que Floyd fonde le verre » soit « que le verre fonde »)

(26) Floyd melted the glass, though it surprised me that $\left\{ \begin{matrix} he \\ it \end{matrix} \right\}$ would do so

(où *he would do so* = « Floyd melted the glass », et *it would do so* = « the glass melted »)

Étant donné une analyse transformationnelle des pronoms, qui obtient ceux-ci par substitution à des NP (ou des VP) complets, sous des conditions d'identité avec un antécédent, la théorie transformationnaliste expliquerait l'ambiguïté de (25) et la possibilité d'avoir aussi bien *he* que *it* dans (26). Mais cette théorie transformationnelle des pronoms est elle-même très sujette à caution (voir Dougherty, 1969, Jackendoff, 1969 *b*), et Fodor suggère une autre solution pour traiter ces faits. En français, les faits de ce genre me paraissent encore plus marginaux et plus limités qu'en anglais. Ainsi, à s'en tenir à la théorie de Lakoff, si (27) était dérivé de (28),

(27) les policiers ont dispersé les trotskystes

(28) les policiers ont fait se disperser les trotskystes

on s'attendrait à avoir (30) à côté de (29) (et avec le même sens de *en faire autant*); or (30) est impossible dans cette lecture :

(29) les maoïstes se sont dispersés et les trotskystes en ont fait autant

(30) * les policiers ont dispersé les maoïstes, et les trotskystes en ont fait autant

Il est clair que (30) n'est acceptable que dans la lecture où les trotskystes collaborent avec les policiers pour disperser les maoïstes; l'impossibilité de (30) dans l'autre lecture est encore plus patente si on substitue *la pluie* à *les policiers*. De même :

(31) ? la porte de devant s'est ouverte, et celle de derrière en a fait autant

(32) * Jules a ouvert la porte de devant, et celle de derrière en a fait autant

Il y a cependant certains cas où des phrases de ce genre semblent plus ou moins acceptables, comme, par exemple :

(33) ? Graham Hill a calé le moteur de la Lotus, et tout de suite après celui de la Ferrari en a fait autant

Fodor suggère que, dans certaines conditions, un élément anaphorique (peut-être engendré directement dans la base) qui renvoie à un verbe transitif, peut aussi renvoyer au verbe intransitif de même forme morphophonologique (en effet, ces phénomènes anaphoriques sont impossibles si les deux verbes sont de forme phonologique différente, cf. * *John killed Mary and Suzan did so too*). Il semble que, en français, cette identité de la forme morphophonologique doive être entendue en un sens très strict; en effet, l'exemple (33), par opposition aux exemples (30) et (32), se caractérise par le fait que *caler*, intransitif, est non-pronominal, et ne se distingue donc pas phonologiquement (morphologiquement) du verbe transitif, ce qui n'est pas le cas de *disperser/ se disperser, ouvrir/ s'ouvrir*.

En gros, les arguments de Fodor (1970) valent aussi bien pour le français que pour l'anglais. Je n'insisterai donc pas beaucoup là-dessus, me contentant de signaler des exemples et de renvoyer à la démonstration de Fodor. Celui-ci montre notamment que, dans une phrase complexe, il est parfois possible d'avoir des adverbiaux de temps différents, se référant à des moments différents du temps, dans la principale et dans la subordonnée (cf. (34)), ce qui est impossible dans une phrase simple (cf. (35)); or, une phrase simple à verbe transitif factitif, telle que (36), est aussi inacceptable que (35), alors que l'analyse transformationnelle de Lakoff prédirait qu'elle est grammaticale, et ne pourrait l'exclure qu'en recourant à une condition *ad hoc* sur ASSOMPTION DE PRÉDICAT ou sur FAIRE-SUBSTITUTION :

(34) le médecin a fait accoucher Madeleine dimanche en lui donnant un médicament samedi

(35) * l'astronome a observé la comète dimanche en regardant dans le télescope samedi

(36) * le médecin a accouché Madeleine dimanche en lui donnant un médicament samedi

Un second argument de Fodor concerne la propriété (voir aussi ici-même, chap. III) qu'ont les adverbes instrumentaux de se rapporter toujours à leur sujet profond. Si (37) était dérivé de (38) :

(37)   John killed Bill

(38)   John caused Bill to die

on s'attendrait à ce que (39) soit ambigu, tout comme (40), puisque ces deux phrases pourraient avoir, pour structure profonde, aussi bien (41) que (42); or (39) n'est pas ambigu, et son interprétation correspond seulement à celle de (41). Ceci suit naturellement de l'hypothèse que (39) est en structure profonde, mais ne pourrait être traité que d'une manière *ad hoc* par l'analyse transformationnelle [5] :

(39)   John killed Bill by swallowing his tongue (John a tué Bill en avalant sa langue)

(40)   John caused Bill to die by swallowing his tongue

(41)   John caused [Bill die] by [John swallow Bill's tongue]

(42)   John caused [Bill die by [Bill swallow Bill's tongue]]

(43)   Jean a fait mourir Pierre en avalant sa langue

En français, l'argument pourrait, à première vue, être affaibli dans la mesure où il est assez difficile de percevoir l'ambiguïté de la phrase correspondant à (40), à savoir (43) (il est difficile de percevoir la lecture où c'est Pierre qui avale sa langue); apparemment, les adverbes de forme *en* V-*ant* X ne sont pas très acceptables dans des

---

5. Un argument voisin m'a été suggéré par une remarque de Miriam Lemle (communication personnelle). Soit les phrases :

(I)   Adèle a fait cuire le cochon avec un citron dans la bouche

(II)   Adèle a cuit le cochon avec un citron dans la bouche

La phrase (I) est ambiguë, dans la mesure où elle peut correspondre aux deux structures sous-jacentes (III) (a) et (III) (b) :

(III)   (a)   Adèle a fait [s le cochon cuire avec un citron dans la bouche]
        (b)   Adèle a fait [s le cochon cuire] avec un citron dans la bouche

Dans (III) (a), c'est le cochon qui a un citron en bouche, et dans (III) (b), c'est Adèle qui l'a. Seule cette seconde lecture, aussi cocasse qu'elle soit, est possible dans le cas de (II).

phrases enchâssées sous *faire*. Toutefois, le fait qu'il s'agit d'un phénomène assez superficiel apparaît si on modifie l'ordre des éléments :

(44) les C.R.S. ont fait se disperser les étudiants en hurlant

(45) en hurlant, les C.R.S. ont fait se disperser les étudiants

(46) les C.R.S. ont fait se disperser en hurlant les étudiants

(47) les C.R.S. ont dispersé les étudiants en hurlant

(48) les étudiants se sont dispersés en hurlant

L'ambiguïté de (44) n'apparaît sans doute pas très clairement; mais le fait que cette phrase est effectivement ambiguë apparaît si on considère (45), où c'est, clairement, les C.R.S. qui hurlent, et (46), où c'est, préférentiellement, les étudiants (cf. (48)). Ce qui est crucial, c'est que (47) n'a que la lecture correspondant à (45), alors que l'analyse transformationnelle des transitifs factitifs prédirait son ambiguïté. Un autre exemple très clair est le suivant :

(49) Pierre a hissé Paul d'une seule main sur le cheval

(50) Pierre a fait se hisser Paul d'une seule main sur le cheval

Il est clair ici que (49) ne peut avoir l'interprétation qui correspond à (50); l'instrumental dans (49) se rapporte à *Pierre*; dans (50), il se rapporte à *Paul*.

3. Passons à d'autres types d'arguments, non envisagés par Fodor [6]. Tout d'abord, les restrictions de sélection imposées sur le sujet ou l'objet superficiel ne sont pas les mêmes dans les deux types de constructions, les transitives simples et celles en *faire* + V. Considérons d'abord le cas de l'objet superficiel. Alors que (51) (a) et (b) sont également possibles, de même que (52) (a) et (b), seul (53) (a) est grammatical, (53) (b) est exclu :

(51) (a) la voiture est entrée dans le garage
     (b) les invités sont entrés au salon

(52) (a) Delphine a fait entrer la voiture dans le garage
     (b) Delphine a fait entrer les invités au salon

---

6. Hall-Partee (1971) signale brièvement des arguments du même ordre pour l'anglais.

(53) (a)   Delphine a entré la voiture dans le garage
     (b)   * Delphine a entré les invités au salon

Il s'agit là, non d'une idiosyncrasie comme celles notées au chapitre III, section 8, mais d'un phénomène assez général qui interdit d'avoir un objet humain dans la construction transitive simple si le verbe est un verbe de mouvement, tel qu'*entrer, sortir, monter, descendre,* etc. (Ceci est une simplification, voir ci-dessous.)
En sens inverse, on a un certain nombre de cas où la construction en *faire* + V est impossible si l'objet superficiel est inanimé, cf. :

(54) (a)   Roman a sorti la bouteille de vodka du frigidaire
     (b)   * Roman a fait sortir la bouteille de vodka du frigidaire [7]

(55) (a)   Fritz a monté les provisions de la cave
     (b)   * Fritz a fait monter les provisions de la cave

Un cas particulièrement net de cette restriction concerne des phrases à objet superficiel désignant une partie du corps de la personne désignée par le sujet (d'une manière générale, une propriété inaliénable), cf. :

(56) (a)   Barbe-Noire a froncé ses terribles sourcils
     (b)   ?* Barbe-Noire a fait (se) froncer ses terribles sourcils
     (c)   les terribles sourcils de Barbe-Noire se sont froncés

(57) (a)   Irène a baissé ses beaux yeux bleus
     (b)   ?* Irène a fait (se) baisser ses beaux yeux bleus
     (c)   les yeux d'Irène se sont baissés

---

7. Comme c'était déjà le cas pour (20), des phrases telles que (54) (b) ou (55) (b) ont par ailleurs une lecture, dans laquelle elles sont acceptables, mais qui ne nous intéresse pas ici. C'est celle qui correspond à une structure sous-jacente où la phrase enchâssée sous *faire* est une phrase transitive directe avec sujet non-exprimé. Ces phrases enchâssées sont apparentées au passif, cf. *Adèle a fait cuire le ragoût par Amélie, Fritz a fait monter les provisions de la cave par son assistant* (voir Kayne, 1969, à paraître). Qu'il soit entendu une fois pour toutes que, chaque fois que je considère ici une construction du type NP_1 *faire* V NP_2 X, il s'agit d'une construction dont la structure profonde est de la forme NP_1 *faire* $[_S NP_2$ V X], et non de la forme NP_1 *faire* $[_S \Delta$ V NP_2 X]. A la section 8, je reviendrai cependant sur les rapports possibles entre des phrases telles que *je construis une maison* et *je fais construire une maison* (*par des maçons*).

Il existe aussi des restrictions de sélection différentes sur le sujet, cf. :

(58) (a) l'amiral a fait échouer le cuirassé
     (b) l'amiral a échoué le cuirassé

(59) (a) cette manœuvre stupide a fait échouer le cuirassé
     (b) * cette manœuvre stupide a échoué le cuirassé

(60) (a) le médecin a fait accoucher Madeleine
     (b) le médecin a accouché Madeleine

(61) (a) ce médicament a fait accoucher Madeleine
     (b) * ce médicament a accouché Madeleine

On voit cette fois que, si le sujet superficiel est inanimé, la construction transitive simple est exclue.

Pour rendre compte de ces restrictions de sélection, l'analyse qui dérive les phrases transitives simples des phrases en *faire* + V devrait donc multiplier les conditions sur l'application de la règle d'ASSOMPTION DE PRÉDICAT (ou sur FAIRE-SUBSTITUTION). Pour exclure (53) (b), la règle devrait être bloquée si le sujet subordonné est humain; pour exclure (59) (b) et (61) (b), elle devrait également être bloquée si le sujet principal est inanimé. En revanche, pour exclure (54) (b)-(57) (b), elle devrait être rendue obligatoire si le sujet subordonné est inanimé. Les exemples (54)-(55) sont particulièrement ennuyeux pour l'hypothèse transformationnelle, non seulement parce que (54) (b) et (55) (b) sont exclus, mais aussi parce que (à la différence des exemples (56)-(57)) les phrases simples correspondant à la subordonnée sont également exclues, cf. :

(62)   ?* la bouteille de vodka sort du frigidaire

(63)   ?* les provisions montent de la cave

Pour pouvoir engendrer les phrases (54) (a)-(55) (a), l'analyse transformationnelle devrait donc, non seulement rendre obligatoire l'application d'ASSOMPTION DE PRÉDICAT, mais aussi trouver un moyen d'exclure les phrases simples (62)-(63) (ou leur assigner une interprétation déviante). On pourrait essayer de résoudre la difficulté en considérant que, sous-jacent à (54) (a), on n'a pas quelque chose comme (54) (b), mais plutôt (64) :

(64)   Roman a fait [s la vodka être sortie du frigidaire]

où *être sortie* est la séquence *être* + adjectif (cf. l'ambiguïté de

Madame est sortie, qui apparaît si on compare *Madame est sortie hier soir à huit heures* et *Pour l'instant, Madame est sortie, elle est en train de faire des courses*); mais, de toute façon, des phrases telles que :

(65) ?* la vodka est sortie du frigidaire

(66) ?* les provisions sont montées de la cave

me paraissent très peu naturelles même si on les interprète de cette façon. La règle d'ASSOMPTION DE PRÉDICAT serait donc de toute façon obligatoire dans ce cas.

Quoi qu'il en soit, vouloir rendre compte des différences sélectionnelles entre les deux constructions en termes de contraintes sur l'application d'ASSOMPTION DE PRÉDICAT me paraît une entreprise désespérée, dans la mesure où les exemples donnés jusqu'à présent ne présentent que des cas relativement simples. Il y en a de beaucoup plus compliqués, qu'il serait, par exemple, impossible de traiter simplement en termes de la distinction humain/non-humain. Nous avons vu des cas où le caractère inanimé de l'objet superficiel impose la construction transitive simple (cf. (54)-(57)). Or, il y en a d'autres où — indépendamment de la nature du sujet — la présence de certains objets superficiels inanimés interdit, au contraire, d'avoir la construction transitive simple, et impose la construction en *faire* + V. Ainsi, (67) contraste de manière frappante avec l'exemple paradigmatique de Lakoff, (12)-(13); on trouvera d'autres exemples dans (68)-(71) :

(67) (a) le colonel a fait fondre trois sucres dans son café
   (b) * le colonel a fondu trois sucres dans son café

(68) (a) les pluies ont fait monter le niveau de la rivière
   (b) * les pluies ont monté le niveau de la rivière

(69) (a) en ouvrant les vannes du barrage, l'ingénieur a fait monter le niveau du lac
   (b) * en ouvrant les vannes du barrage, l'ingénieur a monté le niveau du lac

(70) (a) ce médicament a fait baisser la fièvre de Juliette
   (b) * ce médicament a baissé la fièvre de Juliette

(71) (a) le médecin a stupidement fait monter la fièvre de Juliette
   (b) * le médecin a stupidement monté la fièvre de Juliette

On pourrait multiplier les exemples. Mais il y a des difficultés d'un autre ordre. J'ai jusqu'à présent admis (ou plutôt fait semblant d'admettre) que les constructions transitives simples et celles en *faire* + V étaient dans un rapport de paraphrase, et, effectivement, il semble bien que (12) et (13), ou encore (10) et (20), soient des paraphrases l'une de l'autre, les phrases suivantes étant contradictoires :

(72) (a) ⊄ Adèle a cuit le ragoût mais elle n'a pas fait cuire le ragoût

(b) ⊄ Adèle a fait cuire le ragoût mais elle n'a pas cuit le ragoût

(où le signe ⊄ est le signe de la contradiction)

On avait bien, très tôt, fait à Lakoff (cf. Chomsky, 1971) l'objection qu'il y a une légère différence de sens entre des phrases telles que (12) et (13), la première impliquant une connexion directe entre le sujet et l'objet que la seconde n'implique pas; mais Lakoff (1970 c) avait par avance répondu que toutes ces phrases sont également ambiguës : l'ambiguïté — connexion directe vs connexion indirecte — serait une propriété générale de l'élément CAUSE, commun aux deux constructions.

En fait, en français, il n'est pas difficile de trouver toute une classe de cas où il est clair que les phrases en *faire* + V ne sont pas des paraphrases des phrases à verbe simple, même si on prend la notion de paraphrase seulement dans le sens où les valeurs de vérité sont les mêmes pour les deux phrases. Considérons, par exemple, les phrases suivantes (qui, on le remarquera, sont une exception aux restrictions de sélection sur l'objet humain notées plus haut) :

(73) (a) Alice a fait remonter Humpty Dumpty sur son mur
(b) Alice a remonté Humpty Dumpty sur son mur

(74) (a) Jean-Baptiste a fait plonger Jésus dans le Jourdain
(b) Jean-Baptiste a plongé Jésus dans le Jourdain

L'absence de paraphrase entre les phrases (a) et (b) apparaît clairement si on considère les phrases suivantes :

(75) (a) Alice a fait remonter Humpty Dumpty sur son mur, mais elle ne l'a pas remonté (elle-même)
(b) ⊄ Alice a remonté Humpty Dumpty sur son mur, mais elle ne l'a pas remonté (elle-même)

(76) (a)   Jean-Baptiste a fait plonger Jésus dans le Jourdain,
            mais il ne l'a pas plongé (lui-même) dedans
     (b) ⊄ Jean-Baptiste a plongé Jésus dans le Jourdain, mais
            il ne l'a pas plongé (lui-même) dedans

Clairement, les exemples (b) sont contradictoires, mais les exemples (a) ne le sont pas. La phrase (73) (a), par exemple, peut signifier qu'Alice a persuadé Humpty Dumpty de remonter de lui-même sur le mur, en lui parlant, en l'exhortant, en lui promettant de l'embrasser s'il le faisait, etc., mais elle n'implique aucunement qu'elle a agi elle-même directement, physiquement, par exemple en prenant Humpty Dumpty dans ses bras et en le déposant sur son mur. En revanche, (73) (b) ne peut signifier qu'une seule chose : qu'une telle action physique a effectivement eu lieu, Humpty Dumpty jouant alors un rôle purement passif. De là résulte que (75) (a) n'est pas contradictoire alors que (75) (b) l'est. Les mêmes remarques valent pour (74) et (76), et on pourrait facilement multiplier les observations de ce genre [8].

Devant de tels exemples, il est clair que la position de Lakoff, sur l'ambiguïté générale de l'élément CAUSE, est insoutenable, et que la distinction entre action directe, impliquée par la construction transitive simple, et action indirecte, possible seulement dans la construction complexe, doit être prise au sérieux, d'autant plus qu'on trouve immédiatement d'autres cas où cette distinction se retrouve sous une forme plus subtile.

A la différence des exemples dont on vient de parler, les deux phrases de (77), comme (12)-(13) ou (10)-(20), semblent effectivement être dans un rapport de paraphrase, comme semble le prouver (78) :

(77) (a)   Graham Hill a fait caler le moteur de sa Lotus
     (b)   Graham Hill a calé le moteur de sa Lotus

(78) (a) ⊄ Graham Hill a fait caler le moteur de sa Lotus, mais
            il ne l'a pas calé
     (b) ⊄ Graham Hill a calé le moteur de sa Lotus, mais
            il ne l'a pas fait caler

---

8. Cf. (49)-(50) ci-dessus. D'une manière générale, l'absence de rapport de paraphrase entre la construction transitive simple et la factitive complexe est beaucoup plus évidente dans le cas où c'est un verbe pronominal qui est enchâssé sous *faire*.

Toutefois, considérons les exemples suivants :

(79) (a)   en voulant la dépasser, Graham Hill a fait caler le moteur de la Ferrari de Jacky Ickx

     (b)   * en voulant la dépasser, Graham Hill a calé le moteur de la Ferrari de Jacky Ickx

(79) (a) est parfait, mais (79) (b) est exclu; il ne s'agit pas ici, visiblement, de restrictions de sélection. La différence entre (77) (a) et (77) (b) — et ce qui explique pourquoi (79) (b) est exclu — est que (77) (b) implique que Graham Hill est au volant de la Lotus, tandis que (77) (a) n'implique rien de semblable [9]. En fait, une phrase telle que (80) :

(80)   Graham Hill a calé le moteur de la Ferrari de Jacky Ickx

implique que, au moment où le moteur a calé, Graham Hill était au volant de la Ferrari de Ickx, à qui il l'avait empruntée, volée, achetée, etc. Nous retrouvons donc ici, sous un autre aspect, la différence entre connexion directe et connexion indirecte, et toujours de la même manière : la construction transitive simple implique une action directe du sujet sur l'objet, tandis que la construction en *faire* + V n'implique pas nécessairement une telle action directe [10].

---

9. Il s'ensuit que, vue de plus près (78) (a) n'est pas vraiment contradictoire (ni, sans doute (72) (b)). (78) (a) n'apparaît contradictoire que parce que, en l'absence d'autres spécifications, l'interprétation la plus naturelle de (77) (a) tend à impliquer — au sens de la « logique de la conversation » de Grice (1970) — que Graham Hill est au volant de sa Lotus.

10. On pourrait, encore une fois, multiplier les exemples. Ainsi, Roland Dachelet et Pierre Culand m'ont fait remarquer que (i) (a) s'oppose à (i) (b) dans la mesure où (i) (a) implique que la voiture de Hill est entrée en contact physique avec celle de Ickx; (i) (b) n'implique rien de semblable :

(i) (a)   en voulant la dépasser, Graham Hill a $\left\{ \begin{array}{l} \text{sorti de la route} \\ \text{dévié} \end{array} \right\}$

           la Ferrari de Jacky Ickx

(b)   en voulant la dépasser, Graham Hill a fait $\left\{ \begin{array}{l} \text{dévier} \\ \text{sortir de la route} \end{array} \right\}$.

           la Ferrari de Jacky Ickx

On voit que, selon les verbes (selon aussi les types d'adverbiaux présents), le contenu précis de ce qui est impliqué varie. Mais, dans tous les cas, la construction transitive implique une connexion directe, que n'implique pas en principe la construction factitive complexe.

4. Peut-être est-il possible de décrire tous ces faits dans le cadre de la sémantique générative, étant donné la puissance énorme de cette théorie. Il me semble plus intéressant, cependant, de considérer ce que la théorie classique (ou la théorie classique étendue) a à dire sur la question. La théorie classique, je le rappelle, permet d'assigner deux structures profondes différentes aux phrases (a) et (b) des exemples qui précèdent, structures profondes qui seraient, schématiquement, (81) pour les constructions à verbe transitif simple, et (82) pour les constructions en *faire* + V :

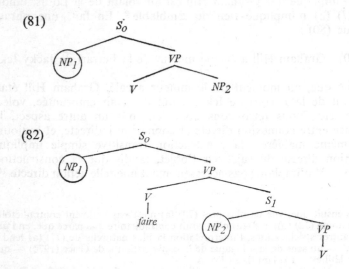

(81)

(82)

La théorie classique, par ailleurs (tout comme la théorie classique étendue), affirme que les relations et fonctions grammaticales —définies dérivativement à partir des configurations syntagmatiques de structure profonde (par exemple, « sujet-de » = [NP, S], « objet direct-de » = [NP, VP], etc.; cf. Chomsky, 1965, 68 sv.) — contribuent à déterminer l'interprétation sémantique des phrases. Cette idée a été assez mal comprise. Si on considère des phrases telles que :

(83)   Pierre a battu Paul

(84)   Pierre a subi un interrogatoire (exemples de Rohrer, 1971)

auxquelles la théorie classique attribuerait une structure profonde identique (sur les points qui nous intéressent) à leur structure superficielle, il est assez clair, et bien connu des grammairiens traditionnels, que la relation sémantique entre le sujet et le verbe (ou celle entre l'objet et le verbe) n'est pas du tout la même dans les deux cas (cf. aussi, bien entendu, tous les exemples du type de (3) en face de (5), etc. [11]). On en a conclu un peu vite (cf. Lakoff et Ross, 1966; Fillmore, 1968; Rohrer, 1971) que les relations et fonctions grammaticales définies au niveau de structures profondes relativement peu « abstraites » à la manière de Chomsky (1965) n'avaient aucune pertinence sémantique.

Il faut dire que Chomsky (1965) n'est pas très explicite sur la manière dont les relations et fonctions de base déterminent l'interprétation sémantique [12]. D'autre part, la conception purement combinatoire des règles de projection sémantique selon Katz et Fodor (1963) ne permettait guère, à première vue, de rendre compte de différences sémantiques aussi évidentes que celles illustrées par (83)-(84) ou (3)-(5). Plus récemment, toutefois, la conception de la composante sémantique s'est raffinée (cf. Jackendoff, 1969 b), et Chomsky lui-même (1971, 1972) a précisé ses positions (voir aussi Anderson, 1971). Tout dépend de la manière dont on conçoit le rôle des règles d'interprétation sémantique. Si celles-ci ne consistent pas simplement en une projection directe des relations grammaticales, et s'il s'agit de règles complexes qui « apportent du neuf », à partir de diverses informations, dont celles fournies par les relations grammaticales, on peut commencer à comprendre en quoi celles-ci contribuent à l'interprétation sémantique. Sans doute des exemples tels que (83)-(84) ou (3)-(5) interdisent-ils de traduire immédiatement la relation grammaticale sujet-verbe en une relation sémantique telle que, par exemple, « agent »-« action »; mais il est parfaitement possible, *a priori*, qu'une telle relation grammaticale contribue à l'interprétation sémantique d'une manière plus indirecte, plus subtile et plus abstraite — en d'autres termes que, chaque fois qu'on a une relation sujet-verbe, et si certaines conditions sont remplies par ailleurs, on puisse formuler certaines généralisations intéressantes du point de vue sémantique. La question de savoir s'il vaut la peine d'envisager de cette manière

---

11. Voir aussi la différence entre les verbes de la classe de *mépriser* et ceux de la classe de *dégoûter*, étudiés au chapitre v.
12. Par ailleurs, rappelons que Chomsky a toujours soigneusement mis en garde contre une identification trop rapide des catégories et mécanismes syntaxiques avec des catégories et mécanismes sémantiques (cf. Chomsky, 1957, 100 s.).

le rôle sémantique des relations grammaticales est une question strictement empirique, et les constructions factitives me paraissent précisément fournir une bonne illustration du rôle sémantique que les relations grammaticales sont amenées à jouer.

On pourrait, informellement, suggérer que, parmi les règles qui interprètent sémantiquement les configurations grammaticales de structure profonde, figurent les suivantes :

(A) Tout NP défini comme le « sujet-de » un verbe donné peut être interprété comme désignant l' « agent » de l'action exprimée par le verbe — *pourvu que* certaines conditions supplémentaires soient remplies.

(B) Seul un NP défini comme le « sujet-de » un verbe donné peut être interprété comme désignant l' « agent » de l'action exprimée par ce verbe; en particulier, un NP défini comme l' « objet direct-de » un verbe donné ne peut jamais être interprété comme un « agent ».

(C) Toute configuration [s NP [vp V NP X]] est interprétée comme indiquant qu'une « connexion directe » est établie, entre le référent du NP sujet et le référent du NP objet direct; en particulier, si le verbe est marqué [+ CAUSE], si le sujet est défini comme « agent », et si le verbe est un verbe de mouvement ou de changement d'état, cette configuration [s NP [vp V NP X]] est interprétée comme exprimant une « action directe » du référent du NP sujet sur le référent du NP objet direct.

Ces règles appellent des commentaires. Je me bornerai ici à quelques indications.

Tout d'abord, si on considère (A), il faudrait définir la notion sémantique d' « agent », et déterminer dans quelles conditions un sujet peut, doit, ou ne peut pas être interprété comme un agent. Malgré les remarques intéressantes sur ce sujet qu'on peut trouver chez Gruber (1965), Jackendoff (1969 *b*), Fillmore (1968), etc., on ne peut pas dire qu'on possède d'ores et déjà une définition satisfaisante de la notion d' « agent ». On a souvent essayé de définir l'agent par « une lecture sémantique qui attribue au NP [sujet, N.R.] volonté ou volition vis-à-vis de l'action exprimée par la phrase. D'où il suit que seuls des NP animés peuvent fonctionner comme agents » (Jackendoff, 1969 *b*, 78; aussi, *id.*, note 8 du chapitre ii; voir aussi Fillmore, *op. cit.*, et Gruber, *op. cit.*). Mais cette conception est trop restrictive. Chomsky (1972) et Dougherty (1970 *a*) ont donné, critiquant Fillmore (1968), des exemples de phrases où des sujets inanimés se comportent comme des agents. J'ai moi-même signalé d'autres cas de ce genre au chapitre III, section 6. Il est clair, intuitivement, que, dans des phrases telles que :

(85) le vent a renversé la barrière

(86) la Lotus a sorti la Ferrari de la route

le vent et *la Lotus* sont interprétés comme des agents (et n'ont rien à voir, notamment, avec des instrumentaux). D'autre part, il ne suffit pas qu'un sujet soit animé pour qu'il soit interprété automatiquement comme un agent, cf. :

(87) Fritz frappe Raoul par sa maîtrise (cf. le chapitre V)

(88) Julie dort

Par ailleurs, les discussions sur la notion d'agent concernent en général des phrases transitives (directes ou indirectes), alors qu'il faut l'étendre pour rendre compte de phrases intransitives, telles que :

(89) les manifestants se sont dispersés

(90) Pierre vient de sortir

(91) le train va partir

D'un autre côté, on hésiterait à l'étendre à des phrases telles que :

(92) la branche a cassé

(93) le sucre a fondu

(94) le moteur de la Ferrari a calé

Apparemment, les conditions pour qu'un sujet puisse être interprété comme un agent sont complexes. Elles dépendent de la lecture sémantique du verbe : par exemple, les verbes de mouvement l'admettent, les verbes de changement d'état (*cuire, casser, caler, fondre*) l'imposent s'ils sont transitifs mais ne l'imposent pas nécessairement s'ils sont intransitifs (cf. (92)-(93)); certains verbes statifs au moins l'excluent (cf. (87); sur cette notion de verbes statifs, voir Lakoff, 1966). Ces conditions dépendent aussi de la lecture sémantique du sujet et notamment du contenu sémantique du nom tête du sujet.

Une condition nécessaire (mais non suffisante, si on refuse de voir des agents dans les sujets de (92)-(94)) à l'interprétation du sujet comme un agent tient à la possibilité de considérer ce sujet comme « susceptible d'intervenir de manière autonome » dans l'activité exprimée par le verbe. J'entends par là la capacité que nous avons de concevoir le rôle d'un être ou d'un objet dans un mouvement, un changement d'état, etc., comme intervenant abstraction faite de toute cause extérieure — que cet être ou cet objet subisse lui-même ce mouvement ou changement d'état ou qu'il le provoque chez un autre. C'est ce qui fait la différence entre des phrases telles que (85)-(86), (89)-(94), d'une part, et, d'autre part, des phrases telles que (95)-(96) (cf. (54)-(55)) :

(95)   * les provisions montent de la cave

(96)   * la vodka sort du frigidaire

La détermination des NP qui peuvent être interprétés comme agents ou comme susceptibles d'activité autonome dépend sans doute en grande part de la connaissance du monde, et de la représentation du monde, des sujets parlants. En dernière analyse, elle relève d'une étude anthropologique. Elle peut sans doute varier selon les cultures, et selon les « univers du discours » envisagés. Des phrases telles que (95)-(96) peuvent être naturelles dans l' « univers » des contes de fées, ou si elles sont employées métaphoriquement.

Gruber, Jackendoff, Fillmore, ont tenté de trouver des critères syntaxiques, tels que les possibilités de cooccurrence avec certains adverbiaux, pour définir les agents. Ces critères sont très imparfaits et il n'est pas dans mon intention de les passer en revue ici. Mais, par exemple, les agents humains admettent la cooccurrence avec des adverbiaux d'intentionnalité, tels que *de façon à..., dans le but de..., intentionnellement, volontairement*, etc., alors que les NP humains non-agentifs ne les admettent pas, cf. le contraste entre (97) et (98) :

(97)   les manifestants

se sont dispersés $\begin{cases} \text{de leur propre chef} \\ \text{volontairement} \\ \text{dans le but de tromper la police} \end{cases}$

(98)   * Marie a frappé Paul

par son intelligence $\begin{cases} \text{intentionnellement} \\ \text{dans le but de faire} \\ \text{sa conquête} \end{cases}$

Les mêmes critères ne valent évidemment pas pour les NP sujets non-humains, mais, parfois, il est possible de distinguer des NP susceptibles d'activité autonome de ceux qui ne le sont pas par la cooccurrence avec des adverbes tels que *de lui-même* par exemple, cf. :

(99) la branche a cassé d'elle-même

(100) la balle a glissé d'elle-même le long de la pente

(101) * Marie a frappé d'elle-même Paul par sa stupidité

(102) Julie $\left\{ \begin{array}{l} \text{* sait} \\ \text{a appris} \end{array} \right\}$ sa leçon d'elle-même

Quoi qu'il en soit des difficultés à circonscrire la notion d'agent et la notion connexe d'être ou d'objet doué d'activité autonome, ce qui importe surtout pour notre propos actuel c'est la règle **(B)** (qui est liée évidemment à l'hypothèse que le complément d'agent des phrases passives et le sujet sous-entendu des phrases moyennes sont des sujets en structure profonde; voir le chapitre III). Le point crucial, c'est l'impossibilité d'interpréter un objet direct comme un agent, ou même comme participant de manière autonome à l'action exprimée par le verbe. Si les tests de cooccurrence avec des adverbiaux tels que *intentionnellement, de lui-même*, etc., ne suffisent pas à délimiter les agents sujets, ils donnent des résultats très clairs quand on considère les rapports de ces adverbiaux avec les objets directs. Jamais des adverbiaux de ce type ne peuvent se rapporter à des objets directs; en particulier, toutes les phrases suivantes sont exclues :

(101) * l'entraîneur a réuni l'équipe d'elle-même

(102) * Marie frappe Paul de lui-même par sa stupidité

(103) * Cette idée m'est venue de moi-même en dormant

(104) Pierre a $\left\{ \begin{array}{l} \text{épousé} \\ \text{rencontré} \\ \text{embrassé} \end{array} \right\}$ Marie $\left\{ \begin{array}{l} \text{de lui-même} \\ \text{* d'elle-même} \end{array} \right\}$

(105) * Graham Hill a sorti la Ferrari d'elle-même de la route

Ce point est crucial dans la mesure où un vrai contre-exemple à la théorie ici esquissée serait un cas de phrase transitive dans laquelle il est clair que l'objet direct est interprété comme un agent. A ma connaissance, il n'existe pas de tels contre-exemples [13]. On voit par ailleurs, en comparant (98) et (102), qu'il existe des verbes qui ne peuvent, en aucun cas, se voir attribuer un agent.

La règle (C) exigerait que l'on définisse la notion de « connexion directe ». Le point essentiel est que le procès ou l'action exprimé par le verbe est conçu comme un processus global, unitaire, notamment du point de vue temporel. Ce processus n'est pas décomposable en plusieurs processus reliés entre eux par des rapports de cause à effet, et situés à des moments distincts du temps. Selon les verbes, comme on l'a vu, cette connexion directe prendra des contenus différents (voir (77)-(79), ainsi que la note 10).

La règle (C) devrait sans doute être étendue pour rendre compte des constructions à objet indirect. Il semble bien que, dans (106), il y ait une connexion directe, non seulement entre le sujet et l'objet direct, mais également entre le sujet et l'objet indirect, ainsi qu'entre l'objet direct et l'objet indirect (voir plus loin, section 7) :

(106)   Debussy a $\left\{ \begin{matrix} \text{donné} \\ \text{montré} \end{matrix} \right\}$ la partition du *Martyre* à Stravinsky

---

13. Les verbes symétriques tels que *épouser, rencontrer*, etc. (cf. (104)) pourraient faire penser que le sujet et l'objet sont tous deux interprétés comme des agents, et certains linguistes (cf. Lakoff et Peters, 1969) ont effectivement proposé de dériver une phrase comme (ɪ) (a) de (ɪ) (b) :

    (ɪ) (a)   Pierre a rencontré Marie
        (b)   Pierre et Marie se sont rencontrés

Mais Dougherty (1970 *b*) a montré d'une manière convaincante qu'une telle dérivation était incorrecte : (ɪ) (a) et (ɪ) (b) doivent être également engendrés dans la base. L'exemple (104) indique déjà que le sujet et l'objet de *rencontrer* ne sont pas sur le même plan. De même, dans (ɪɪ) :

    (ɪɪ)   Pierre a (intentionnnellement) rencontré Marie (dans le but de faire
           enrager Paul)

les adverbiaux d'intentionnalité ou de but, liés caractéristiquement à des agents, se rapportent de manière non-ambiguë au seul sujet. On notera qu'un adverbial tel que *contre son gré* n'est pas soumis aux mêmes contraintes : il peut se rapporter aussi bien au sujet qu'à l'objet, d'où l'ambiguïté de :

    (ɪɪɪ)   l'entraîneur a réuni l'équipe contre son gré

    (ɪᴠ)   Pierre a $\left\{ \begin{matrix} \text{rencontré} \\ \text{épousé} \end{matrix} \right\}$ Marie contre son gré

5. Revenons maintenant au problème des constructions factitives, et essayons de voir en quoi les considérations qui précèdent permettent de l'éclairer.

Revenons à (81)-(82), qui représentent les structures profondes que la théorie standard permet d'attribuer, respectivement, aux constructions transitives simples et aux constructions factitives complexes. J'ai entouré d'un cercle, dans ces représentations, les NP qui remplissent les conditions structurales permettant de leur assigner une interprétation d'agent, toutes choses égales par ailleurs.

La différence entre (81) et (82) saute aux yeux. Alors que, dans les deux cas, NP_1 peut être interprété comme un agent, NP_2 ne peut l'être que dans (82), où il est défini comme « sujet-de » S_1. Dans (81), NP_2, qui est défini comme « objet direct-de » le VP, ne peut en aucun cas, en vertu de (B) ci-dessus, être interprété comme un agent.

Notons bien, encore une fois, qu'un NP défini comme « sujet-de » une phrase S, ne doit pas nécessairement être interprété comme un agent. Les factitives complexes, en particulier, sont généralement ambiguës de ce point de vue, *faire S* permettant une lecture agentive ou non-agentive du sujet; ainsi, (107) (a) est ambigu, et peut être interprété dans le sens de (107) (b) (agentif) ou dans celui de (107) (c) (non-agentif) :

(107) (a) Pierre a fait pleurer Marie
     (b) Pierre a sciemment fait pleurer Marie
     (c) $\left\{ \begin{array}{l} \text{le comportement} \\ \text{l'attitude} \end{array} \right\}$ de Pierre a fait pleurer Marie

De même, (108) (a) peut être interprété dans un sens agentif (cf. (108) (b)) ou dans un sens non-agentif (cf. (108) (c)) :

(108) (a) Pierre a fait tomber Paul
     (b) Pierre a (sciemment) fait tomber Paul (en lui faisant un croc-en-jambe)
     (c) la maladresse de Pierre a fait tomber Paul

Ce qu'il y a de juste dans l'observation de Lakoff (1970 *c*) signalée plus haut, sur l'ambiguïté de l'élément CAUSE (« connexion directe »/ « connexion indirecte ») se ramène, me semble-t-il, à cette ambiguïté (« agentif »/« non-agentif ») de la construction en *faire* V. Si la même ambiguïté se retrouve dans certains verbes transitifs simples causatifs, à valeur psychologique (cf. (109) et le chapitre v) :

(109) Pierre amuse Paul

elle est exclue pour tous les verbes transitifs de mouvement ou de changement d'état physiques (cf. les exemples de la section 3).

En dernière analyse, je dirai que c'est la différence entre les structures profondes (81) et (82) qui, en liaison avec les règles (A)-(C), doit permettre de rendre compte des divergences signalées à la section 3 entre les constructions transitives simples et les factitives complexes. Reprenons les exemples de la section 3.

On a vu que, quand l'objet superficiel des deux constructions est humain, on trouve, soit des contraintes de sélection sur la construction transitive simple qui n'existent pas dans la factitive complexe (cf. (51)-(53)), soit de nettes différences de sens entre les deux constructions (cf. (73)-(76)). On peut voir maintenant qu'il s'agit d'un seul et même phénomène, de nature sémantique, et qui découle, conjointement, de l'attribution aux deux constructions de structures profondes différentes, et de l'application des règles d'interprétation (A)-(C).

Considérons les exemples de (51)-(53) et de (73), que je reprends pour plus de commodité sous (110)-(111) :

(110) (a) Delphine a $\left\{\begin{array}{l}\text{(I) fait entrer}\\\text{(II) entré}\end{array}\right\}$ la voiture dans le garage

(b) Delphine a $\left\{\begin{array}{l}\text{(I) fait entrer}\\\text{(II) * entré}\end{array}\right\}$ les invités au salon

(111) Alice a $\left\{\begin{array}{l}\text{(I) fait remonter}\\\text{(II) remonté}\end{array}\right\}$ Humpty Dumpty sur son mur

Les exemples (I) et (II) ayant des structures profondes différentes (respectivement, de type (82) et (81)), la règle (A) permet d'interpréter *la voiture, les invités, Humpty Dumpty*, dans les exemples (I) comme des agents; la règle (B) interdit d'interpréter ces mêmes NP comme des agents dans les exemples (II). Or, un être humain est, par définition, capable d'activité autonome et de volition; d'autre part, il existe quantité d'actions auxquelles un être humain peut prendre part d'une manière non-active : on peut coucher un enfant dans son lit, remonter quelqu'un sur un mur, le plonger dans l'eau (cf. (74)), le hisser sur un cheval (cf. (49)). Parmi ces mêmes actions, il en est beaucoup aussi où un être humain peut prendre part de manière autonome et active — d'où les différences de sens rencontrées entre (111) (I) et (111) (II). D'un autre côté, il y a des circonstances qui interdisent de traiter un être humain comme objet passif : si Delphine a des invités, par définition elle les traite en êtres libres — d'où l'anomalie de (110) (b) (II).

On voit que la distinction faite à la section 3 entre faits sémantiques et faits relatifs à des restrictions de sélection est artificielle. Il ne sera pas nécessaire d'imposer des restrictions de sélection spéciales à *entrer* transitif, etc., en termes du trait [+ ____ [± humain]]. Toutes les phrases de (110)-(111), etc., seront engendrées par la grammaire, et ce sera le mécanisme interprétatif esquissé en (A)-(C) (plus précisément la règle (B)), qui, à la fois, rendra compte des différences de sens entre (111) (I) et (111) (II), et marquera (110) (b) (II) comme anomal. Notons que cette anomalie de (110) (b) (II) fait intervenir, en dernière analyse, la connaissance du monde (celle des usages dans le monde « civilisé ») des sujets parlants.

En fait, on trouve des verbes, voisins sémantiquement d'*entrer*, où la construction transitive à objet humain est possible, mais il s'y introduit l'idée d'une coercition, exercée par le sujet sur l'objet, qui n'est pas nécessairement présente dans la factitive complexe correspondante, et qui s'explique en terme des règles (A)-(C), cf. :

(112)   Cassius Clay a tombé Sonny Liston au troisième round

(113)   le videur du bar a sorti l'ivrogne à coups de pieds au cul

Les faits suivants sont particulièrement intéressants de ce point de vue. Des verbes tels que *se suicider*, ou *démissionner*, se rapportent par définition à des agents libres et autonomes. Or, dans un style substandard du français, assez fréquent dans les journaux, on rencontre des phrases telles que (114) (a), (115) (a) :

(114) (a)   le Président a démissionné le ministre des Finances
      (b)   le Président a fait démissionner le ministre des Finances

(115) (a)   la police a suicidé Stavitsky
      (b)   la police a fait se suicider Stavitsky

Mais ces phrases ne sont pas du tout synonymes des exemples (b) correspondants : alors que, dans les cas (b), le Président a simplement fait pression sur le ministre, et la police sur Stavitsky, de manière à les amener à démissionner ou à se suicider, (114) (a) signifie en clair que le Président a chassé le ministre, en faisant passer cela pour une démission librement consentie, et (115) (a) signifie que la police a tué Stavitsky et camouflé cet assassinat en suicide. Sans doute, il s'agit là d'usages figurés et marginaux, mais qui ne surprennent pas si on se place dans le cadre de la théorie ici esquissée des rapports entre construction transitive simple et construction factitive : compte tenu du contenu lexical de *se suicider* ou de *démissionner*, d'une part, et de la règle (B), d'autre part, des phrases telles que (114) (a)-(115)-(a) ne peuvent être que déviantes; si elles sont interprétables, elles ne peuvent que recevoir une interprétation spéciale, et celle qu'elles reçoivent effectivement sauvegarde l'idée d'action directe du sujet sur l'objet (cf. (C)). Sans doute, il nous manque encore une théorie appropriée de l'interprétation des phrases déviantes de ce genre, mais on entrevoit la possibilité de l'harmoniser à la théorie classique. En revanche, je ne vois pas comment la sémantique générative pourrait représenter comme étant autre chose qu'une coïncidence le fait que ces phrases diffèrent des exemples (b) dans le sens indiqué [14].

Si on passe maintenant aux contraintes concernant l'objet superficiel inanimé (cf. (54)-(55)), on voit que l'impossibilité d'avoir (54) (b)-(55)(b) est une conséquence de l'impossibilité d'avoir (62)-(63) (ou (95)-(96)), qui tient elle-même à la nature d'objet inerte, incapable d'activité (de mouvement) autonome, des provisions ou de la bouteille de vodka. Quant à la possibilité d'avoir (54) (a)-(55) (a), elle ne pose pas de problème, l'objet direct de ces constructions ne pouvant pas avoir le caractère d'agent. On notera que ceci amène à ne pas formuler de restrictions de sélection, en termes du trait [± animé], sur l'objet du verbe transitif, pas plus que sur le sujet du verbe intransitif : l'anomalie de (62)-(63) ((95)-(96)) sera due au principe interprétatif qui requiert des sujets des verbes de mouvement d'être capables de mouvement autonome.

Le cas des objets inaliénables (cf. (56)-(57)) est différent, dans la

---

14. Un test pour vérifier la validité de la distinction proposée entre action directe et action indirecte serait de soumettre à des sujets des phrases telles que (ɪ) (b) et (ɪɪ) (b), dont on a vu (cf. la fin du chapitre ɪɪɪ) qu'elles sont agrammaticales :

    (ɪ) (a)   l'amiral a fait sombrer le cuirassé
         (b) * l'amiral a sombré le cuirassé

    (ɪɪ) (a)   Pierre a fait trébucher Paul
         (b) * Pierre a trébuché Paul

La tâche imposée aux sujets serait de trouver une interprétation pour ces phrases. Il me semble que ces interprétations ne se ramèneraient pas simplement à une paraphrase sous la forme de (ɪ) (a) ou de (ɪɪ) (a), mais feraient intervenir d'une manière ou d'une autre la notion d'action directe. Personnellement, si je suis obligé de trouver une interprétation à (ɪɪ) (b), je ne pourrai qu'exclure une interprétation non-agentive du sujet (à la manière de (108) (c)); la seule interprétation possible sera celle où, par une action délibérée et directe, Pierre a fait trébucher Paul (en le poussant, en lui donnant un croc-en-jambe, etc.).

mesure où ils peuvent figurer comme sujets de phrases intransitives (cf. (56) (c)-(57) (c)). Les exemples (a) ne posent pas de problème, mais pourquoi les exemples (b) sont-ils exclus ? La réponse me semble tenir à la nature même des propriétés inaliénables, et à la difficulté que l'on a de concevoir la décomposition d'une action qui met en jeu un sujet et ses propriétés inaliénables. Cette décomposition n'intervient ni dans les exemples (a) ni dans les exemples (c) [15]. Pour moi, d'ailleurs, (56) (b)-(57) (b) « sonnent » bizarres et redondants plutôt qu'agrammaticaux. Il faut dire que, comme me l'a signalé Maurice Borel, il existe des cas à objet inaliénable où les deux constructions sont également possibles, et où la factitive complexe est même plus naturelle que la transitive simple, cf. :

$$(116) \quad \text{Pierre a} \left\{ \begin{array}{l} \text{fait claquer ses doigts (sa langue)} \\ \text{? claqué les doigts (la langue)} \end{array} \right\}$$

$$(117) \quad \text{Pierre a} \left\{ \begin{array}{l} \text{fait remuer ses oreilles} \\ \text{? remué les oreilles} \end{array} \right\}$$

$$(118) \quad \text{Pierre a} \left\{ \begin{array}{l} \text{fait craquer ses articulations} \\ * \text{craqué} \left\{ \begin{array}{l} \text{ses} \\ \text{les} \end{array} \right\} \text{articulations} \end{array} \right\}$$

Il semble que ce qui entre en ligne de compte ici c'est le caractère plus ou moins naturel de l'action exprimée par le verbe et de la connexion entre le sujet et l'objet : il est naturel de baisser les yeux ou de froncer les sourcils (ou de lever le bras, etc.); il l'est beaucoup moins de faire craquer ses articulations ou de faire remuer ses oreilles — en fait beaucoup de sujets en sont incapables. C'est peut-être ce qui expliquerait la possibilité, qui est suggérée par la factitive complexe, de décomposer le processus en deux temps.

---

15. Un autre exemple, qui met également en jeu un rapport inaliénable entre le sujet et l'objet, mais qui ne concerne pas les parties du corps, est celui de (I) en face de (II) :

   (I) (a)   Pierre a raté son coup
      (b)   * Pierre a fait rater son coup (où *son* est coréférentiel de *Pierre*)
   (II) (a) * Pierre a raté l'entreprise de Paul
      (b)   Pierre a fait rater l'entreprise de Paul

Notons qu'ici la « connexion directe » entre le sujet et l'objet ne peut pas s'interpréter en termes d' « action directe » du sujet sur l'objet, *rater* n'étant pas un verbe de mouvement ou de changement d'état.

En général, les deux constructions, transitive directe et factitive complexe, sont également possibles quand l'objet superficiel appartient à cette classe spéciale d'inanimés qui comprend les véhicules, certaines machines, etc., cf. (51)-(53), (77)-(80). La possibilité des factitives complexes tient à la possibilité de concevoir ce type d'inanimés comme des agents, ou du moins comme capables d'activité autonome. Dans le cas de (77)-(80), j'ai déjà discuté des différences sémantiques entre les deux constructions. Des différences analogues se retrouvent dans les autres phrases du même type. Il est facile de voir que ces différences se ramènent toujours à une différence entre action directe du sujet sur l'objet, impliquée par la construction transitive, et action indirecte, permise par la construction factitive complexe. Ainsi, (53) (a) implique que Delphine a exercé une action physique directe sur la voiture, soit en étant au volant, soit en la poussant à la main. En revanche, (52) (a) n'implique rien de semblable : quelqu'un d'autre pouvait être au volant, et Delphine a pu simplement, par exemple, ouvrir la porte du garage ou faire un simple signe au conducteur. Si l'interprétation la plus plausible est souvent à peu près la même dans les deux cas (Delphine étant au volant), cela tient à la possibilité de concevoir indifféremment l'action du conducteur sur la voiture comme directe ou indirecte (médiatisée par le rôle du volant, du moteur, des roues, etc.).

De même, l'interprétation la plus naturelle de (58) (a) sera celle où l'amiral est à la barre du cuirassé, ou du moins celle où il a la responsabilité directe de sa conduite. (58) (b) en revanche n'implique rien de semblable. On pourrait multiplier les exemples. En voici encore un autre, qui s'interprète de la même manière :

(119) (a)   le pilote a fait atterrir le Boeing 747
(b)   le pilote a atterri le Boeing 747

(120) (a)   la tour de contrôle a fait atterrir le Boeing 747
(b)   ?? la tour de contrôle a atterri le Boeing 747

La différence tient au fait qu'il est permis de concevoir l'action du pilote sur son avion également comme directe ou indirecte, tandis que l'action de la tour de contrôle ne peut être qu'indirecte (médiatisée par le rôle du pilote). Dans tous ces exemples, l'opposition entre action directe et action indirecte semble être liée à la présence (vs. l'absence) d'une contiguïté spatiale entre le sujet et l'objet, mais je ne prétends pas que cette liaison soit toujours exigée.

L'exemple (67) — par opposition à (12)-(13) — me paraît particulièrement intéressant. Je le reproduis ici :

(67) (a) le colonel a fait fondre trois sucres dans son café
(b) * le colonel a fondu trois sucres dans son café

en face de :

(121) (a) le chimiste (le métallurgiste) a fait fondre le métal
(b) le chimiste (le métallurgiste) a fondu le métal

Le caractère anormal de (67) (b) me paraît dû, à nouveau, à l'impossibilité de considérer la fusion du sucre dans le café comme résultant d'une action directe du colonel sur le sucre. L'opposition entre action directe et indirecte paraît ici liée à la présence (vs l'absence) d'un contrôle continu (d'une maîtrise) du sujet sur le processus auquel est soumis l'objet. Dans (57), la part du colonel dans le processus tient seulement au fait qu'il a mis du sucre dans son café; le fait que le sucre a fondu tient à des causes qui échappent à son contrôle. *Trois sucres* dans (67) (a) peut difficilement être tenu pour un agent, mais en un sens il participe au processus exprimé par le verbe *fondre* d'une manière autonome, d'une manière en tout cas qui échappe au contrôle du colonel. Il en va autrement dans (121), où on peut considérer que le chimiste ou le métallurgiste garde un contrôle continu et direct sur l'opération de fusion du métal. D'autres exemples analogues, où l'objet superficiel, même dans la construction factitive complexe, ne peut plus être tenu pour un agent au sens propre du terme, mais où la distinction entre action directe et action indirecte subsiste, sont faciles à trouver. Voir encore [16] :

(122) Graham Hill a $\left\{\begin{array}{l}\text{(a)} \quad \text{gonflé} \\ \text{(b)} \quad \text{* fait gonfler}\end{array}\right\}$ les pneus de sa Lotus

(123) le boulanger a $\left\{\begin{array}{l}\text{(a)? } \quad \text{gonflé} \\ \text{(b) fait gonfler}\end{array}\right\}$ la pâte (en y mettant de la levure)

---

16. (122) (b) a évidemment une lecture parfaitement naturelle correspondant à *Graham Hill a fait gonfler les pneus de la Lotus* (*par son mécanicien*). Voir la note 7, et la section 8 ci-dessous.

Passons aux cas où la construction transitive simple est impossible ou peu naturelle si le sujet est inanimé (cf. (58)-(61)). Beaucoup de ces cas s'expliquent dès qu'on admet que les verbes transitifs et de changement d'état physique imposent normalement une interprétation agentive sur leur sujet. C'est ce qui exclut les cas (b) dans les exemples suivants :

(59) cette manœuvre stupide a $\begin{cases} \text{(a)} & \text{fait échouer} \\ \text{(b)} & \text{* échoué} \end{cases}$ le cuirassé

(124) $\begin{cases} \text{la maladresse} \\ \text{un simple geste} \end{cases}$ de Delphine a $\begin{cases} \text{fait entrer} \\ \text{* entré} \end{cases}$ $\begin{array}{l} \text{la voiture} \\ \text{dans} \\ \text{le garage} \end{array}$

(125) l'indifférence d'Alice a $\begin{cases} \text{(a)} & \text{fait remonter} \\ \text{(b)} & \text{* remonté} \end{cases}$ $\begin{array}{l} \text{Humpty} \\ \text{Dumpty} \\ \text{sur son mur} \end{array}$

Que ce soit, non le caractère [± animé] du sujet, mais bien la possibilité de l'interpréter comme un agent, qui entre en ligne de compte, apparaît bien si on compare ces exemples à (126)-(127) :

(126) le vent a cassé les branches

(127) la pluie a dispersé les manifestants

Il subsiste cependant des difficultés, en ce qui concerne notamment le traitement des exemples (68)-(71) ci-dessus. Je ne vois pas bien ce qui fait la différence entre (127) et (68) (b), que je reprends :

(68) (a) les pluies ont fait monter le niveau de la rivière
      (b) * les pluies ont monté le niveau de la rivière

Aucune des conditions que j'ai données ne semble pouvoir interdire (68) (b), et la même constatation vaut pour (69)-(71). Il y a, à première vue, une différence entre (68)-(71) et les autres phrases qu'on a considérées, différence qui apparaît si on considère le paradigme suivant :

(128) (a) le métal a fondu (cf. (121))
       (b) le métal est fondu

(129) (a) le poulet a cuit
       (b) le poulet est cuit

(130) (a) le niveau de la rivière a monté
(b) * le niveau de la rivière est monté

(131) (a) la fièvre de Juliette a baissé (cf. (70)-(71))
(b) * la fièvre de Juliette est baissée

A première vue, il semble que, quand la construction transitive simple est possible, sont possibles également aussi bien une construction intransitive simple qu'une construction avec adjectif statif, de forme NP *être* [$_A$ V-*é*], illustrée par (128) (b)-(129) (b) (sur ce point, voir aussi le chapitre v). Or ces constructions à adjectif statif sont impossibles dans les cas considérés ici. D'autre part, il est un fait que, du point de vue sémantique, il y a un rapport d'implication entre la phrase transitive simple et la phrase à adjectif statif (entre (121) (b) et (128) (b) par exemple), rapport qu'on peut schématiser comme suit :

(132) NP_1 V NP_2 (au temps t_i) $\supset$ NP_2 *est* [$_A$ V-*é*] (au temps t_j)
(où $i < j$)

Autrement dit, le fait que le chimiste fond le métal à un moment donné implique que, à un moment ultérieur, le métal est fondu. On pourrait donc être tenté de relier l'impossibilité des phrases (68) (b)-(71) (b) à l'impossibilité d'avoir des constructions à adjectif statif correspondantes. Malheureusement, il existe des verbes qui admettent la construction transitive, tout en n'admettant pas la construction à adjectif statif. C'est le cas de *remonter* (ou d'ailleurs de *monter* dans des exemples similaires), cf. (73) et (133) :

(133)   * pour l'instant, Humpty Dumpty est (re)monté sur son mur

Bien entendu, une phrase telle que (134) est possible, mais, comme l'indique la présence de l'adverbial, ce n'est pas une phrase stative, mais une phrase au passé composé, où *être* est l'auxiliaire du passé :

(134)   à huit heures moins le quart, Humpty Dumpty est (re)monté sur son mur

En définitive, la seule différence qui semble subsister entre des phrases telles que celles de (73) ou (121), d'une part, celles de (68)-(71), d'autre part, c'est qu'aux premières peuvent correspondre des phrases intransitives avec *être* (qu'il s'agisse de phrases statives, dans le cas de (121), ou de phrases à auxiliaire *être*, comme pour (73)), tandis que les secondes n'ont pas de phrases correspondantes avec *être*. Peut-être est-ce de ce côté qu'il faut chercher une explication, mais je confesse que je ne la vois pas pour le moment [17].

6. Je voudrais considérer maintenant un type d'arguments assez différent. S'il y a, entre la construction transitive simple et la construction factitive complexe, d'une part des différences idiosyncratiques, et d'autre part des différences sémantiques systématiques, elles présentent aussi une différence systématique sur un autre plan, qui est celui des restrictions de sous-catégorisation stricte (cf. Chomsky, 1965, 90 sv.).

Rappelons d'abord certains faits concernant la dérivation des constructions factitives complexes. On sait (cf., pour plus de détails, Kayne, 1969) que, quand la phrase enchâssée sous *faire* est transitive directe, son sujet profond apparaît obligatoirement précédé de la préposition *à* en structure superficielle, cf. :

(135)   Pierre a fait dormir $\left\{ \begin{array}{c} * \text{ à} \\ \varnothing \end{array} \right\}$ Paul

(136)   Pierre a fait manger un steak $\left\{ \begin{array}{c} \text{ à} \\ * \varnothing \end{array} \right\}$ Paul

Les verbes transitifs à objet effaçable (ou facultatif), tels que *manger*, se comportent, quand leur objet est absent en surface, comme des intransitifs, cf. :

(137)   Pierre a fait manger $\left\{ \begin{array}{c} * \text{ à} \\ \varnothing \end{array} \right\}$ Paul

ce qui signifie que, au stade de la dérivation où interviennent la ou les transformations (en l'occurrence, A-INSERTION, cf. Kayne, 1969) qui rendent compte de la structure superficielle des constructions factitives, l'objet direct de verbes tels que *manger* est absent.

---

17. Je remercie Maurice Gross et Jean-Paul Boons, qui ont attiré mon attention sur les rapports entre ces phrases et les restrictions sur les auxiliaires.

Considérons maintenant des phrases telles que (138)-(140), assez proches sémantiquement, et qui ne diffèrent syntaxiquement que par la présence facultative d'un objet prépositionnel vs. direct — autrement dit, en termes classiques, par un trait de sous-catégorisation stricte :

(138) Madeleine a accouché (d'un gros garçon)

(139) Jules a vomi (tout son repas)

(140) la poule a pondu (un bel œuf)

Voyons ce qui se passe si on construit, d'une part, des factitives dans lesquelles (138)-(140) sont enchâssées sous *faire*, et, d'autre part, les transitives simples correspondantes. On obtient les faits suivants :

(141) le médecin a fait accoucher Madeleine (d'un gros garçon)

(142) le médecin a accouché Madeleine (d'un gros garçon)

(143) (a) Irène a fait vomir Jules
       (b) Irène a fait vomir tout son repas à Jules

(144) (a) * Irène a vomi Jules
       (b) * Irène a vomi tout son repas à Jules

(145) (a) le fermier a fait pondre la poule
       (b) le fermier a fait pondre un bel œuf à la poule

(146) (a) * le fermier a pondu la poule
       (b) * le fermier a pondu un bel œuf à la poule

On voit qu'il est impossible d'obtenir une transitive factitive simple si le verbe subordonné des factitives complexes est un verbe transitif, et cela, que l'objet direct soit présent (cf. (144) (b)-(146) (b)), ou absent (cf. (144) (a)-(146) (a)). Il s'agit là d'un fait très général. cf. encore :

(147) (a) le roi a abdiqué (le pouvoir)
       (b) les révolutionnaires ont fait abdiquer { le roi / le pouvoir au roi }
       (c) * les révolutionnaires ont abdiqué { le roi / le pouvoir au roi }

(148) (a) les prisonniers ont hurlé (des injures)

(b) par leurs tortures, les SS ont fait hurler $\left\{ \begin{array}{l} \text{les prisonniers} \\ \text{des injures aux} \\ \text{prisonniers} \end{array} \right\}$

(c) * par leurs tortures, les SS ont hurlé $\left\{ \begin{array}{l} \text{les prisonniers} \\ \text{des injures aux} \\ \text{prisonniers} \end{array} \right\}$

Il est clair qu'il y a ici un problème pour l'analyse transformationnelle. Comme (141)-(142) l'indiquent, il n'y a pas de contrainte générale qui interdirait à FAIRE-SUBSTITUTION (ou à ASSOMPTION DE PRÉDICAT) d'opérer en présence d'un complément du verbe subordonné. L'analyse transformationnelle prédirait en fait la grammaticalité de (144) (a)-(b), etc. Il faudrait donc imposer sur FAIRE-SUBSTITUTION une contrainte *ad hoc* qui bloque cette transformation si le verbe subordonné est transitif. Ce qui est pire, c'est que cette contrainte ne pourrait pas tirer avantage de la mention de la présence d'un NP au terme 4 de l'index structural de la transformation (cf. (24)). En effet, nous venons de voir, d'une part, que FAIRE-SUBSTITUTION doit être bloquée, que l'objet direct profond du verbe soit présent ou non (cf. (144), (146) etc.), et, d'autre part (cf. (135)-(137)) que l'objet direct est absent au moment de l'opération de A-INSERTION, qui devrait être ordonné avant FAIRE-SUBSTITUTION. Au mieux, on devrait donc recourir à une contrainte dérivationnelle globale, mentionnant, d'une part, un stade où (141) est distinct de (143), et, d'autre part, le stade où s'applique FAIRE-SUBSTITUTION. Cette contrainte n'aurait aucune valeur explicative.

On pourrait évidemment essayer de s'en sortir de plusieurs manières. Tout d'abord, on pourrait invoquer les différences sémantiques mentionnées à la section 5 : il se ferait que, quand le verbe subordonné est transitif, il est impossible de concevoir une action directe du sujet principal sur le sujet subordonné. La proximité sémantique de (138), (139), (140), rend cette explication suspecte. De même, (147) (c) et (148) (c) semblent pouvoir s'interpréter naturellement en termes d'action directe : que l'on compare, notamment, (147) (c) à (114) (a), qui en est très proche par le sens, même dans le style où (114) (a) est possible, avec son interprétation particulière, (147) (c) me paraît tout à fait exclu.

D'autre part, on pourrait tirer avantage du fait que des phrases de même structure superficielle que (144), etc. sont souvent grammaticales, mais avec une autre interprétation. Ainsi, (144) (a) est possible, dans un dialecte quelque peu substandard, et signifie à peu près que

Jules dégoûte violemment Irène. De même (148) (c) (avec l'objet direct présent) a une interprétation toute naturelle. On pourrait donc imaginer de recourir à une stratégie de perception (cf. Klima, à paraître, et ici-même, chap. VI) qui, dans certaines conditions, éliminerait une lecture d'une phrase si elle est en concurrence avec une autre. Mais il est vite évident que ce recours est exclu. Tout d'abord, l'ambiguïté de phrases comme (144) (a) n'est pas du tout du type de celles (ambiguïté structurale absolue) qui semblent exiger le recours à des stratégies de perception, et d'ailleurs, il existe en français des ambiguïtés comparables qui sont parfaitement tolérées, cf. celle de (149), où *Marie* peut être comprise comme étant, soit destinataire, soit « source » de l'action (le libraire en l'occurrence) :

(149)   Pierre a acheté un livre à Marie

Ensuite, dans les cas où le recours aux stratégies de perception se justifie, une des deux lectures n'est pas purement et simplement exclue; il y a plutôt hiérarchie des lectures possibles (cf. chap. VI). Ici, au contraire, il est clair que, par exemple, la lecture de (144) (a) correspondant à (143) (a) est tout à fait exclue. D'autre part, les structures du type de (144), etc., ne sont pas toujours ambiguës; par exemple, précisément, (147) (c) n'a aucune autre lecture possible. Enfin, c'est tantôt seulement la construction avec objet direct présent en surface (cf. (148) (c)), et tantôt seulement la construction sans objet direct (cf. (144) (a)) qui a une autre lecture possible. Le recours à une stratégie de perception n'expliquerait pas pourquoi toutes les constructions de (144), (146), etc. sont impossibles, que l'objet direct soit présent ou non, et que la phrase ait une autre lecture possible ou non.

Il faut donc chercher une autre explication. Or, la théorie classique nous en offre une, toute naturelle. Considérons en effet la règle (2), que je reprends ici :

$$(2) \quad [+ \text{V}], [+ (se) \cdots \underline{\qquad} \text{X}], [+ [\alpha \text{ F}] \cdots]$$
$$\rightarrow [+ \text{V}], [+ \text{CAUSE}], [+ \cdots \text{NP X}], [+ \underline{\qquad} [\alpha \text{ F}]]$$

Cette règle, rappelons-le, met en correspondance des structures profondes. En particulier, les séquences (NP) X qui figurent à droite dans les traits de sous-catégorisation des verbes ne peuvent, par définition, être que des séquences de catégories engendrables par les règles de base. Or on sait que, en français, il n'existe pas de règle VP → V (NP) (NP); une séquence de deux NP est donc exclue.

Autrement dit, le X qui apparaît dans (2) ne peut pas être de la forme NP Y, tandis qu'il peut parfaitement être de la forme PP Y (cf. la règle VP → (NP) (PP)). C'est donc en définitive cette contrainte sur les règles de base du français qui explique pourquoi (144) est exclu alors que (142) est permis.

Il reste toutefois une précision à faire. La théorie classique offre *a priori* plusieurs moyens de traiter les verbes transitifs à objet facultatif tels que *vomir, manger, abdiquer,* etc. On peut les sous-catégoriser en termes de [+ —— NP], et effacer ensuite un NP objet indéfini ou postiche au moyen d'une transformation; c'est là la solution traditionnelle. Si l'on choisit cette solution, il n'y a évidemment aucun problème. Mais ce n'est pas la seule possibilité. Comme il n'existe aucun indice syntaxique (cf. (135)-(137)) que ces NP objets soient jamais présents à un stade quelconque de la dérivation de phrases où ils n'apparaissent pas en surface [18], on pourrait se contenter de sous-catégoriser *vomir,* etc., en termes des traits [+ —— NP] et [+ —— #], et on ferait l'économie de la transformation d'effacement. Dans ce cas, si les phrases du type de (144) (b) sont toujours exclues, par le jeu conjoint des règles de base et de (2), on ne voit plus bien, à première vue, comment bloquer la dérivation de (144) (a),

---

18. Jean-Claude Milner m'a signalé (communication personnelle) qu'un argument dans ce sens serait l'impossibilité de soumettre les sujets de verbes transitifs sans objet exprimé à l'EXTRAPOSITION D'INDÉFINI, la règle qui dérive (i) (b) de (i) (a) :

    (i) (a)   quelqu'un est venu
        (b)   il est venu quelqu'un

Or, on n'a pas des phrases telles que (ii) (b), (iii) (b) :

    (ii) (a)   quelqu'un a mangé
       (b)   * il a mangé quelqu'un

    (iii) (a)   quelqu'un a vomi
       (b)   * il a vomi quelqu'un

Par ailleurs, des phrases telles que (iv) (b) sont exclues par les contraintes d'Emonds sur les transformations « conservatrices » (cf. Emonds, 1969; voir ici-même, chapitre I, section 2.2);

    (iv) (a)   quelqu'un a mangé ce gâteau
       (b)   * il a mangé { ce gâteau quelqu'un }
                         { quelqu'un ce gâteau }

Si, dans (ii) (a) ou (iii) (a), l'objet indéfini est effectivement présent au stade où s'applique EXTRAPOSITION D'INDÉFINI, l'agrammaticalité de (ii) (b)-(iii) (b) serait expliquée par le même principe qui exclut (iv) (b). Cet argument est cependant affaibli par le fait que la règle d'EXTRAPOSITION D'INDÉFINI est soumise à d'autres

qui ne différerait plus alors, par exemple, de (10), *Adèle cuit le ragoût.*
Il reste toutefois une autre possibilité, qui consiste à sous-catégoriser
vomir, etc., non plus en termes des traits indépendants [+ —— NP]
et [+ —— #], mais en termes du trait [+ —— (NP)]; autrement
dit, on ferait jouer un rôle crucial aux parenthèses. Dans ce cas, si
on voulait appliquer la partie de la règle (2) qui nous intéresse aux
verbes tels que *vomir*, cette partie de la règle serait :

(149) [+ V], [+ —— (NP)], · · · → ..., [+ —— NP (NP)],...

et on voit que la partie droite de la règle présente une séquence qui
n'est pas engendrable par les règles de base. Il n'y aurait donc plus
de problème, comme dans la solution par effacement. A supposer
que la solution en termes de sous-catégorisation du problème posé
par les verbes à objet facultatif soit préférable à la solution par
effacement, les faits de (141)-(148) me semblent être simplement une
justification empirique supplémentaire de la notation qui recourt
aux parenthèses (cf. Chomsky, 1965, chap. I, § 7) [19].
Il existe cependant une ou deux exceptions à la généralisation qui
vient d'être formulée. Ces exceptions concernent les verbes *paître*
et *apprendre*, cf. :

(150) (a) les brebis paissent (l'herbe)
      (b) (I) le berger fait paître les brebis
          (II) le berger fait paître l'herbe aux brebis
      (c) (I) le berger paît les brebis
          (II) * le berger paît l'herbe aux brebis

---

contraintes, et que notamment beaucoup de verbes purement intransitifs ne la
supportent pas, cf. :

(v) (a) * il dégénéra une discussion apparemment très agitée
    (b) * il maigrissait la plupart des prisonniers
    (c) ? il a dormi quelqu'un ici

Pour une discussion de l'EXTRAPOSITION D'INDÉFINI (baptisée « transformation
impersonnelle » dans l'*IGG*), voir, outre Kayne (1969), Gaatone (1970) et Martin
(1970), à qui j'emprunte les exemples (v) (a) et (b).
19. Les faits discutés dans cette section militent en faveur d'une distinction
faite très tôt (dès la structure de base) entre syntagmes nominaux et syntagmes
prépositionnels, et vont donc à l'encontre de la théorie (cf. par exemple Ross,
1969, et Postal, 1971) qui ne fait de différence entre ces deux catégories qu'à un
stade assez tardif de la dérivation.

(151) (a) Pierre apprend le violon
      (b) Paul fait apprendre le violon à Pierre
      (c) Paul apprend le violon à Pierre

Dans la conception que je défends, je serai obligé de distinguer deux entrées lexicales pour *paître* et pour *apprendre*. Notons que *paître* est un verbe assez archaïque. Des constructions de (150), seule l'intransitive de (150) (a) est donnée par le *Dictionnaire Larousse du Français contemporain* (Dubois *et alii*, 1966). Mais elles se rencontrent toutes dans le Littré, et appartiennent apparemment au même dialecte du français. D'autre part *paître* est un verbe irrégulier, défectif (il n'a pas de participe passé). De plus, il n'est pas clair (cf. (152)) que l'objet de *paître* soit un vrai objet direct; *paître* pourrait être plus proche d'un verbe comme *habiter* (cf. *Pierre habite (à) Paris*) que d'un verbe comme *brouter*, qui (cf. (153)) se comporte conformément à la généralisation qu'on vient de formuler :

(152)   les brebis paissent dans l'herbe

(153) (a) les brebis broutent (l'herbe)
      (b) le berger a fait brouter { l'herbe aux brebis }
                                    { les brebis   }
      (c) * le berger a brouté { l'herbe aux brebis }
                                { les brebis   }

Si l'objet de *paître* était en fait un PP en structure profonde, cela expliquerait la possibilité d'avoir (150) (c) (i). Mais l'impossibilité d'avoir le passif (due à l'absence du participe passé), ainsi que mon absence d'intuitions sur des phrases telles que (154) (cf. (155)), ne me permettent de tirer aucune conclusion sur la nature exacte du complément de *paître* (*l'herbe* dans (150) (a)) :

(154)   les brebis la paissent, cette herbe

(155)   * Pierre l'habite, cette ville

Paître, de toute façon, a donc des propriétés très particulières. Ce qui est important, c'est que l'analyse transformationnelle, dans les termes de FAIRE-SUBSTITUTION, prédirait la grammaticalité de (150) (c) (II). Or cette phrase est tout à fait exclue.

Le verbe *apprendre* est différent : (151) (c) — qui correspond à (150) (c) (II) — serait effectivement prédit par FAIRE-SUBSTITUTION, et est grammatical. Par ailleurs, si on ne peut pas conclure grand-chose de l'impossibilité de (156) (c) — étant donné le caractère douteux des phrases où *apprendre* est intransitif,

(156) (a) ? Pierre apprend
     (b) ? Paul fait apprendre Pierre
     (c) * Paul apprend Pierre,

l'analyse par FAIRE-SUBSTITUTION prédirait qu'il est possible de dériver, à partir de (157) (a), aussi bien (157) (b), qui est grammatical, que (157) (c), qui est exclu :

(157) (a) Paul fait [s Pierre apprendre le violon avec Menuhin]
     (b) Paul fait apprendre le violon à Pierre avec Menuhin
     (c) * Paul apprend le violon à Pierre avec Menuhin,

(157) (c) étant évidemment grammatical dans la lecture où « Paul, en collaboration avec Menuhin, apprend le violon à Pierre », cf. *les Anglais ont battu les Allemands avec les Américains.*

Il n'existe donc, finalement, aucun verbe transitif dont le comportement soit entièrement prédit par FAIRE-SUBSTITUTION. La solution qui consiste à garder la généralisation basée sur la règle de redondance (2), jointe à l'attribution de deux rubriques lexicales distinctes à *paître* ainsi qu'à *apprendre*, est décidément préférable.

7. Tous les arguments qui précèdent tendent à montrer qu'une analyse qui relie les phrases transitives factitives simples aux phrases factitives complexes par des règles de redondance lexicale est préférable à une analyse transformationnelle qui dérive les premières des secondes par FAIRE-SUBSTITUTION. A plus forte raison, ces arguments valent contre l'analyse de McCawley qui recourt à ASSOMPTION DE PRÉDICAT (cf. section 1). Je voudrais revenir brièvement sur certaines difficultés supplémentaires que suscite l'analyse de McCawley (voir aussi les critiques de Fodor, 1970).

Pour McCawley, des phrases telles que (158) (a), (159) (a), seraient dérivées, respectivement, des structures sous-jacentes à (158) (b), (159) (b), par ASSOMPTION DE PRÉDICAT et LEXICALISATION :

(158) (a) Stéphane a donné le *Livre* à Arthur
     (b) Stéphane a fait avoir le *Livre* à Arthur
(159) (a) Claude a montré la partition du *Martyre* à Igor
     (b) Claude a fait voir la partition du *Martyre* à Igor

A première vue, il y aurait un argument syntaxique en faveur de cette analyse. En effet, en ordonnant LEXICALISATION après la règle qui insère la préposition *à* dans (158) (b), (159) (b) (A-INSERTION, cf. Kayne, 1969), on rendrait compte en une seule fois de la présence de cette préposition dans les exemples (a) comme dans les exemples (b). Mais ce bénéfice est illusoire. En effet, tout d'abord, comme beaucoup de constructions à objet indirect en *à* ne semblent pas pouvoir être dérivées de cette manière, cf. :

(160)   Roman a présenté Morris à Noam (voir la note 3).

il serait de toute façon nécessaire d'introduire *à* dans la base, indépendamment de A-INSERTION.

Il y a plus grave. Nous venons de voir à la section 6 que, si on maintient l'analyse par FAIRE-SUBSTITUTION, on est obligé d'introduire une condition *ad hoc* qui bloque l'application de cette règle si le verbe subordonné est transitif direct. La même condition est nécessaire si on recourt à ASSOMPTION DE PRÉDICAT.

Or, si on maintient la dérivation par ASSOMPTION DE PRÉDICAT des phrases (158) (a), (159) (a), on se trouve dans une situation paradoxale: la règle d'ASSOMPTION DE PRÉDICAT, bloquée si on veut exclure (144) ou (146), où les verbes concernés (*pondre*, *vomir*) sont morphologiquement identiques dans la transitive simple comme dans la factitive complexe, doit être permise dans le cas de (158), (159), où les verbes (*avoir* et *donner*, *voir* et *montrer*) sont morphologiquement différenciés. Cette condition est pour le moins bizarre — elle n'existe pas si le verbe subordonné (*cuire*, *fondre*, *mourir/tuer*) est intransitif. On pourrait tourner la difficulté en introduisant une contrainte globale, combinée à celle mentionnée à la section 6, et qui mentionnerait cette fois les stades de la dérivation correspondant, d'une part, à l'*input* d'ASSOMPTION DE PRÉDICAT, et, d'autre part, à l'*output* de LEXICALISATION. Mais le moins qu'on puisse dire est qu'une telle formulation n'aurait rien d'éclairant.

De toute façon, il n'est pas vrai, d'une manière générale, que la distribution des prépositions soit la même dans des constructions simples et complexes qui sont, comme (158) (a)-(b), (159) (a)-(b), plus ou moins dans un rapport de paraphrase. Ronat (à paraître) a récemment proposé une critique de l'analyse de Postal du verbe *remind* (voir ici-même, chap. I, section 3.2, et chap. V, section 8). Elle montre notamment (pour d'ailleurs rejeter ensuite cette solution) qu'il est possible, tout en restant dans le cadre de la sémantique générative, de donner du verbe *remind* une analyse différente de celle de

Postal et qui présente sur celle-ci certains avantages; cette analyse revient à dériver (161) (a) de (161) (b) :

(161) (a) John reminds me of Bill
(b) John makes me think of Bill

Cette solution a notamment l'avantage d'introduire en une seule fois la préposition *of*, qui, dans la solution de Postal, devait être traitée de manière *ad hoc*. Il s'agit donc d'un argument de même nature que celui dont on vient de parler à propos de (158)-(159). Or, si on considère l'équivalent français de (161), à savoir (162), auquel le même type de dérivation pourrait s'appliquer aussi bien (ou aussi mal) :

(162) (a) le sourire de Marylin rappelle à Raoul celui de Mona Lisa
(b) le sourire de Marylin fait penser Raoul à celui de Mona Lisa

on constate que la distribution des prépositions n'est pas du tout celle que prédirait l'analyse par ASSOMPTION DE PRÉDICAT; celle-ci prédirait en effet (163), qui est agrammatical [20] :

(163) * le sourire de Marylin rappelle Raoul à celui de Mona Lisa

Enfin, comme je le disais au début de cette section, on retrouve, entre les phrases de (158) (a) et (b), (159) (a) et (b), les mêmes différences en termes de « connexion directe »/« connexion indirecte » dont nous avons parlé plus haut. La différence entre (158) (a) et (158) (b), par exemple, est comparable à celle qui existe entre (73) (b) et (73) (a), comme l'indique le test de la coordination : (164) (a) est contradictoire, mais (164) (b) ne l'est pas :

(164) (a) ⊄ Stéphane a donné le *Livre* à Arthur mais il ne le lui a pas donné (lui-même)
(b) Stéphane a fait avoir le *Livre* à Arthur, mais il ne le lui a pas donné (lui-même)

---

20. *Rappeler* peut figurer dans le cadre de (163), mais il s'agit alors d'expressions idiomatiques qui n'ont rien à voir avec les faits discutés, cf. *Pierre a rappelé Paul à l'ordre (à ses devoirs)*.

En effet, l'emploi de *donner* dans (158) (a) implique que *le Livre* était dans la possession de *Stéphane*, tandis que l'emploi de *faire avoir* dans (158) (b) n'implique pas nécessairement que *le Livre* était dans la possession de *Stéphane*. (C'est une toute autre question que de dire, avec Bierwisch (1970), que quelque chose comme FAIRE AVOIR fait partie, avec d'autres éléments, de la représentation sémantique de *donner*; l'important est que la notion de « connexion directe » est liée à la structure profonde [$_S$ NP [$_{VP}$ NP X]]). De plus, comme je le signalais plus haut (voir la fin de la section 4), cette idée de connexion directe s'étend ici au rapport qui lie le sujet et l'objet indirect : (158) (a) suggère un rapport direct entre *Stéphane* et *Arthur*, et sera interprété le plus naturellement avec l'idée que Stéphane remet le *Livre* en mains propres à Arthur, alors que cette idée n'est pas présente dans (158) (b).

Encore une remarque. Nous avons vu (cf. (138), (141)) que certains compléments prépositionnels se retrouvent également dans les constructions transitives et intransitives correspondantes. Si (158) (a) était dérivé de (158) (b), on s'attendrait à avoir (166) parallèlement à (165); or, (166) est exclu :

(165) (a) Arthur a eu le *Livre* par Victor

(b) Stéphane a fait avoir le *Livre* à Arthur par Victor

(166) * Stéphane a donné le *Livre* à Arthur par Victor

8. Dans la note 7, je signalais que des phrases telles que (20)

(20) Adèle fait cuire le ragoût

sont ambiguës. Elles correspondent, soit à une structure profonde de type (167), soit à une structure profonde de type (168) (cf. (169)) :

(167) Adèle fait [$_S$ le ragoût cuire]

(168) Adèle fait [$_S$ Δ cuire le ragoût]

(169) Adèle fait cuire le ragoût par sa cuisinière

J'ai laissé jusqu'à présent de côté les cas où les phrases du type de (20) ont la lecture qui correspond à la structure profonde (168). (On trouvera une étude de ces constructions et de leurs relations avec

172

le PASSIF dans Kayne, 1969, à paraître). Cependant, Dubois (1969, 34 sv.) a observé que des phrases telles que (170) peuvent être interprétées, soit avec le sens de (171), soit avec celui de (172) :

(170)   mes amis construisent une maison

(171)   mes amis construisent une maison (de leurs propres mains)

(172)   mes amis font construire une maison (par des ouvriers)

Dubois distingue ainsi un sens « actif » de *construire* — celui de (171) — et un sens « factitif » — celui de (172), qu'il retrouve aussi dans (173) :

(173)   l'architecte a construit une maison

« Cette différence de sens », dit Dubois, « dont on doit rendre compte syntaxiquement n'apparaît pas inhérente au verbe lui-même, mais à la structure profonde ». Il propose donc de dériver (170), dans le sens « factitif », de quelque chose comme (172). Il n'est pas très explicite sur la dérivation qu'il propose, et celle qu'on peut reconstruire à partir de ses indications poserait un certain nombre de difficultés qui ont été indiquées par Kayne (1969). Mais, tenant compte de l'analyse proposée par Kayne [21] pour la dérivation des constructions en *faire* V NP *par* NP, on pourrait suggérer la dérivation suivante :

(174) (a)   BASE : mes amis font [$_S$ Δ construire une maison par Δ]
              → AGENT-POSTPOSING →

       (b)   mes amis font [$_S$ construire une maison par Δ]
              → EFFACEMENT DE L'AGENT →

       (c)   mes amis font construire une maison
              → FAIRE-SUBSTITUTION →

       (d)   mes amis construisent une maison

---

21. Kayne (1969) a montré que les constructions en *faire* V NP *par* NP sont, à la différence de celles en *faire* V NP *à* NP, apparentées aux phrases passives. Kayne reprend l'analyse proposée pour l'anglais par Chomsky (1970), et décompose la règle de PASSIF en deux règles, l'une, dite d'AGENT-POSTPOSING (« postposition d'agent »), qui déplace le sujet profond en position de complément d'agent, et l'autre, dite de NP-PREPOSING (« antéposition de NP »), qui déplace l'objet profond en position de sujet (et qui peut-être introduit en même temps l'auxiliaire du passif). Kayne suggère que seule la première de ces règles intervient dans la dérivation des constructions en *faire* V NP *par* NP, le NP objet profond restant dans sa position à droite du verbe, et l'auxiliaire n'étant pas introduit (cf. l'agrammaticalité de * *Pierre a fait être battu Paul par Jean*).

Cette analyse ferait donc intervenir la règle de FAIRE-SUBSTITUTION (cf. (24)), dont j'ai essayé de montrer qu'elle n'intervenait pas dans la dérivation des transitives simples.

En fait, cette analyse pose plusieurs problèmes sérieux. Tout d'abord, il n'est pas évident qu'on doive rendre compte de ces faits en termes syntaxiques, en particulier en termes transformationnels. Qu'une construction soit ambiguë ne suffit pas, en général, à justifier un traitement syntaxique de l'ambiguïté, ni à poser deux structures profondes distinctes (cf. Jackendoff, 1969 *b*, Chomsky, 1970, 1971, et ici-même, chap. I). Il est toujours nécessaire, comme je me suis efforcé de le montrer à plusieurs reprises dans ce livre, d'avoir recours par ailleurs à des arguments proprement syntaxiques. Or, non seulement Dubois ne propose pas d'arguments syntaxiques, mais son analyse suscite certaines difficultés sur ce plan.

En effet, nous avons vu à la section 6 que, quand certains compléments prépositionnels accompagnent le verbe subordonné dans une phrase factitive de forme superficielle NP_1 *faire* V NP_2 PP, on les retrouve aussi parfois dans la construction transitive correspondante, NP_1 V NP_2 PP (cf. (138), (141)). Il est possible de traiter ces faits dans les termes de la règle de redondance (2), comme on l'a vu. D'autre part, il y a divers types de compléments qui apparaissent dans la subordonnée de la construction factitive et qui ne peuvent pas apparaître dans la transitive simple. Une des difficultés générales de l'analyse par FAIRE-SUBSTITUTION (ou par ASSOMPTION DE PRÉDICAT) est qu'elle impose des contraintes *ad hoc* pour empêcher d'engendrer les phrases transitives avec ces compléments (cf. Fodor, 1970, et ici-même, section 2 et fin de la section 7). Or, si on adopte l'analyse de Dubois, on se heurte précisément à une difficulté de ce type. Si les phrases de type (170), dans leur sens « factitif », étaient dérivées à la manière de (174), on s'attendrait à avoir (175) (b), (176) (b), à côté de (175) (a), (176) (a) — autrement dit, on s'attendrait à retrouver les compléments d'agent dans les transitives simples comme dans les factitives complexes. Or les exemples (b) sont agrammaticaux :

(175) (a) mon ami fait construire sa maison par un maçon qualifié

     (b) * mon ami construit sa maison par un maçon qualifié

(176) (a) Néron a fait brûler Rome par ses sbires

     (b) * Néron a brûlé Rome par ses sbires

Une grammaire qui considère (170) comme basique, quel que soit son sens précis, n'aurait pas de difficulté à exclure (175) (b)-(176) (b) : ces phrases sont simplement un cas particulier de la contrainte générale qui interdit d'avoir un complément d'agent en *par* NP en co-occurrence avec un sujet exprimé, cf. (177)-(178) :

(177) * Gary a embrassé Marylin par Clark

(178) * Claude a présenté Igor à Arnold par Alban

Tous ces faits sont traités naturellement par la formulation habituelle de la règle de PASSIF (qu'elle soit ou non décomposée en deux étapes).

En revanche, l'analyse de Dubois devrait imposer une contrainte indépendante et *ad hoc* pour exclure des phrases telles que (175) (b)-(176) (b).

Sur le plan sémantique, d'autre part, l'analyse de Dubois soulève également des difficultés. Tout d'abord, Dubois conclut trop vite, me semble-t-il, que l'ambiguïté « n'est pas inhérente au verbe lui-même ». L'ambiguïté, si ambiguïté il y a, semble de toute façon limitée à une certaine classe de verbes (*construire*, *détruire*, *brûler*, etc.), et il est clair que des phrases telles que (179) (a), (180) (a), par exemple, ne peuvent en aucun cas être interprétées comme des paraphrases de (179) (b), (180) (b) :

(179) (a)   Gary a embrassé Marylin
      (b)   Gary a fait embrasser Marylin (par quelqu'un)

(180) (a)   Claude a présenté Igor à Arnold
      (b)   Claude a fait présenter Igor à Arnold (par quelqu'un)

En second lieu, toutes les phrases suivantes sont également possibles :

(181) $\left\{ \begin{array}{l} \text{mon ami} \\ \text{l'architecte} \\ \text{l'entrepreneur} \\ \text{le maçon} \end{array} \right\}$ construit la maison

(182) mon ami fait construire la maison par $\left\{ \begin{array}{l} \text{l'architecte} \\ \text{l'entrepreneur} \\ \text{le maçon} \end{array} \right\}$

(183) l'architecte fait construire la maison par $\left\{ \begin{array}{l} \text{l'entrepreneur} \\ \text{le maçon} \end{array} \right\}$

(184)   l'entrepreneur fait construire la maison par $\left\{\begin{array}{l} \text{l'architecte} \\ \text{le maçon} \end{array}\right\}$

Comme, pour Dubois, *construire* n'a le sens « actif » que s'il est pris dans le sens tout à fait concret et physique de *les maçons construisent la maison*, il en résulte que la plupart de ces phrases devraient être ambiguës, ce qui paraît assez peu conforme à l'intuition. Rien n'empêcherait non plus de dériver (170), non seulement de (174) (a), mais par exemple de (185) (a) ou (b) :

(185)   (a)   mes amis font [$_{S1}$ Δ faire [$_{S2}$ Δ construire une maison par Δ]]

(b)   mes amis font [$_{S1}\Delta$ faire [$_{S2}$ Δ faire [$_{S3}$ Δ construire une maison par Δ]]]

Autrement dit, on aurait le problème posé par la possibilité de récursion infinie de la construction factitive : une phrase telle que (170) serait théoriquement infiniment ambiguë. Si on veut éviter cette conséquence, il faudra à nouveau introduire une contrainte *ad hoc* interdisant cette récursion infinie.

Enfin, il y a, entre (170), même pris dans le sens « non concret » ou « non actif », et (172), une différence de sens, qui se rapproche de celles que nous avons signalées entre les transitives simples et les factitives complexes : (172) pose explicitement que la maison est construite (dans un sens qui n'est pas nécessairement spécifié comme « actif concret ») par quelqu'un d'autre que *mes amis*; mes amis sont la cause extérieure d'une action qui est menée par quelqu'un d'autre. (170) présente au contraire *mes amis* comme la cause directe du processus de construction, même si la nature précise de ce processus n'est pas spécifiée. Autrement dit, nous retrouvons la distinction entre connexion directe et connexion indirecte, même si la connexion directe n'est pas ici nécessairement interprétée dans le sens d'une connexion spatiale concrète.

On en arrive ainsi, devant ces difficultés, à mettre en doute l'ambiguïté de (170). On peut se demander si, au lieu d'être ambiguë, cette phrase n'est pas plutôt « indéterminée » (ou « vague »; sur cette distinction, voir Ducrot et Todorov, 304). Beaucoup d'expressions linguistiques laissent indéterminés toutes sortes d'aspects de la situation, sans qu'on puisse proprement parler d'ambiguïté. Par exemple, la phrase *Pierre a levé le bras* laisse indéterminée la question de savoir si Pierre a levé le bras droit ou le bras gauche, mais on serait mal fondé à parler d'ambiguïté. Ne pourrait-on pas dire, simplement, que, dans une phrase comme (170), *construire* exige que son sujet soit interprété comme l'agent responsable de l'action, tout en laissant indéterminée la modalité concrète selon laquelle l'action se réalise? La composante sémantique pourrait par ailleurs comporter un principe interprétatif, peut-être d'application assez générale, disant que, pour les verbes d'une certaine classe, la modalité précise de l'action dont est responsable le sujet peut être comprise de diverses manières, dont l'une implique une action physique, et l'autre simplement l'idée de responsabilité. On comprendrait ainsi les diverses nuances dans lesquelles sont compris les verbes *battre, tuer, brûler*, dans les phrases suivantes [22] :

(186) (a)   Napoléon a battu les Russes à Austerlitz
      (b)   le Réal Madrid a battu l'Inter par 2 à 1
      (c)   Pierre bat sa femme tous les soirs

(187) (a)   Charles d'Anjou a défait et tué Manfred à Bénévent
      (b)   les cinquante conjurés ont tué César
      (c)   Pat Garrett a tué Billy the Kid d'une balle en plein cœur

(188) (a)   Néron a brûlé Rome
      (b)   James Bond a brûlé les papiers compromettants dans sa cheminée

Je laisserai cette question en suspens. Toute cette discussion ne vise qu'à montrer qu'il est risqué de proposer une certaine dérivation syntaxique, dans un cas de ce genre, si on ne s'est pas au préalable posé la question de la nature sémantique de la classe de verbes qui permet ce genre d'interprétations.

---

22. On notera, dans ces phrases, d'autres faits d'indétermination. (187) (b) n'implique aucunement, par exemple, que chacun des cinquante conjurés a porté un coup mortel à César, mais cette phrase ne pourrait certainement pas être paraphrasée par *les cinquante conjurés ont fait tuer César* (*par certains d'entre eux*). (187) (a) est particulièrement intéressant : tout ce que cette phrase affirme, c'est que Charles d'Anjou est le responsable direct de la mort de Manfred, mais le mode précis de la mort de Manfred (qu'il ait été tué par Charles de ses propres mains ou par un quelconque soldat de Charles, qu'il soit mort d'une chute de cheval au cours de la bataille, ou qu'il se soit noyé en fuyant, etc.) reste indéterminé. Cette phrase ne peut être paraphrasée ni par *Charles d'Anjou défait et fait tuer Manfred à Bénévent* (qui tend à impliquer que Charles a donné explicitement l'ordre de tuer Manfred) ni par *Charles d'Anjou a défait et fait mourir Manfred à Bénévent*, à laquelle manque l'idée d'une connexion directe.

9. *Résumé et conclusion.* J'ai essayé de montrer qu'il n'y a pas de raison syntaxique ni sémantique de dériver les constructions factitives transitives simples de constructions factitives complexes — même si on s'en tient à l'analyse restreinte, compatible avec la théorie standard, qui recourt à la transformation de FAIRE-SUBSTITUTION. Il y a au contraire des avantages syntaxiques à traiter les rapports systématiques qui existent entre les deux types de constructions en termes de règles de redondance (cf. sections 2 et 6); quant aux différences sémantiques et de sélection qui les séparent, elles semblent pouvoir être traitées de manière plus prometteuse au moyen de règles d'interprétation spéciales (cf. sections 4 et 5). Les extensions de l'analyse transformationnelle proposées par McCawley (cf. section 7) et par Dubois (cf. section 8) se heurtent aux mêmes difficultés que l'analyse transformationnelle restreinte, et en suscitent de supplémentaires.

Sans doute, les notions d'agent, d'activité autonome, de connexion directe vs indirecte, demanderaient à être définies d'une manière plus précise. L'essentiel est que, dans une série de cas clairs, l'analyse syntaxique proposée et le recours à ces notions permettent de rendre compte des différences sémantiques entre la construction transitive et la factitive complexe. Les cas de synonymie ou de quasi-synonymie entre les deux constructions (cf. (10)-(20)) peuvent se comprendre, essentiellement, si on admet qu'un sujet (en l'occurrence le sujet subordonné dans la construction factitive complexe) ne doit pas nécessairement être interprété comme un agent : ces cas, loin d'être, comme le voudrait Lakoff, paradigmatiques, sont donc plutôt des cas-limites [23]. Par ailleurs, il ne semble pas exister de contre-exemples qui associeraient la construction factitive complexe à la notion de connexion directe et la construction transitive à celle de connexion

---

23. Même des phrases telles que (10) et (20), que j'ai moi-même considérées (cf. (72)) comme étant dans un rapport de paraphrase, présentent des nuances de sens différentes, qui apparaissent bien si on les met à l'impératif, comme dans les recettes de cuisine; comparer :

    (I)   faites cuire le poulet pendant dix minutes
    (II) cuisez le poulet pendant dix minutes

La phrase (II) me paraît légèrement bizarre, dans la mesure où elle suggère une action continue du sujet (du cuisinier) sur le poulet pendant dix minutes, cette nuance étant absente de (I). On notera, pour le côté anecdotique, que, dans les recettes de cuisine, on ne trouve pratiquement que des phrases du type de (I), et presque jamais celles du type de (II).

indirecte. En particulier, les phrases qui restent problématiques (cf. (68)-(71), et la discussion à la fin de la section 5), ne peuvent pas être prises pour des contre-exemples en ce sens. Enfin, s'il sera sans doute nécessaire (pour rendre compte de phrases telles que (187) (a), par exemple) d'intégrer à l'analyse une théorie des extensions de sens stylistiques ou métaphoriques, il ne semble pas que cette extension puisse contredire la solution proposée.

Encore une remarque. Dans la section 2 (cf. les exemples (43)-(48)), j'avais signalé que certains adverbiaux, exclus dans une certaine interprétation de la construction transitive, restent peu naturels dans la factitive complexe. De même, si on considère l'impossibilité de (101) (section 4), que je reprends :

(101)   * l'entraîneur a réuni l'équipe d'elle-même

on constate que la factitive complexe correspondante, (189), quoique meilleure, n'est pas encore parfaite :

(189)   ? l'entraîneur a fait se réunir l'équipe d'elle-même

Il semble donc que si, sémantiquement, le sujet subordonné de la factitive complexe a plus d'indépendance que l'objet d'une transitive simple, il reste soumis à certaines contraintes, dont témoignent les difficultés qu'on a à le modifier par certains adverbiaux. En fait, en m'en tenant seulement à la comparaison des constructions en NP_1 V NP_2, d'une part, et de celles en NP_1 *faire* V NP_2, d'autre part, j'ai simplifié. Il faudrait aussi faire entrer en ligne de compte des constructions dans lesquelles des complétives à verbe fini sont enchâssées sous *faire* [24]. On verrait alors apparaître une hiérarchie

---

24. Il faudrait tenir compte aussi de phrases du type de (iii) en face de (i) et de (ii) :

   (i)   Pierre a tué Paul
   (ii) Pierre a fait mourir Paul
   (iii) Pierre a $\left\{ \begin{array}{c} \text{causé} \\ \text{provoqué} \end{array} \right\}$ la mort de Paul

Ces phrases de type (iii) ont, à nouveau, des propriétés différentes, cf. par exemple :

  (iv) (a) Pierre a fait mourir Paul à petit feu
      (b) ?* Pierre a causé (provoqué) la mort de Paul à petit feu
  (v) (a)   Adèle a fait cuire le poulet
      (b) ? Adèle a causé (provoqué) la cuisson du poulet

entre ces constructions, du point de vue de l'autonomie de NP_2; dans cette hiérarchie, les constructions en NP_1 *faire* V NP_2 occuperaient une position intermédiaire entre les constructions transitives simples et les constructions de forme NP_1 *faire que* [s NP_2 V X] ou de forme NP_1 *faire en sorte que* [s NP_2 V X]. Un indice de l'existence de cette hiérarchie apparaît si on compare (101) et (189) aux phrases suivantes :

    (190)   l'entraîneur a fait que l'équipe se réunisse d'elle-même

    (191)   l'entraîneur a fait en sorte que l'équipe se réunisse d'elle-même

Si on considère ces exemples, on voit qu'il semble y avoir une corrélation entre la plus ou moins grande autonomie de l'objet ou du sujet subordonné — ou entre le caractère plus ou moins direct de la connexion entre NP_1 et NP_2 — et la complexité de la structure syntaxique de base. Plus précisément, le caractère plus ou moins direct de la connexion entre NP_1 et NP_2 semble être fonction de la distance (comptée en termes du nombre de nœuds dans l'arbre) qui sépare NP_1 de NP_2. Ceci pourrait amener à spéculer sur le rôle que jouent les aspects iconiques dans les rapports entre syntaxe et sémantique (voir à ce sujet les remarques suggestives de Jakobson, 1965).

5

A propos d'une classe de verbes
« psychologiques » *

1. Considérons les exemples suivants :

$$(1) \quad \left\{ \begin{array}{l} \text{Pierre} \\ \text{* ce rocher} \\ \text{* la sincérité} \end{array} \right\} \text{méprise} \left\{ \begin{array}{l} \text{les femmes} \\ \text{l'argent} \\ \text{les idées de Paul} \end{array} \right\}$$

$$(2) \quad \left\{ \begin{array}{l} \text{les femmes} \\ \text{l'argent} \\ \text{les idées de Paul} \end{array} \right\} \text{dégoûte(nt)} \left\{ \begin{array}{l} \text{Pierre} \\ \text{* ce rocher} \\ \text{* la sincérité} \end{array} \right\}$$

On voit que *mépriser* et *dégoûter*, qui sont tous deux des verbes transitifs directs, ont des restrictions de sélection sur le sujet et l'objet à peu près exactement inverses [1]. Alors que *mépriser* exige un sujet humain et ne pose pratiquement pas de restrictions de sélections sur son objet, *dégoûter*, en revanche, exige un objet humain et n'impose pratiquement pas de restrictions sur son sujet [2]. Les restrictions de sélection sur les verbes étant, en général, l'indice de contraintes

---

* Inédit.

1. Cette observation comporte, comme d'habitude en pareil cas, un certain nombre de simplifications, mais celles-ci ne touchent pas au problème qui nous intéresse directement. Je n'ai pas tenu compte du *dégoûter* qui apparaît dans le cadre NP ——— NP *de* NP (cf. *Marie a dégoûté Pierre des femmes*). D'autre part, même dans le cadre que je considère, il semble y avoir des restrictions plus grandes sur l'objet de *mépriser* que sur le sujet de *dégoûter*, cf. par exemple :

(I) $\left\{ \begin{array}{l} \text{la couleur verte} \\ \text{que Paul ait pu dire une chose pareille} \end{array} \right\}$ dégoûte Pierre

(II) Pierre méprise $\left\{ \begin{array}{l} \text{? la couleur verte} \\ \text{? que Paul ait pu dire une chose pareille} \end{array} \right\}$

Il y a cependant un grand nombre de verbes de la classe de *mépriser* (cf. la liste (22) ci-dessous) qui n'imposent pas de restrictions de sélection sur leur objet.

2. Le sujet de *dégoûter*, et l'objet de *mépriser* (mais voir la note (1)), sont « non-restreints », au sens de Gross (1968, 1969).

sémantiques, ceci revient à dire que, du moins à un certain point de vue, la relation sémantique entre *mépriser* et son objet est analogue à celle entre *dégoûter* et son sujet, et que la relation sémantique entre *mépriser* et son sujet est analogue à celle entre *dégoûter* et son objet. Comment une grammaire générative va-t-elle rendre compte, à la fois, de ces ressemblances et de ces différences?

A priori, il y a (au moins) deux possibilités. On peut considérer que — du point de vue qui nous intéresse, et toutes choses égales par ailleurs — les phrases de (1) et de (2) ont des structures profondes identiques à leurs structures superficielles (les sujets et les objets y occupant les mêmes positions relativement au verbe que dans les structures superficielles). Dans ce cas, on sera obligé d'avoir des règles d'interprétation sémantique différentes pour (1) et pour (2). Ou bien on considère que les structures superficielles de (1)-(2) ne reflètent pas directement leurs structures profondes. Celles-ci seraient beaucoup plus voisines l'une de l'autre, et, notamment, le sujet superficiel de (1) et l'objet superficiel de (2) occuperaient les mêmes positions en structure profonde; il en serait de même de l'objet superficiel de (1) et du sujet superficiel de (2). Les différences superficielles entre (1) et (2) seraient alors traitées en termes transformationnels, au moyen d'une transformation (ou de plusieurs) qui, dans un cas mais non dans l'autre, permuterait le sujet et l'objet. *A priori*, les deux solutions se valent : l'une revient à compliquer la composante sémantique, et l'autre à compliquer la composante transformationnelle. Il n'y aurait pas de sens à dire, *a priori*, que l'une est plus simple que l'autre.

La seconde solution, que j'appellerai la solution transformationnelle, a été retenue par un certain nombre de linguistes (Rosenbaum, 1967, Chapin, 1967, Lakoff, 1970 *c*, Postal, 1971; voir aussi Chomsky, 1970). Ils ont proposé, pour des raisons que nous considérerons plus loin, de tenir l'ordre sujet-verbe-objet de (1) pour fondamental, et de dériver les constructions du type de (2) au moyen d'une transformation qui permute le sujet et l'objet. Notons bien que, *a priori*, une autre solution transformationnelle serait possible, qui consisterait à tenir l'ordre de (2) pour fondamental et à dériver les phrases de (1) par une règle de permutation. Mais, comme cette solution n'a été envisagée par personne [3], je la laisserai de côté.

---

3. On pourrait se demander pourquoi cette possibilité n'a jamais été envisagée. Cela tient sans doute à certaines idées plus ou moins implicites sur le lien qu'il y aurait entre la position de sujet profond et le trait [+ humain] (ou [+ animé]) des NP. Voir ci-dessous, section 6.1.

Soyons plus spécifique. Selon cette hypothèse transformationnelle, les structures profondes de (1) et de (2), réduites à leurs éléments essentiels, seraient, respectivement, (3) et (4) :

(3) Pierre — mépriser — l'argent

(4) Pierre — dégoûter — l'argent

Ensuite, une transformation que, avec Postal (1971), j'appellerai PSYCH-MOVEMENT (« déplacement psychique » [4]), convertirait (4) en (2). On pourrait la formuler comme suit :

$$(5) \quad \text{PSYCH-MVT} : \underset{1}{\text{NP}} - \underset{2}{\text{V}} - \underset{3}{\text{NP}} - \underset{4}{\text{X}} \Rightarrow 3 - 2 - 1 - 4$$

Cette solution exige, évidemment, non seulement que l'on introduise dans la grammaire une nouvelle transformation, mais aussi que l'on marque les différents verbes comme permettant, ou ne permettant pas, l'application de cette règle. Autrement dit, il est nécessaire de recourir à des « traits de règles » (*rule features*) au sens de Lakoff (1970 c). Les rubriques lexicales de *mépriser* et de *dégoûter* comprendraient alors les traits suivants :

(6) *mépriser* : [+ V], [+ —— NP], [+ [+ humain] ——], [— PSYCH-MVT], ...

(7) *dégoûter* : [+ V], [+ —— NP], [+ [+ humain] ——], [+ PSYCH-MVT], ...

J'ai dit qu'une autre solution, que j'appellerai la solution sémantique, est possible. Elle revient à faire appel à la théorie des fonctions « thématiques » esquissée par Gruber (1965) et reprise par Jackendoff (1969 b, à paraître). Comme cette théorie est moins familière que la théorie transformationnelle classique, j'en dirai tout d'abord quelques mots, en m'inspirant surtout de Jackendoff (1969 b).

2. Gruber et Jackendoff étudient un système de fonctions sémantiques que peuvent remplir dans les phrases les syntagmes nominaux ou

---

4. Postal a choisi ce nom parce que cette transformation s'applique à des verbes ou à des adjectifs qui, presque tous, « désignent des états, processus, ou attributs psychologiques » (Postal, 1971, 39). Cette règle avait d'abord été appelée FLIP par Lakoff (1970 c).

prépositionnels, fonctions qui sont distinctes des fonctions syntaxiques de sujet, objet direct, objet indirect, etc. Ce système de fonctions sémantiques, dites « fonctions thématiques », est destiné, essentiellement, à formaliser des notions traditionnelles telles que celles d'agent, de patient, de bénéficiaire d'une action, d'instrumental, etc. Ces fonctions « sont traitées comme des propriétés des représentations sémantiques, reliées aux relations grammaticales (sujet, objet, etc.) par des règles de projection [5] » (Jackendoff, 1969 b, 75).

Je ne considérerai ici que certaines des fonctions thématiques principales : « thème », « lieu », « source », « but » ou « cible » (goal), et « agent ».

La fonction thématique la plus fondamentale et, en même temps, la plus neutre, la moins marquée, est celle de « thème ». Toute phrase comporte un thème, qui est le sujet dans le cas des phrases à verbe purement intransitif (une exception apparente étant les phrases impersonnelles à verbe « météorologique », telles que il pleut, il neige, où on pourrait sans doute parler d'incorporation du thème dans le verbe). Dans les phrases à verbe de mouvement, le thème est le NP désignant l'objet qui subit le mouvement (cf. Pierre et la voiture dans (8)); dans les phrases à verbe « locatif », le thème est le NP désignant l'objet dont la localisation est assertée (cf. le livre dans (9)) :

(8) (a) $\left\{ \begin{array}{l} \text{la voiture} \\ \text{Pierre} \end{array} \right\}$ ira à Paris

   (b) Paul a conduit la voiture de Rome à Paris
   (c) Jacques a envoyé Pierre chez Marie

(9) (a) le livre est resté sur l'étagère
   (b) Pierre a gardé le livre sur l'étagère

Le thème étant, dans ces exemples, tantôt sujet et tantôt objet, on voit tout de suite que les fonctions thématiques ne recouvrent pas directement les fonctions syntaxiques. D'autres fonctions thématiques sont remplies par les autres NP et PP de (8)-(9). Par exemple, à Paris est « cible » dans (8) (a) et (8) (b); de même chez Marie est « cible » dans (8) (c); de Rome est « source » dans (8) (b). Dans (9), sur l'étagère est « lieu ».

Deux principes importants interviennent dans la théorie des fonctions thématiques. L'un est que, dans des phrases apparentées

---

5. Au sens de Katz-Fodor (1963). Chez Gruber, le mode de liaison des fonctions thématiques et des relations grammaticales est traité autrement, par le processus de l'« incorporation lexicale » (cf. Gruber, 1965, 1967).

en termes de cooccurrence des éléments, mais différentes distributionnellement, des éléments morphologiquement apparentés remplissent les mêmes fonctions thématiques. Considérons par exemple :

(10) (a)   le jardin grouille de vermine
     (b)   la vermine grouille dans le jardin

Comme, dans (10) (b), il est clair que *dans le jardin* est « lieu » et que donc *la vermine* est « thème », on étendra ces notions à (10) (a), où *le jardin* sera « lieu » et *de vermine* « thème ».

Un second principe sera d'étendre les notions de « thème », « lieu », etc., à des phrases à signification plus ou moins abstraite. Ce principe repose sur l'idée que le sens d'un verbe est fondamentalement le même dans ses divers emplois. Ainsi, à côté de phrases comme (9) (a)-(b), où *rester* et *garder* sont employés dans un sens de localisation spatiale, on trouve des phrases telles que :

(11) (a)   Pierre est resté $\left\{ \begin{array}{l} \text{de glace} \\ \text{ferme} \end{array} \right\}$
     (b)   Paul a gardé la tête froide

On étendra donc l'utilisation des fonctions thématiques à ces cas, et on dira que *de glace* ou *ferme* fonctionnent comme « lieux » abstraits dans (11) (a) — *Pierre* étant « thème ». Dans (11) (b), *la tête* serait « thème » et *froide* serait « lieu ». Les adjectifs et les expressions comme *de glace* sont considérés comme « lieux » en ce sens qu'ils signifient « dans le domaine abstrait (ou « espace qualitatif ») contenant ces choses qui sont *Adj* » (Jackendoff, *op. cit.*, 77). Un autre exemple d'extension, parallèle cette fois aux phrases de (8), est (12), où *de déceptions* est « source » et *en déceptions* « cible » :

(12)   Pierre est allé de déceptions en déceptions

De même, la notion de possession sera conçue comme un « lieu » abstrait. Dans (13), *ce livre* et *Pierre* sont respectivement « thème » et « lieu »; par ailleurs, dans (14), *Pierre* est « source », *ce livre* est « thème » et *Jacques* est « cible » :

(13) (a)   ce livre appartient à Pierre
     (b)   Pierre possède ce livre

(14) (a)   Pierre a vendu ce livre à Jacques
     (b)   Jacques a acheté ce livre à Pierre

Ces phrases illustrent encore une fois le fait que des syntagmes ayant une fonction thématique donnée n'occupent pas nécessairement les mêmes positions syntaxiques dans tous les cas.

La fonction thématique d' « agent », dont nous avons vu au chapitre IV qu'elle est associée de manière privilégiée à la fonction syntaxique de sujet, se superpose souvent à d'autres fonctions thématiques. Ainsi, dans (8) (a), *Pierre* est à la fois « thème » et « agent ». De même, alors que dans (15) (a) les fonctions de « thème » et d' « agent » sont dissociées, *la police* étant « agent » et *les manifestants* « thème », dans (15) (b) *les manifestants* est à la fois « thème » et « agent » :

> (15) (a) la police a dispersé les manifestants
>   (b) les manifestants se sont dispersés

Par ailleurs, dans (14) (a), *Pierre* est à la fois « source » et « agent », tandis que dans (14) (b), *Jacques* est à la fois « cible » et « agent » (cf. la possibilité d'attacher au sujet, dans les deux cas, des adverbiaux tels que *intentionnellement*, etc.).

Telle que je l'ai exposée rapidement, la théorie des fonctions thématiques peut paraître ne pas dépasser le stade d'observations très banales, bien connues des grammairiens traditionnels. Gruber a cependant obtenu des résultats très intéressants, en l'appliquant à l'analyse de toute une série de classes de verbes. Il s'est aussi attaché à définir des critères syntaxiques permettant de déterminer, dans certaines conditions, les fonctions thématiques des syntagmes (cooccurrence avec certaines prépositions, avec certains adverbiaux, etc.). Par ailleurs, Jackendoff a utilisé cette théorie pour formuler certaines contraintes sur la coréférentialité, dont nous aurons l'occasion de reparler (voir section 6.3).

D'un autre côté, cette théorie garde encore des aspects assez flous, et bien des problèmes se posent : il n'est pas clair, par exemple, que les notions de « lieu » d'une part, « source » et « cible » d'autre part, représentent des termes sémantiques primitifs et indépendants, et on peut souvent hésiter sur l'attribution à un syntagme donné de l'une ou l'autre de ces fonctions. Le mérite de cette théorie est de proposer une approche des fonctions sémantiques distincte, à la fois, d'une théorie des cas au sens de Fillmore (1968) et d'une réduction de ces fonctions sémantiques en termes de syntaxe abstraite, à la manière de la sémantique générative. Surtout, elle laisse entrevoir un moyen de représenter d'une manière uniforme ce qu'il y a de commun entre des processus concrets et abstraits, des actions physiques et psychologiques.

Revenons aux phrases (1)-(2) et voyons comment on pourrait les décrire en termes de fonctions thématiques. Jackendoff (1969 *b*, 84 sv.) discute des constructions du genre de (2); pour lui, dans (2), le sujet serait thème et l'objet une sorte de cible. Il ne discute pas d'exemples analogues à (1), mais on pourrait étendre l'analyse proposée de (2) à (1) : dans (1), le sujet serait cible et l'objet serait thème. Il me semble toutefois plus naturel d'attribuer au sujet dans (1) et à l'objet dans (2) la fonction thématique de « lieu » : *Pierre* serait le lieu d'un certain processus psychologique (*dégoût, mépris*) qui a pour thème *l'argent, les femmes*, etc. Un indice syntaxique de ce caractère locatif de *Pierre* dans (1)-(2) est donné par les phrases suivantes, où *Pierre* est régi par des prépositions dont la nature locative est nette :

(16) il y a $\left\{ {en \atop chez} \right\}$ Pierre un profond mépris de l'argent

(17) il y a $\left\{ {chez \atop en} \right\}$ Pierre un profond dégoût de l'argent

Notons que les phrases (16)-(17), tout comme les nominalisations (18)-(19), témoignent de la parenté des constructions des types (1) et (2) : contrairement à ce qui se passe dans (1) et (2), les NP thèmes et lieux sont donnés, en (16)-(17) et en (18)-(19), dans les mêmes positions syntaxiques.

(18) le $\left\{ {mépris \atop dégoût} \right\}$ de Pierre pour l'argent

(19) le $\left\{ {mépris \atop dégoût} \right\}$ de l'argent de Pierre

L'idée que *Pierre* dans (1)-(2) est un « lieu psychologique » rejoint certaines intuitions traditionnelles, comme celle de Clédat (1900, 227), selon qui « le sujet, qui éprouve une émotion, n'en est pas l'agent véritable, mais le lieu. *Aimer, admirer, redouter*, etc., ne sont pas, à vrai dire, des actions ». Quoi qu'il en soit, ce qui importe, c'est que le sujet dans (1) et l'objet dans (2) se voient attribuer la même fonction thématique.

Si on admet l'analyse de (1)-(2) en termes de fonctions thématiques, on voit qu'il est possible de décrire le rapport qui les lie en termes non-transformationnels. Il suffira que la rubrique lexicale de *mépriser* et de *dégoûter* spécifie que la fonction de lieu des processus psychologiques que ces verbes expriment est exercée, dans un cas, par le sujet, et dans l'autre, par l'objet. Au lieu d'avoir les rubriques lexicales (6)-(7), ces deux verbes auraient alors les rubriques suivantes [6] :

(20) *mépriser* : [+ V], [+ ―― NP], [+ [+ humain] ――],
       [+ [+ lieu] ――]

(21) *dégoûter* : [+ V], [+ ―― NP], [+ ―― [+ humain]],
       [+ ―― [+ lieu]]

Si on compare les rubriques (6)-(7) et (20)-(21), on voit qu'elles sont comparables en termes de la complexité de l'appareil formel qu'elles impliquent ; il est clair que, si on veut choisir entre elles, il faudra recourir à d'autres arguments empiriques.

Mon propos, dans ce chapitre, sera d'essayer de montrer que la solution sémantique ou thématique est préférable à la solution transformationnelle. Comme Postal (1971) est, de tous les linguistes qui ont suggéré de recourir à la solution transformationnelle, celui qui s'est le plus préoccupé de la justifier par des arguments empiriques (sans toutefois envisager la possibilité de recourir à l'autre solution), je commencerai par passer en revue ses arguments, et je m'efforcerai de montrer en quoi ils ne sont pas convaincants. Ensuite, je présenterai un argument positif en faveur de la solution sémantique. L'analyse de Postal porte évidemment sur l'anglais, mais je pense que les faits français sont suffisamment proches des faits anglais pour qu'on puisse reprendre et discuter ses arguments à partir d'exemples français.

―――――――

6. En réalité, [+ lieu] n'étant pas (à la différence de [+ humain] dans (6)-(7)) un trait intrinsèque des NP, cette représentation est incorrecte. Je ne l'adopte que pour des raisons d'exposition. Les traits [+ [+ lieu] ――]] dans (20) et [+ ―― [+ lieu]] dans (21) signifient simplement que les règles de projection qui attribuent à un NP la fonction de « lieu » doivent s'appliquer au sujet dans (20) et à l'objet direct dans (21). Je n'ai pas indiqué que l'objet, dans (20), et le sujet, dans (21), sont « thèmes », dans la mesure où cette spécification est redondante, une fois qu'on a déterminé quel NP est « lieu ». D'autre part, si, comme nous le ferons plus loin (cf. section (11)), des verbes comme *mépriser* et *dégoûter* sont spécifiés dans le lexique comme exprimant des processus psychologiques, la spécification du trait [+ humain] dans (6)-(7) comme dans (20)-(21) devient sans doute elle aussi redondante.

3. Avant toute chose, il importe de montrer pour le français, comme Postal l'a fait pour l'anglais, que ce phénomène de répartition contrastée du « lieu » et du « thème », loin d'être une curiosité isolée, est au contraire un phénomène très répandu. Il existe un grand nombre de verbes, d'expressions verbales et d'adjectifs, souvent proches sémantiquement, et parfois homonymes, dont les uns se comportent comme *mépriser* et les autres comme *dégoûter*. Je vais en donner un certain nombre d'exemples.

Il y a d'abord deux grandes séries de verbes transitifs directs, auxquelles appartiennent précisément *mépriser* d'une part et *dégoûter* de l'autre. Ce sont les cas les plus réguliers et les plus productifs, et c'est surtout les verbes de ces deux séries qui nous retiendront [7]. On a, d'une part :

(22) mépriser, aimer, adorer, admirer, détester, supporter, déplorer, redouter, regretter, estimer, apprécier,...

(23) dégoûter, amuser, intéresser, agacer, ennuyer, effrayer, gêner, terrifier, horrifier, humilier, surprendre, étonner, impressionner, préoccuper,...

Il y a ensuite des verbes qui prennent pour thème, principalement, une proposition, et qui se rencontrent dans des constructions superficielles dont certaines ont subi des transformations telles qu'EXTRA-POSITION, MONTÉE DU SUJET, et FORMATION D'OBJET (pour autant que cette dernière règle existe [8]). Ainsi, en face de :

(24) (a) Pierre croit que la fin du monde est proche
      (b) Pierre croit la fin du monde proche (issu de (a) par F.O.?)

(25) (a) Justine trouve que le ragoût est trop salé
      (b) Justine trouve le ragoût trop salé

on a :

(26) (a) il me semble que le coût de la vie a augmenté
      (b) le coût de la vie me semble avoir augmenté (issu de (a) par MONTÉE)

---

7. Gross (1969) a donné de longues listes de ces verbes, et répertorié leurs propriétés, respectivement aux tableaux 6 et 4.
8. Sur ces transformations, voir Rosenbaum (1967), Gross (1968), et ici-même, chapitre II.

(27) (a) il se trouve que cette information est fausse
     (b) cette information se trouve être fausse

Dans l'hypothèse thématique, le sujet *Pierre* dans (24) et l'objet indirect *me* (ou plutôt *moi* en structure profonde) se verraient attribuer la fonction de « lieu », les complétives objet ou sujet étant « thèmes ».

Dans l'hypothèse transformationnelle de Postal, (24) et (26) auraient des structures sous-jacentes voisines, soit (28) et (29) :

(28) Pierre — croit — [$_{NP}$ [$_S$ la fin du monde est proche]]

(29) moi — semble — [$_{NP}$ [$_S$ le coût de la vie a augmenté]]

Pour obtenir (24) (a), (28) ne subirait que des transformations qui ne nous intéressent pas ici. Quant à (24) (b), il serait obtenu à partir de (28) par la règle de FORMATION D'OBJET, qui convertit un sujet subordonné en objet du verbe principal, plus une règle d'effacement de *être* (voir Gross, 1968).

(29) serait soumis à l'une ou l'autre des deux dérivations suivantes. Ou bien il subirait PSYCH-MVT, la complétive objet, dominée par NP dans cette hypothèse, venant occuper la position sujet :

(30) [$_{NP}$ [$_S$ le coût de la vie a augmenté]] — semble — à moi

Ensuite, la règle d'EXTRAPOSITION s'appliquant obligatoirement, suivie de PLACEMENT D'ENCLITIQUE, donnerait (26) (a).

Ou bien (29) subirait d'abord FORMATION D'OBJET, donnant (31) :

(31) moi — semble — [$_{NP}$ le coût de la vie] — [$_{VP}$ avoir augmenté]

Ensuite, la règle de PSYCH-MVT s'appliquerait, permutant le sujet et le nouvel objet créé par l'application de la règle précédente. L'application ultérieure de PLACEMENT D'ENCLITIQUE donnerait (26) (b). Des dérivations analogues seraient données par les deux théories à (25) d'une part, (27) d'autre part.

On voit que l'analyse de Postal, outre le recours à PSYCH-MVT, implique une analyse des faits de « montée du sujet » différente de celle que j'ai proposée au chapitre II. La règle de MONTÉE ne forme pas directement des sujets, mais elle est réduite à celle de FORMATION D'OBJET. Je reviendrai plus loin sur certaines difficultés de cette formulation (cf. section 7).

A côté de ces deux types d'exemples, on trouve également des phrases comportant des adjectifs (dont certains homonymes) qui s'opposent entre eux de la même manière que *mépriser* et *dégoûter* ou que *croire* et *sembler*, cf., d'une part :

(32)   Jacques est $\begin{Bmatrix} \text{malheureux} \\ \text{content} \end{Bmatrix}$ de devoir partir

(33)   la sage-femme est heureuse que Madeleine ait accouché sans douleur

(34)   Alfred est $\begin{Bmatrix} \text{sûr} \\ \text{certain} \end{Bmatrix}$ que Mao dit la vérité

et, d'autre part :

(35)   il est $\begin{Bmatrix} \text{pénible} \\ \text{agréable} \end{Bmatrix}$ (pour Jacques) de devoir partir

(36)   il est heureux (pour la sage-femme) que Madeleine ait accouché sans douleur

(37)   il est $\begin{Bmatrix} \text{certain} \\ \text{clair} \\ \text{probable} \\ \text{évident} \\ \text{sûr} \end{Bmatrix}$ (pour nous) que le fascisme ne passera pas

Ici encore, la solution thématique attribuerait aux sujets, dans (32)-(34), et aux compléments en *pour*, dans (35)-(37), la fonction de « lieu [9] », et aux complétives celle de « thème », tandis que Postal dériverait transformationnellement (35)-(37), par PSYCH-MVT, de phrases dont la structure serait voisine de celle de (32)-(34).

Postal parle aussi, assez longuement, de ce qu'il appelle, d'une part, des « prédicats de perception », et, d'autre part, des « prédicats de sensation ». J'en parlerai moins, dans la mesure où, apparemment plus encore en français qu'en anglais, ces prédicats présentent des caractères très idiosyncratiques. Des exemples du premier type sont des verbes tels que *sentir*, *goûter*, *sonner*, etc., cf. par exemple :

(38)   (a)   Mélisande sentait cette rose
         (b)   cette rose sentait bon

---

9. Mais voir ci-dessous, en ce qui concerne le statut des syntagmes en *pour NP*.

(39) (a) le caporal a sonné (de) la trompette
     (b) cette trompette sonne faux

Comme exemples de « prédicats de sensation », on pourrait citer des expressions telles que :

(40) (a) j'ai mal à la tête
     (b) la tête me fait mal

Voici encore toute une série de couples de phrases; chaque fois, dans les exemples (a), et dans l'hypothèse thématique, c'est le « lieu » qui est en position sujet, et, dans les exemples (b), c'est le « thème ». Postal, quant à lui, dériverait les exemples (b) par PSYCH-MVT de structures sous-jacentes voisines des exemples (a) :

(41) (a) Jessie James possède un troupeau de mille taureaux
     (b) ce troupeau de mille taureaux appartient à Jessie James

(42) (a) j'ai manqué de temps pour terminer cet article
     (b) le temps m'a manqué pour terminer cet article [10]

(43) (a) Merckx a $\left\{ \begin{matrix} \text{profité} \\ \text{bénéficié} \end{matrix} \right\}$ de l'abandon d'Ocana

     (b) l'abandon d'Ocana a $\left\{ \begin{matrix} \text{profité} \\ \text{bénéficié} \end{matrix} \right\}$ à Merckx

(44) (a) Pierre répugne aux travaux pénibles
     (b) les travaux pénibles répugnent à Pierre

(45) (a) Stravinsky s'est souvent inspiré des musiques du passé
     (b) les musiques du passé ont souvent inspiré Stravinsky

Enfin, sans parler des variations de langue à langue (comparer l'anglais *I miss you* au français *vous me manquez*), il existe certaines

---

10. Il y a aussi beaucoup de différences dans les restrictions de sélection (cf. la note 1, ainsi que (85)-(87) ci-dessous). Que l'on compare, à (42), les deux phrases suivantes :

(I) * j'ai manqué de Marie
(II) Marie m'a manqué

Quant aux différences sémantiques entre ces constructions apparentées, voir la section 5.

variations diachroniques ou dialectales : un prédicat qui, dans un certain dialecte ou à une certaine époque de la langue, a pour sujet un « lieu » et pour objet un « thème », verra le rapport inversé dans un autre dialecte ou à une autre époque. Ainsi, au XVIIIe siècle, (46) (b), aujourd'hui archaïque, et (46) (a) étaient également courants :

> (46) (a) je me souviens du temps des cerises
>   (b) il me souvient du temps des cerises

Dans (46) (a), le sujet, *je*, est « lieu », et l'objet indirect, *du temps des cerises*, est « thème »; dans (46) (b), le « lieu » est en position d'objet indirect (*me*), et *du temps des cerises* pourrait passer pour une sorte de « sujet logique ».

Un autre exemple de variation est présenté par le français de Belgique qui, en face de la construction standard (47) (b), présente la construction (47) (a) :

> (47) (a) Pierre a $\left\{ \begin{array}{c} \text{facile} \\ \text{difficile} \end{array} \right\}$ de travailler
>
>   (b) il est $\left\{ \begin{array}{c} \text{facile} \\ \text{difficile} \end{array} \right\}$ à Pierre de travailler

Ici, alors que, dans la langue standard, le « lieu » est en position d'objet indirect (le « thème » sujet étant placé en position postverbale par EXTRAPOSITION), dans le français de Belgique, le « lieu » est en position sujet; il y a en plus, évidemment, un changement de verbe, *avoir* au lieu de *être* (cette construction est à rapprocher de la construction standard *Pierre a de la difficulté à travailler*). Ces oscillations semblent indiquer que la distinction des deux constructions a un caractère relativement superficiel.

Avec Postal, il importe de noter que la régularité du contraste entre les deux types de constructions est souvent masquée par des différences syntaxiques. Ainsi, alors que *mépriser* et *dégoûter* sont l'un et l'autre des verbes transitifs directs et ne diffèrent que par la répartition contrastée des thèmes et des lieux, certains des verbes de nos exemples ont des objets prépositionnels (cf. (26), (35)-(37), (41)-(44)), et les prépositions varient selon les verbes. Parfois, l'un des deux verbes homonymes est pronominal et l'autre ne l'est pas (cf. (25)-(27), (45)). Il arrive aussi que des verbes qui exigent un thème en position sujet n'ont pas en surface, ou pas nécessairement, un complément exprimant le lieu (cf. (27), (37), (38)-(39)).

Les deux solutions, transformationnelle et thématique, vont aussi diverger dans la manière dont elles traitent ces différences. Pour Postal, il s'agit de différences de structure superficielle : l'absence ou la présence de telle ou telle préposition, le caractère pronominal ou non d'un verbe, la présence ou l'absence d'un PP « lieu » exprimé, résultent de l'application de certaines transformations, dépendantes, tout comme PSYCH-MVT, de « traits de règles » dont sont pourvues les rubriques lexicales des verbes. Les structures sous-jacentes, par exemple, de (34) et (37), ou de (45) (a) et (b), ne présenteraient pas ces différences superficielles. Ainsi, dans les cas où un complément de « lieu » manque en surface, il y aurait toujours un sujet en structure sous-jacente et, après application de PSYCH-MVT, il serait effacé. Ou encore, une préposition, absente à un certain stade de la dérivation, serait « épelée » après l'application de PSYCH-MVT.

Dans l'hypothèse thématique, au contraire, toutes ces différences pourraient se retrouver en structure profonde, et elles seraient traitées en termes de traits de sous-catégorisation stricte (voir Chomsky, 1965, chap. II) sur les verbes. Ainsi, le verbe *trouver*, tantôt pronominal et tantôt non-pronominal, serait traité de la manière dont ont été traités au chapitre III les verbes qui sont tantôt neutres et tantôt transitifs. Ou encore, un verbe comme *manquer* (cf. (42)) aurait les deux rubriques suivantes :

(48) *manquer* : (I) [+ V], [+ —— *de* NP],
       [+ [+ humain] ——], [+ [+ lieu] ——], ...
    (II) [+ V], [+ —— *à* NP],
       [+ —— [+ humain]], [+ —— [+ lieu]], ...

Quant à l'absence d'un PP de « lieu », elle serait traitée, soit par une règle d'effacement comme chez Postal, soit par un trait de sous-catégorisation stricte de type (+ —— (PP)).

Je ne m'attarderai pas ici sur le rôle que ces différences syntaxiques pourraient jouer dans une comparaison des mérites des deux théories. La puissance des mécanismes qui recourent aux « traits de règles » est telle qu'elle permettrait certainement à la solution transformationnelle d'être observationnellement adéquate. Je signalerai toutefois quelques difficultés que certaines de ces différences posent au traitement transformationnel à la manière de Postal.

Il y a d'abord la question des compléments de « lieu » absents en surface. Pour l'hypothèse thématique, c'est quelque chose de tout naturel : on connaît beaucoup d'autres exemples où des compléments prépositionnels sont facultatifs (cf. *j'ai dit (à Pierre) que S*, etc.).

Mais, si l'on admet que ces éléments sont des sujets en structure profonde, obligatoirement présents, il n'est pas sûr qu'on puisse toujours justifier la reconstruction de ces sujets sous-jacents. Les arguments syntaxiques manquent. Quant à l'argument sémantique que des phrases telles que *il est évident que S*, etc., impliquent une référence à un être (humain et indéfini) pour qui *que S est évident*, il ne va pas sans difficultés. Considérons le paradigme suivant :

(49) (a) il m'est agréable de partir
    (b) pour moi, il est agréable de partir

(50) (a) * il m'est évident (sûr, probable, certain) que Pierre est fou
    (b) pour moi, il est évident (sûr, probable, certain) que Pierre est fou

On voit que, alors que *agréable* admet deux types de compléments prépositionnels, en *à NP* et en *pour NP*, *évident*, *sûr*, etc., n'admettent que des compléments en *pour NP*. S'il n'y avait pas d'autres différences, ce ne serait pas un problème pour la solution transformationnelle, qui marquerait simplement *agréable* et *évident* de traits de règles partiellement différents. Le problème tient au fait qu'il y a une différence de sens entre (49) (a) et (49) (b) : dans (49) (a), *je* est le sujet sous-entendu de *partir*, tandis que (49) (b) n'est pas nécessairement compris de cette manière; (49) (b) signifie à peu près « à mon avis, il est agréable de partir », et le sujet de *partir* est laissé indéterminé. Or, dans (50), on a plutôt une interprétation voisine de celle de (49) (b). Si on considère que *me*, dans (49) (a), est « lieu » du processus psychologique, et donc sujet profond selon Postal, l'absence de (50) (a) et cette différence de sens tendent à exclure que *pour moi* dans (50) (b) puisse être interprété de la même manière. Les compléments en *pour moi* de ce type auraient, contrairement à ce que nous avons d'abord dit, une autre fonction que celle de « lieu » psychologique et ne pourraient pas être considérés comme sujets profonds de *agréable*, *évident*, etc. On serait alors dans l'obligation de reconstituer un autre sujet profond (« lieu »), ce qui vu l'impossibilité de (50) (a), serait syntaxiquement très arbitraire. Notons que, dans le cas d'*agréable*, les deux compléments en *à NP* et en *pour NP* peuvent coexister dans la même phrase, cf. :

(51) pour moi, il est agréable à Pierre de partir

On a des problèmes semblables avec les phrases de (27). Outre que *se trouver* doit vraisemblablement de toute façon être traité comme un neutre (voir chap. III), il n'admet pas d'objet indirect (cf. (52)), et (27) (a) n'est certainement pas synonyme de (53) :

(52)   * il se trouve à Pierre que le coût de la vie a augmenté

(53) $\left\{ \begin{array}{l} \text{on} \\ \text{quelqu'un} \end{array} \right\}$ trouve que le coût de la vie a augmenté

La reconstitution d'un sujet sous-jacent, indéfini et différent de *on* ou de *quelqu'un*, est donc assez problématique. Ces difficultés ne sont peut-être pas insurmontables pour la théorie transformationnelle, mais il faut dire qu'elles ne se posent pas pour la théorie thématique : les différences de comportement syntaxique entre *agréable* et *évident*, entre *sembler* et *se trouver*, seront traitées en termes de traits de sous-catégorisation stricte, et, quant aux différences de sens signalées, on peut espérer les rattacher de manière systématique, précisément, à ces différences de forme (présence ou absence de certains compléments, choix de prépositions différentes, positions différentes dans la structure sous-jacente des compléments en *à NP* et de ceux en *pour NP*).

Un problème différent est posé à l'analyse de Postal par les phrases (26) (a) et (46) (b), que je reproduis ici :

(26) (a)   il me semble que le coût de la vie a augmenté

(46) (b)   il me souvient du temps des cerises

Nous avons vu que Postal dérive (26) (a) de (29) :

(29)   moi — semble — [$_{NP}$ [$_S$ le coût de la vie a augmenté]]

par PSYCH-MVT et EXTRAPOSITION obligatoire. Par analogie, on pourrait dériver (46) (b) de (54) par PSYCH-MVT, donnant le stade intermédiaire (55), et EXTRAPOSITION :

(54)   moi — souviens — le temps des cerises

(55)   le temps des cerises — souvient — (à) moi

(PLACEMENT D'ENCLITIQUE donnant la forme correcte de l'objet indirect).

Le problème est que, dans le cas des phrases dérivées par EXTRAPOSITION (voir Gross, 1968), il est normalement impossible d'avoir des phrases comportant des pronoms enclitiques correspondant aux compléments extraposés, cf. :

(56) (a) travailler est facile à Pierre (→ EXTRAPOSITION →)
 (b) il est facile à Pierre de travailler (→ PLACEMENT D'EN-CLITIQUE)
 (c) * il en est facile à Pierre

(57) (a) que Pierre parte est probable (→ EXTRAPOSITION →)
 (b) il est probable que Pierre partira (→ PLACEMENT D'EN-CLITIQUE →)
 (c) * il l'est (probable que Pierre partira)

De plus, comme l'indiquent ces exemples, EXTRAPOSITION est normalement facultative. Or, non seulement l'analyse de Postal doit dire que, pour *sembler* et *souvenir*, EXTRAPOSITION est obligatoire [11], mais, de plus, la complétive *que S* dans (26) (a), et le *de NP* dans (46) (b), sont des sources possibles de pronoms enclitiques, cf. :

(58) il me le semble

(59) il m'en souvient

Ces faits sont expliqués naturellement si on admet que les structures profondes de (26) (a) et de (46) (b) sont, respectivement :

(60) Δ — semble — [NP [S le coût de la vie a augmenté]] — à moi

(61) Δ — souvient [PP de [NP le temps des cerises]] — à moi

(où le sujet impersonnel *il* sera introduit par une règle d'insertion tardive). Ces phrases n'auraient donc pas de sujet lexical en structure profonde, et l'objet indirect serait marqué comme « lieu », la complétive ou le *de NP* comme « thème ».

Si l'on veut garder l'analyse transformationnelle de Postal, il n'est pas impossible de rendre compte de ces faits, mais il serait alors nécessaire de modifier la règle de PSYCH-MVT. On partirait des structures sous-jacentes suivantes :

---

11. De plus, on devrait dire que, dans le cas de *souvenir*, l'EXTRAPOSITION d'un NP peut s'appliquer à un NP défini, ce qui n'est normalement pas le cas, cf. *il est venu un garçon* vs * *il est venu ce garçon*.

(62) moi — semble — [$_{NP}$ [$_s$ le coût de la vie a augmenté]]

(63) moi — souvenir — [$_{PP}$ de [$_{NP}$ le temps des cerises]]

Ensuite, la règle de PSYCH-MVT serait décomposée en deux étapes, (I) une postposition du sujet, et (II) une antéposition de l'objet en position sujet. Seule la première de ces règles s'appliquerait dans le cas de *sembler* et de *souvenir*. Je n'envisagerai cependant pas ici les conséquences que pourrait avoir, en général, cette décomposition de PSYCH-MVT en deux étapes, qui rappelle la décomposition du PASSIF proposée par Chomsky (1970).

4. Les verbes de la série (23) présentent un certain nombre de particularités syntaxiques et sémantiques qu'il importe d'avoir présentes à l'esprit. Elles ont été décrites en partie par Gross (1968, 1969). Tout d'abord, quand le sujet de ces verbes est humain, la phrase est, en général, ambiguë. Ainsi, la phrase suivante :

(64) Jean amuse Pierre

« est interprétée (I) ou bien avec sujet « actif » : Jean accomplit une activité *volontaire* qui cause la joie de Pierre; (II) ou bien avec sujet « non-actif » : il se trouve que *Jean* se conduit d'une manière telle (*involontaire*) qu'il amuse Pierre » (Gross, 1968, 70). Dans cette seconde interprétation, (64) est à rapprocher de (65) :

(65) le comportement de Jean amuse Pierre

Cette seconde interprétation est la seule possible quand le sujet est non-humain. Pour garder la terminologie des fonctions thématiques, je dirai que, dans le cas de (II), le sujet est simplement « thème » du processus exprimé par la phrase, tandis que, dans le cas de (I), il est de plus « agent » de ce processus. L'interprétation agentive du sujet apparaît clairement dans des phrases telles que :

(66) Jean a délibérément amusé Pierre

(67) Jean a de lui-même amusé Pierre

(68) Paul a forcé Jean à amuser Pierre

Les deux interprétations ne sont pas toujours possibles, cependant. Outre que, dans certaines conditions syntactico-sémantiques générales, l'interprétation agentive du sujet est exclue (cf. (71), (72), (77) ci-dessous, ou les constructions du type de (93), même si le sujet est humain), il existe certains verbes de la classe (23) pour lesquels l'interprétation agentive semble très artificielle ou même exclue : c'est le cas de *préoccuper*, ou encore de *frapper* ou *toucher* (dans leur sens psychologique, voir ci-dessous, section 8), cf. :

(69)   * Jean a délibérément $\left\{ \begin{array}{l} \text{frappé} \\ \text{touché} \end{array} \right\}$ (l'esprit de) Pierre

Sur le plan syntaxique, les verbes de (23) figurent en structure superficielle dans une variété de cadres syntaxiques autres que celui de (2) ou de (64). Outre le cas des phrases passives (cf. (70)), on a d'abord (cf. Gross, 1969, 38-39) des phrases comportant des adverbiaux pseudo-instrumentaux, cf. (71)-(75) :

(70)   Pierre a été $\left\{ \begin{array}{l} \text{amusé} \\ \text{impressionné} \end{array} \right\}$ par Jean

(71)   Pierre impressionne Paul par son intelligence

(72)   Pierre ennuie Paul à toujours parler de ses soucis

(73)   * par sa fatuité, Pierre ennuie Paul à toujours parler de ses soucis

(74)   * Paul a été impressionné par Paul par son intelligence

(75)   * Pierre est ennuyé par Paul à toujours parler de ses soucis

Comme on le voit, ces pseudo-instrumentaux sont incompatibles entre eux, ainsi qu'avec le passif. D'autre part, ils sont soumis à des contraintes de coréférence avec le sujet, cf. :

(76)   * Pierre impressionne Paul par l'intelligence de Marie

Notons que, dans (71)-(72), le sujet ne peut pas avoir une interprétation agentive, cf. :

(77)   * Pierre a délibérément ennuyé Paul $\left\{ \begin{array}{l} \text{par sa fatuité} \\ \text{à parler de ses soucis} \end{array} \right\}$

Ceci distingue ces constructions à pseudo-instrumentaux d'autres constructions, superficiellement identiques, telles que :

> (78)   Jules nous a (délibérément) amusés par un discours très enlevé

Le complément en *par NP* de (78) semble plus proche d'un vrai instrumental : l'interprétation agentive est possible, et ces compléments peuvent être, à la différence de ceux de (71)-(72), questionnés en *comment*, cf. :

> (79)   { Comment Jules   —— * Par son intelligence
>   vous a-t-il amusés?   —— Par un discours très enlevé

Enfin, comme on peut le voir, le complément en *par NP* de (78) admet des déterminants dans le NP que n'admettent pas ceux du type de (71).

Par ailleurs, à la plupart de ces verbes correspondent des formes adjectivales, pour la plupart de forme V-*ant*, qui entrent dans des constructions comme celles de (81) :

> (80)   { le froid   } { gêne   } Marie
>   ce que raconte Paul   ennuie

> (81)   { le froid   } est { gênant   } pour Marie
>   ce que raconte Paul   ennuyeux

Ce genre de constructions, qui ont été étudiées par Lelia Picabia (1970), appellerait divers commentaires. Signalons au moins que si, dans (81), *Marie* peut avoir la même relation sémantique (celle de « lieu ») avec l'adjectif verbal que celle que l'objet direct a avec le verbe dans (80), ce n'est généralement pas le cas, surtout si le sujet est humain. Ainsi, (82) me paraît très peu naturel, et, dans (83), le *pour NP* n'est pas l'équivalent d'un objet direct; il a plutôt une interprétation du genre de celle discutée ci-dessus à propos de (49)-(50) :

> (82)   ? Jean est amusant pour Paul (dit avec intonation de phrase normale)

> (83)   pour Paul, Jean est amusant

On peut approximativement paraphraser (83) par « de l'avis de Paul, Jean a la propriété d'être amusant » (où le « lieu » est tout à fait indéterminé). Il faudra donc diviser les verbes de la classe (23) selon que, dans les constructions du type de (81), ils admettent ou non un « lieu » de forme *pour NP*. Notons que les verbes qui admettent ce complément, comme *gêner*, peuvent figurer avec deux compléments en *pour NP* :

$$(84) \quad \text{pour Paul,} \left\{ \begin{array}{l} \text{Jean} \\ \text{le froid} \end{array} \right\} \text{est gênant pour Marie}$$

Enfin, la plupart de ces verbes entrent également dans deux constructions qui sont illustrées, respectivement, par (86) et (87) :

$$(85) \quad \left\{ \begin{array}{l} \text{Paul} \\ \text{cette table} \\ \text{le bruit qu'on fait sur cette histoire} \\ \text{que Jules soit sorti} \end{array} \right\} \text{étonne Marie}$$

$$(86) \quad \text{Marie s'étonne} \left\{ \begin{array}{l} \text{* de Paul} \\ \text{* de cette table} \\ \text{du bruit qu'on fait sur cette histoire} \\ \text{(de ce) que Jules soit sorti} \end{array} \right\}$$

$$(87) \quad \text{Marie est étonnée} \left\{ \begin{array}{l} \text{* de Paul} \\ \text{* de cette table} \\ \text{du bruit qu'on fait sur cette histoire} \\ \text{(de ce) que Jules soit sorti} \end{array} \right\}$$

Un des traits frappants de ces constructions — l'une pronominale, l'autre avec adjectif verbal « passif » — est qu'elles n'ont pas, en général, les mêmes restrictions de sélection que les constructions transitives simples correspondantes : les NP humains, ainsi que les NP non-humains concrets sont, en général, exclus de la position de complément en (86) et (87) [12]. A vrai dire, il y a ici beaucoup de variations d'un verbe à l'autre, et certains verbes, tels que *dégoûter* précisément, ne sont pas sujets à ces restrictions de sélection; que l'on compare (88) à (86)-(87) :

$$(88) \quad \text{Marie} \left\{ \begin{array}{l} \text{est dégoûtée} \\ \text{se dégoûte} \end{array} \right\} \left\{ \begin{array}{l} \text{de Pierre} \\ \text{de la bière} \\ \text{de ce que raconte Jules} \end{array} \right\}$$

---

12. Voir aussi la note 10.

D'autre part, tous ces verbes ne figurent pas indifféremment dans ces diverses constructions. Certains, par exemple, sont exclus de la construction pronominale illustrée par (86) [13], cf. :

(89)   Marie $\left\{ \begin{array}{l} \text{* se gêne} \\ \text{est gênée} \end{array} \right\}$ de ce que raconte Paul

(90)   Marie $\left\{ \begin{array}{l} \text{* se tente} \\ \text{est tentée} \end{array} \right\}$ d'acheter cette robe

D'autres n'admettent pas non plus la construction avec adjectif verbal « passif » et complément en *de*, cf. :

(91)   Marie $\left\{ \begin{array}{l} \left\{ \begin{array}{l} \text{* s'impressionne} \\ \text{* est impressionnée} \end{array} \right\} \text{de cette histoire} \\ \text{est impressionnée par cette histoire} \end{array} \right\}$

Représentons les diverses constructions qu'on vient de passer en revue par les cadres syntaxiques suivants :

(92) $NP_1 \ V \ NP_2$
                    (construction transitive simple)

(93) $NP_1 \ être \ [_A \ V\text{-}ant] \ (pour \ NP_2)$
                    (construction à adjectif verbal « actif »)

(94) $NP_2 \ être \ V\text{-}é \ par \ NP_1$
                    (construction passive)

(95) $NP_2 \ être \ [_A \ V\text{-}é] \ de \ NP_1$
                    (construction à adjectif verbal « passif »)

(96) $NP_2 \ se \ V \ de \ NP_1$
                    (construction pronominale)

Les rapports entre ces diverses constructions posent toutes sortes de problèmes, que je ne peux pas envisager de résoudre ici. Ce qui est frappant, c'est que les phrases illustrant ces constructions forment

---

13. Il faut bien distinguer ces constructions pronominales, qui sont, dans la terminologie du chapitre III, des « neutres », des cas de vrais réfléchis, qu'on trouve par exemple dans (I) (cf. (II)) :

(I)   Pierre s'est persuadé que la fin du monde était proche

(II)   Paul a persuadé Pierre que la fin du monde était proche

deux groupes, qui s'opposent entre eux de la même manière que s'opposaient les exemples (1) et (2) dont nous sommes partis. Dans les cas de (92) et de (93), on a (dans la terminologie thématique) un « thème » (NP$_1$) en position sujet, et un « lieu » en position post-verbale. Dans les cas de (94)-(96), on a un « lieu » (NP$_2$) en position sujet, et un « thème » en position post-verbale. Il importe donc de tenir compte de ces diverses constructions, et pas seulement de celles de (92), si on veut donner un traitement adéquat du problème qui nous intéresse.

A priori, encore une fois, on peut envisager toutes sortes de façons de traiter les régularités qui relient ces diverses constructions. On pourrait tout traiter en termes transformationnels ou, inversement, en termes de règles de redondance; il peut y avoir aussi des solutions intermédiaires, reliant entre elles certaines des constructions de (92)-(96) par des transformations, et d'autres par des règles de redondance. Maurice Gross semble suggérer de dériver toutes les constructions (93)-(96) d'une structure profonde de forme (92), et notamment il considérerait (94) et (95) comme des variétés du passif; il considère également ment (96) comme une sorte de passif, « où la particule réflexive correspond à l'auxiliaire *être* du passif habituel » (Gross, 1969, 38).

En anglais, les faits sont quelque peu différents : il n'existe pas de construction correspondant à la construction pronominale (96), mais des phrases telles que (97), (98) et (99) sont des exemples de constructions qui correspondent approximativement à (93), (94) et (95), respectivement :

(97)   Bill's stories are amusing to me

(98)   I was amused by Bill's stories

(99)   I am amused at Bill's stories

Postal, comme on l'a déjà vu en partie, dériverait par PSYCH-MVT (92), et aussi (93), de structures sous-jacentes où l'ordre des éléments est fondamentalement celui de (95)-(96). Il fait d'autre part une nette distinction entre les phrases passives du type de (98), qu'il dérive des structures actives selon la solution classique, et les formes du type de (99), qui pour lui sont basiques. Il semble bien que, pour l'anglais, tout le monde soit effectivement d'accord pour considérer ces phrases de type (99) comme basiques (cf. Chapin, 1967, Lakoff, 1970 c, et aussi Chomsky, 1970), et la seule question est donc celle du statut dérivé ou non des phrases actives avec « thème » en position sujet.

Je ne m'attarderai pas sur les rapports entre (92) et (93). A mon avis, il n'y a aucune raison de dériver (93) de (92) par transformation, et, si (92) est basique, (93) l'est également. Mais ce point est secondaire du point de vue qui nous intéresse. Je suis d'accord avec Postal pour penser que (92) et (93) présentent, en structure profonde, le même ordre, relativement au verbe, de NP$_1$ et NP$_2$. La question pendante est de savoir si, *de ce point de vue*, la structure profonde de (92)-(93) est différente de leur structure superficielle.

En ce qui concerne (96), je pense que les constructions de ce type appartiennent à la classe des constructions neutres, étudiées au chapitre III. On pourrait facilement vérifier que les arguments utilisés au chapitre III pour démontrer le caractère basique des neutres pronominaux s'appliquent également aux constructions du type (96) : on y retrouve le caractère capricieux de la relation entre phrases transitives et phrases pronominales (cf. (89)-(91)), les différences sémantiques entre les deux constructions (cf. ci-dessous, section 5), la possibilité d'insertion des constructions pronominales neutres sous des verbes tels que *daigner* ou *forcer*, etc. (cf. (100)-(101)).

(100)   Pierre a daigné s'étonner de l'absence de Paul

(101)   l'absence de Paul a forcé Pierre à s'amuser tout seul

Certains faits, qui m'ont été signalés par Maurice Gross, suggèrent un autre argument en faveur de l'introduction des pronominaux du type (96) en structure profonde. Les constructions du type de (96) admettent, du moins pour certains verbes, des compléments que n'admettent pas celles du type de (92); ainsi, on a (102), mais non (103):

(102)   Pierre s'est $\left\{ \begin{array}{l} \text{inquiété} \\ \text{étonné} \end{array} \right\}$ auprès de Jean de l'absence de Paul

(103)   * l'absence de Paul a $\left\{ \begin{array}{l} \text{inquiété} \\ \text{étonné} \end{array} \right\}$ Pierre auprès de Jean

L'agrammaticalité de (103) rend très difficile une dérivation de (102) à partir d'une construction de la forme (92). En revanche, si les deux types de construction, (92) et (96), sont également basiques, la possibilité ou l'impossibilité d'avoir des compléments en *auprès de NP* sera traitée naturellement au moyen de traits de sous-catégorisation. Quant aux relations sémantiques qui relient le complément en *auprès de NP* au verbe et au sujet, et qu'on retrouve dans des phrases à verbes non-pronominaux, cf. :

    (104)   Pierre a signalé l'absence de Paul auprès des autorités compétentes

    (105) Pierre a fait des démarches pressantes auprès des autorités

elle sera traitée au moyen de règles d'interprétation des relations grammaticales de base.

Mon analyse de (96) serait donc voisine de celle que proposent Postal et Chomsky (1970) des phrases anglaises du type de (99) : les unes et les autres seraient basiques.

Le problème le plus délicat est celui que posent les rapports entre les constructions (94) et (95), ainsi que leurs rapports respectifs avec les constructions actives (92). Il est clair que, au moins pour certains verbes (d'une autre classe que la classe (23), *présenter* par exemple), des phrases de forme (94) doivent être dérivées transformationnellement, par PASSIF, des structures sous-jacentes aux constructions actives; R. S. Kayne a argumenté en ce sens de manière convaincante (voir Kayne, 1969, à paraître). Par ailleurs, comme l'a souligné François Dell (1970), il existe beaucoup de constructions, de forme (95) qu'il n'y a aucune raison positive de dériver transformationnellement au moyen de PASSIF, par exemple (106) en face de (107) :

    (106)   Pierre est (intimement) persuadé $\left\{ \begin{array}{l} \text{de son bon droit} \\ \text{que Paul ment} \end{array} \right\}$

    (107)   Pierre a été (?? intimement) persuadé par Marie $\left\{ \begin{array}{l} \text{de son bon droit} \\ \text{que Paul mentait} \end{array} \right\}$

Les séquences V-*é* sont ici de véritables adjectifs, et ces constructions sont vraisemblablement basiques.

Mais si on prend les verbes un à un, il semble plus difficile qu'en anglais (comparer (98) à (99)) de déterminer si l'on a affaire à un vrai passif ou à une construction à adjectif verbal basique. A cet égard, le tableau des formes (92)-(96) présente une simplification trompeuse, en ce sens qu'il existe certains verbes (cf. (91)) qui admettent un complément en *par NP* tout en paraissant plus proches des constructions de type (95) que des vrais passifs. Les tests qui recourent aux cooccurrences avec des adverbes tels que *très* (vs. *beaucoup*) et *si* (vs. *tant*) ne donnent pas des résultats clairs [14].

Je n'essaierai pas ici de résoudre ces difficultés. Je retiendrai seulement que, comme en anglais, il semble exister, au moins pour les cas clairs, deux types de constructions. Dans certains cas (certains « passifs » en *par*), il est clair qu'on a une dérivation transformationnelle à partir des formes actives. Dans d'autres cas, qui comprennent peut-être aussi bien des constructions en *NP être V-é par NP* que des constructions en *NP être V-é de NP*, il semble que ces constructions doivent être engendrées dans la base, le *V-é* ayant le statut d'un véritable adjectif. Quoi qu'il en soit, si on laisse de côté les vrais passifs, nous avons deux types de constructions, (92)-(93) d'une part, (95)-(96) d'autre part. C'est le statut du rapport entre ces deux groupes qui nous intéresse, et plus spécialement la question de savoir si les constructions de type (92)-(93) doivent être dérivées de structures sous-jacentes apparentées à (95)-(96) au moyen de la transformation de PSYCH-MVT.

---

14. On sait que *très* et *si... que S* peuvent accompagner les adjectifs, alors que *beaucoup* et *tant... que S* modifient les verbes, cf. :

    (I)   Pierre est $\left\{ \begin{array}{l} \text{très} \\ \text{* beaucoup} \end{array} \right\}$ intelligent

    (II) Pierre est $\left\{ \begin{array}{l} \text{si} \\ \text{* tant} \end{array} \right\}$ intelligent que tout le monde l'admire

    (III) Pierre travaille $\left\{ \begin{array}{l} \text{* très} \\ \text{beaucoup} \end{array} \right\}$

    (IV) Pierre travaille $\left\{ \begin{array}{l} \text{* si} \\ \text{tant} \end{array} \right\}$ qu'il va ruiner sa santé

Si on applique ce test à *persuader* (cf. (106)-(107)), on constate une différence assez nette, cf. :

    (V)   Pierre est $\left\{ \begin{array}{l} \text{très persuadé de son bon droit} \\ \text{si persuadé de son bon droit qu'il va faire un procès} \end{array} \right\}$

    (VI) ?* Pierre a été $\left\{ \begin{array}{l} \text{très persuadé de son bon droit par Marie} \\ \text{si persuadé de son bon droit par Marie que...} \end{array} \right\}$

D'autre part, *impressionner* (cf. (91)) admet très bien *très* ou *si... que S*, cf. :

    (VII) Pierre est $\left\{ \begin{array}{l} \text{très impressionné par Paul} \\ \text{si impressionné par Paul que...} \end{array} \right\}$

Mais, dans beaucoup d'autres cas, les faits ne sont pas aussi tranchés. Cette question demanderait à être étudiée de plus près. On trouvera une bonne étude traditionnelle des différences entre les « passifs » en *de* et les « passifs » en *par* dans Clédat (1900).

5. Avant d'aborder la critique des arguments de Postal, il importe encore de signaler une confusion à éviter. En disant que les diverses phrases de (80)-(81), (85)-(87), ou encore les couples de phrases de (41)-(45), etc., sont apparentés, et que cette parenté doit être décrite systématiquement dans la grammaire, nous n'impliquons en aucune façon que ces phrases apparentées sont dans un rapport de synonymie. Il est clair que ce n'est en général pas le cas, même s'il existe entre ces phrases un rapport sémantique systématique que nous avons schématisé en termes de fonctions thématiques (« lieu » et « thème »).

Sur certains points, les différences sont évidentes : il y a des différences d'aspect, le thème en position sujet peut être un agent alors que le thème en position objet ne peut jamais l'être, les constructions de (95) sont statives alors que celles de (92) sont non-statives (cf. Lakoff, 1966), etc. Un exemple très clair d'un autre genre, où la différence est d'ordre lexical, apparaît si on compare (33) et (36) ci-dessus; je les reprends :

(33) la sage-femme est heureuse que Madeleine ait accouché sans douleur

(36) il est heureux pour la sage-femme que Madeleine ait accouché sans douleur

(36) serait plutôt à rapprocher, du point de vue du sens, de (108) :

(108) la sage-femme a de la chance que Madeleine ait accouché sans douleur

En fait, si on ajoute «... et pourtant, la sage-femme n'en est pas heureuse » à (33) ou à (36), on obtient une phrase contradictoire dans le premier cas, mais non dans le second.

D'autres différences sémantiques sont plus subtiles, comme celles qui différencient certaines des constructions de (92)-(96). Ainsi, (85) et (87) se distinguent de (86). A la différence de (85) et de (87), (86) implique en effet que Marie manifeste (par des paroles normalement) son étonnement, ce qui apparaît bien si on considère les phrases suivantes :

(109) (a) que Jules soit sorti étonne Marie — mais elle
      (b) Marie est étonnée que Jules soit sorti, n'en laisse
      (c) ?? Marie s'étonne que Jules soit sorti rien paraître

Les phrases (a) et (b) sont parfaitement naturelles, mais (109) (c) est bizarre, et semble même contradictoire.

Un cas similaire est présenté par les phrases suivantes :

(110) (a) la conduite de Mélisande est gênante pour Golaud
      (b) Golaud est gêné de la conduite de Mélisande

(111) (a) le fait qu'il va devoir payer tellement d'impôts est ennuyeux pour Oscar
      (b) Oscar est ennuyé $\left\{ \begin{array}{l} \text{du fait} \\ \text{de ce} \end{array} \right\}$ qu'il va devoir payer tellement d'impôts [15]

Dans les exemples (b), Golaud et Oscar sont nécessairement conscients de la gêne ou de l'ennui que représente pour eux la situation exprimée par le complément. Il n'en va pas nécessairement de même dans les exemples (a), qui peuvent être simplement énoncés par un observateur extérieur qui, appréciant objectivement une certaine situation, estime qu'elle est gênante ou ennuyeuse pour un certain individu, même si cet individu ne s'en rend pas compte lui-même. C'est ainsi que (111) (a) pourrait être émis par le banquier d'Oscar, qui est au courant du montant des impôts de celui-ci, ainsi que de sa situation financière — alors qu'Oscar est en voyage et ne se doute de rien. Ce genre d'interprétation est impossible pour (111) (b). De même, on pourrait ajouter assez naturellement « mais, le pauvre, il ne se doute de rien » à (110) (a); cette addition serait impossible dans le cas de (110) (b) [16].

J'insiste sur ces différences sémantiques pour la raison suivante. Postal a lui aussi, bien entendu, remarqué que les constructions apparentées en question, par exemple celles de (97)-(99), ne sont en général pas synonymes. Il insiste là-dessus de la manière la plus explicite (cf. Postal, 1971, 40, 42). Comme pour lui toutes les différences sémantiques doivent être reflétées dans la structure syntaxique sous-jacente des phrases, cela signifie que, par exemple, (97) et (99) n'ont pas la même structure sous-jacente.

Mais, d'un autre côté, l'analyse que Postal propose, qui fait intervenir psych-mvt dans la dérivation de (97), a pour résultat de

---

15. (111) (b) a une autre lecture, dans laquelle *du fait que...* a un sens causal. Cette lecture ne nous concerne pas ici.

16. Notons encore la différence entre (i) *les femmes dégoûtent Pierre* et (ii) *Pierre est dégoûté des femmes* : (ii) suggère que Pierre n'a pas toujours été dégoûté des femmes, tandis que (i) ne suggère rien de semblable.

rapprocher, sinon d'identifier, les structures sous-jacentes de (97) et de (99), qui ressemblent alors toutes deux à quelque chose comme (112) :

(112)   [NP I] [v amuse] [NP Bill's stories]

Postal dit explicitement que (112) n'est pas *la* structure sous-jacente de (97) et (99); cette structure représente seulement, selon lui, ce qu'il y a de commun à (97) et (99). Mais, par ailleurs, il laisse complètement dans l'ombre la question de savoir comment doivent être représentées les différences de sens entre (97) et (99).

Je ne prétends pas encore, pour le moment, qu'il n'est pas possible, dans le cadre de la sémantique générative, de représenter ces différences d'une manière qui soit compatible avec l'idée que (97) et (99) partagent, comme partie essentielle de leur structure sous-jacente, la structure représentée en (112). Je voudrais seulement faire une observation qui me paraît importante au point de vue méthodologique. En (97) et (99) — ou en (40) et (41), (110) et (111), etc. — nous avons affaire à des phrases qui présentent, d'une part, des différences syntaxiques, et, d'autre part, des différences sémantiques. La solution de Postal, visant à rendre compte de certaines ressemblances, revient à laisser de côté en un premier temps les différences syntaxiques, sans spécifier comment on en rendra compte (sinon par un recours à des « traits de règles » qui n'est pas spécifié dans le détail), et à reporter à plus tard la question de savoir comment on traitera les différences sémantiques. Mais cette démarche tend à ignorer une question qui doit être posée : y a-t-il une corrélation entre ces différences syntaxiques et ces différences sémantiques, et si oui, comment doit-elle être traitée?

6.1. Passons à l'examen des arguments de Postal en faveur de PSYCH-MVT. Nous avons déjà vu qu'on ne peut pas tenir pour un argument spécifiquement en faveur de cette solution le fait qu'elle permet d'unifier le traitement des restrictions de sélection et des relations grammaticales en (1) et en (2). La solution sémantique esquissée à la section 2 y réussit tout aussi bien. Cependant, il semble que, dans l'esprit de Postal, l'analyse par PSYCH-MVT est liée, implicitement, à l'idée qu'il y a une sorte de lien naturel entre les NP humains (ou animés) et la position de sujet (profond). Beaucoup de linguistes (par exemple Hall, 1965) ont noté qu'un très grand nombre de verbes ont des sujets humains — plus précisément que, quand un verbe a des restrictions de sélection en termes de NP environnants

[± humains], c'est souvent le sujet qui est marqué [+ humain]. Ce fait n'est évidemment pas général, et les verbes qui nous intéressent représentent précisément la classe la plus importante d'exceptions à la généralisation qu'on pourrait être tenté d'en tirer. S'il y avait par ailleurs des arguments sérieux et indépendants en faveur de PSYCH-MVT, cette classe d'exceptions serait éliminée, et ce pourrait être une étape vers une définition de la notion de sujet en termes du trait [+ humain], ou quelque chose de ce genre. Mais il est clair que cette régularisation de la distribution du trait [+ humain] ne peut, à elle seule, passer pour une justification de PSYCH-MVT, sous peine de cercle vicieux.

Ce point mérite qu'on s'y arrête, dans la mesure où il semble souvent y avoir une confusion — et pas seulement chez les linguistes qui ont proposé l'analyse par PSYCH-MVT des constructions ici considérées — entre trois notions qui se recouvrent parfois, mais qui sont cependant bien distinctes : ce sont les notions de sujet profond, d'agent, et de NP humain ou animé. J'ai déjà abordé ce problème au chapitre IV, mais j'y reviendrai brièvement. Il suffit de considérer les exemples suivants pour voir qu'il n'est pas possible de ramener ces trois notions à l'unité :

(113)   Maurice mange un gâteau

(114)   Pierre a subi un dur interrogatoire

(115)   Alfred a reçu un coup de poing en pleine figure

(116)   le vent a renversé la clôture

(117)   la voiture a cassé la fenêtre avec son pare-chocs

(64)   Jean amuse Pierre

(1)   Pierre méprise les femmes

Si, dans (113), le NP sujet est bien un agent humain, en (114) et en (115) (qui ont approximativement les mêmes restrictions de sélection que (113)) sur le sujet et l'objet, en termes du trait [± humain]), il n'est pas évident que le sujet humain est un agent (mais voir les chapitres III et IV). En (116) et (117), le sujet est non-humain, et Chomsky (1972), ainsi que Dougherty (1970 a), ont bien montré que ces sujets non-humains ont des propriétés d'agent, et qu'il n'est pas possible, par exemple, de les ramener à des espèces d'instrumentaux. Le sujet humain de (64), comme on l'a vu, peut être ou non interprété comme un agent. Enfin, ce qu'il y a de commun, sémantiquement, entre l'objet humain de (64) et le sujet humain de (1) n'a rien à voir avec la notion d'agent; c'est ce que j'ai caractérisé par la notion de « lieu » d'un processus psychologique.

Il y a sans doute quelque chose de systématique dans les rapports entre ces notions de sujet profond, d'agent, et de NP humain. Mais la meilleure manière de caractériser ce rapport revient, à mon avis (voir le chapitre IV, et aussi Chomsky, 1972, et Dougherty, 1970 *a*), à définir la notion sémantique d'agent dérivativement, au moyen de règles d'interprétation sémantique peut-être complexes, à partir de la fonction de sujet (profond) : dans certaines conditions, un NP qui apparaît, en structure profonde, dans la configuration qui définit un sujet, peut, doit, ou ne peut pas, être interprété comme un agent (et d'autre part seul un sujet profond peut être interprété comme un agent). Que les sujets profonds soient souvent des NP humains apparaît alors simplement comme une conséquence du fait que les êtres humains sont, d'une manière générale, plus capables d' « activité autonome » (voir le chapitre IV) que les objets inanimés. On voit que cette conception, si elle est justifiée, loin d'appuyer l'analyse par PSYCH-MVT, vient plutôt la contrarier. En effet, l'analyse par PSYCH-MVT ne permettrait plus alors d'exprimer directement, ni pourquoi *Pierre*, en (64), ne peut en aucun cas, être interprété comme un agent, ni pourquoi *Jean* peut l'être.

En fait, ces considérations peuvent servir d'illustration à la question que je posais à la fin de la section précédente, sur les corrélations entre la syntaxe et la sémantique. Si on admet, avec l'hypothèse thématique, que toutes les constructions de (92)-(96) sont engendrées en structure profonde (à l'exception de (94), qui sera dérivée de (92) par PASSIF), deux règles très simples permettent de prédire la distribution des agents :

(I)   Seul un sujet profond peut être interprété comme un agent

(II) Le sujet profond de *être* ne peut jamais être interprété comme un agent [17]

La règle (I) prédit que le sujet de (92) ou de (96) peut être un agent, sans dire qu'il doit toujours l'être. Elle exclut en même temps qu'aucun des compléments post-verbaux de (92)-(96) (à l'exception encore une fois des « compléments d'agent » des phrases passives de type (94))

---

17. Il s'agit ici du verbe *être*, (de la copule) non de l'auxiliaire qui apparaît par exemple dans *Pierre est parti, Pierre est arrivé*.

puisse être interprété comme un agent. La règle (II) exclut en même temps l'interprétation agentive du sujet de (93) et de celui de (95).

Notons que les mêmes règles prédisent que les sujets de verbes tels que *mépriser*, etc., peuvent aussi (mais pas nécessairement) être interprétés comme des agents. Nous avons caractérisé ces sujets comme des « lieux » de processus psychologiques (au même titre que les objets de verbes comme *dégoûter*). Or, Clédat (1900; voir ci-dessus, section 2) avait déjà noté que des phrases du type de (1) peuvent être ambiguës. Ainsi, (118) signifie plutôt que le grand-père « éprouve un sentiment pour son petit-fils », tandis que, dans (119), « les peuples font des actes d'adoration » (Clédat, 1900, 225) :

(118) son grand-père adore cet enfant

(119) certains peuples adorent les animaux

En fait, ces deux phrases sont toutes deux ambiguës, quoique l'interprétation la plus naturelle ne soit pas la même dans les deux cas. On voit donc que la fonction thématique d'agent peut se superposer, soit à la fonction de « lieu », comme dans (118)-(119), soit à celle de thème, comme en (64). C'est exactement ce que prédit l'analyse que nous proposons, alors que ce fait reste inexpliqué dans la formulation de Postal.

6.2. Le second argument de Postal est du même ordre. Il concerne le « curieux comportement de l'adverbe *personnally* (« personnellement »)». Dans l'analyse par PSYCH-MVT, « on peut dire que *personnally* accompagne le sujet logique. Autrement son occurrence doit être donnée disjonctivement d'une manière ou d'une autre » (Postal, 1971, 42). Postal cite à l'appui, entre autres, les exemples suivants :

(120) (a) I personnally am annoyed with Jack
       (b) * Jack is annoyed with me personnally

(121) (a) Jack is annoying to me personnally
       (b) * I personnally am annoying to Jack

Autrement dit, pour Postal, l'occurrence de *personnally* est liée à la présence dans la phrase d'un sujet profond à la première personne du singulier. On peut trouver des exemples français comparables à (120)-(121), quoique les jugements de grammaticalité me paraissent moins tranchés :

(122) (a) personnellement, je suis dégoûté de Marie
     (b) ?* personnellement, Marie est dégoûtée de moi

(123) (a) personnellement, Marie me dégoûte
     (b) ? personnellement, je dégoûte Marie

Dans le cas d'une phrase du type de (1), on a la distribution suivante :

(124) (a) personnellement, je méprise Marie
     (b) ?* personnellement, Marie me méprise

Admettons que les faits sont aussi simples que Postal le dit. Ils peuvent de toute façon être traités aussi bien dans le cadre de la solution thématique. Il y suffit d'une règle d'interprétation sémantique rattachant *personnellement* à un NP marqué [+ lieu] et qui est à la première personne du singulier; toute phrase ne comportant pas un NP remplissant ces conditions sera considérée mal formée sémantiquement. Cette solution serait même définitivement préférable si les phrases suivantes se révélaient être des cas de vrais passifs :

(125) « Personnellement », dit Stravinsky, « j'ai été influencé par Gesualdo »

(126) « Personnellement », dit Cécile, « j'ai été $\left\{ \begin{array}{l} \text{complètement} \\ \text{?? très} \end{array} \right\}$ pervertie par Valmont »

Si ces phrases sont de vrais passifs, en effet, le sujet *je* est seulement un sujet superficiel, non profond, mais il peut sans doute être caractérisé comme le « lieu psychologique » d'un certain processus. L'analyse de Postal ne pourrait pas rendre compte de ces phrases, ou serait obligée de recourir à une formulation « disjonctive ».

D'autre part, pour que la généralisation de Postal tienne, indépendamment des cas de (125)-(126), il faudrait pouvoir démontrer que toutes les phrases suivantes ont un sujet profond à la première personne du singulier, ce qui est rien moins qu'évident :

(127) personnellement,
$$\begin{cases} \text{la lecture de Chomsky m'a beaucoup aidé} \\ \text{cette fille a conquis mon cœur} \\ \text{ceci a} \begin{cases} \text{retenu} \\ \text{éveillé} \\ \text{attiré} \end{cases} \text{mon attention} \\ \text{ces faits répondent à mon attente} \\ \text{ceci ne me dit rien qui vaille} \\ \text{mon foie me donne du souci} \\ \text{la révolution est le cadet de me ssoucis} \end{cases}$$

Ces phrases, en revanche, ne posent pas de problèmes à l'analyse thématique, dans la mesure où les fonctions thématiques ne sont pas liées par principe à des fonctions syntaxiques particulières.

Mais, en réalité, les faits concernant *personnellement* [18] semblent être encore plus complexes. Si on considère des phrases telles que :

(128)   personnellement, ce chien m'obéit toujours

(129)   personnellement, dans cette bagarre, j'ai été blessé par les policiers

(130)   ? personnellement, dans cette bagarre, les policiers m'ont blessé

il semble qu'on doive renoncer à formuler les contraintes sur *personnellement* d'une manière simple, que ce soit en termes de cooccurrence avec un sujet profond ou en termes de rattachement à un NP marqué [+ lieu]. On devra peut-être s'en tenir à une formulation assez lâche indiquant que *personnellement* est possible si le procès exprimé par le verbe « affecte », d'une manière ou d'une autre, le sujet de l'énonciation (*je*), à la condition que celui-ci soit présent en structure superficielle. D'autre part, la différence entre (129) et (130), assez ténue d'ailleurs, semble indiquer que, dans certains cas, la nature du sujet dérivé joue un rôle. Quoi qu'il en soit, ces faits ne peuvent pas être considérés comme donnant des arguments à l'analyse par PSYCH-MVT.

Incidemment, et quoiqu'il faille être très prudent sur une question

---

18. Il y a en fait plusieurs adverbes *personnellement*, qui ont des propriétés syntaxiques et sémantiques bien distinctes (voir Ruwet, en préparation).

qui reste enrobée de toutes sortes d'obscurités, on pourrait tirer argument, contre l'analyse par PSYCH-MVT, de la distribution de certains adverbes de manière. On sait (cf. le chapitre III) que certains adverbes de manière sont liés au sujet profond, cf. :

(131) les résistants ont férocement battu les SS

(132) les résistants ont été férocement battus par les SS

Dans (132) comme dans (131), ce sont les SS, et non les résistants, qui manifestent leur férocité. Si l'analyse par PSYCH-MVT était justifiée, on pourrait s'attendre à trouver, dans des phrases de la forme de (2), etc., des adverbes de manière se rapportant à l'objet superficiel, puisque celui-ci serait en fait un sujet profond. Or, il n'en est rien, cf. :

(133) (a) je m'amuse comme un fou
    (b) * cette histoire m'amuse comme un fou

(134) (a) don Juan aimait les femmes $\left\{\begin{array}{l}\text{tendrement}\\\text{avec passion}\\\text{à la folie}\end{array}\right\}$

    (b) les femmes plaisaient $\left\{\begin{array}{l}\text{* tendrement}\\\text{* avec passion}\\\text{?? à la folie}\end{array}\right\}$ à don Juan

(135) (a) Pierre a délibérément profité de l'inattention de Paul
    (b) * l'inattention de Paul a délibérément profité à Pierre

6.3. Finalement, le seul argument de Postal qui mérite qu'on s'y arrête est celui relatif aux contraintes de « Cross Over », qui sont en fait l'objet principal de son livre (1971). Pour rendre compte de faits comme, par exemple, les suivants [19] :

(136) Charley stabbed himself
    « Charley s'est poignardé lui-même »

(137) * Charley was stabbed by himself
    « Charley a été poignardé par lui-même »

---

19. A vrai dire, les jugements de Postal sur ces types de phrases, et d'autres analogues, ont souvent été contestés par les linguistes de langue anglaise (cf. Kimball, 1970). La question se pose de savoir si la plus ou moins grande bizarrerie de phrases telles que (137) doit être traitée en termes d'agrammaticalité, ou si elle relève plutôt de considérations sémantiques, voire pragmatiques (cf. Jackendoff, 1969 b, Bar-Hillel, 1971).

(138)   * Himself was stabbed by Charley
« lui-même a été poignardé par Charley »
(où *himself* est coréférentiel de *Charley*)

Postal a proposé de soumettre les grammaires à une contrainte universelle, dite du *Cross Over Principle* (« Principe de Croisement », en abrégé *COP*), contrainte qui, dans certaines conditions, bloque l'application des transformations de déplacement, dans le cas où celles-ci auraient pour effet de faire passer un NP « par-dessus » un autre NP coréférentiel du premier. Si, par exemple, (137) est agrammatical, c'est, selon Postal, parce que ce principe a été violé. La transformation passive, en effet — quelle que soit la manière dont on la formule — revient à faire se croiser deux NP (le sujet et l'objet profonds); or, dans (137) (ou dans (138)), les deux NP concernés par la règle de PASSIF, *Charley* et *himself*, sont coréférentiels.

Postal retrouve des faits du même genre dans une variété de constructions, impliquant des transformations de déplacement bien connues. Or, dans les phrases du type de celles qui nous intéressent, il trouve des faits voisins, mais avec une distribution de la grammaticalité et de l'agrammaticalité inverse de celle qu'on trouve dans les phrases passives. C'est ainsi que, selon lui, on a les faits suivants (cf. Postal, 1971, 47) :

(139) (a)   I am amused at myself (cf. (97)-(99))
(b)   * I am amusing to myself

(140) (a)   I was horrified at myself
(b)   * I was horrifying to myself

Si on admet (cf. (112)) que (139) (a) et (139) (b) dérivent de structures profondes apparentées, *grosso modo* de forme (141) :

(141)   [NP I] [V amuse] [NP I]

et si on admet de plus que (139) (a) reflète directement cette structure de base, tandis que (139) (b) en est dérivé par PSYCH-MVT, on voit un moyen d'expliquer les faits : PSYCH-MVT, comme PASSIF, a pour effet de faire se croiser deux NP, et le *COP* bloquerait son application dans le cas de (139) (b); (139) (a), n'ayant subi aucune transformation de cette sorte, serait dérivé de (141) par l'application normale de la règle de RÉFLEXIVISATION.

En français, les restrictions de sélection qui interdisent en général d'avoir un objet humain dans les constructions de forme (95) ou (96) (cf. (85)-(87)) limitent les possibilités de trouver des équivalents exacts des phrases (139)-(140). Il existe cependant des cas, plus complexes, qui témoignent de l'existence de contraintes analogues sur les phrases comprenant des NP coréférentiels. Ainsi, pour moi, (142) — qui est cependant un peu bizarre — est meilleur que (143) :

(142)   ? Ernest s'admire (lui-même) pour sa constance

(143)   ?? Ernest s'impressionne (lui-même) par sa constance

Un autre exemple, où les intuitions sont plus nettes, est offert par le contraste entre (144) (b) et (145) (b) (cf. (24)-(26) ci-dessus) :

(144)   (a)   je crois que je suis malade
        (b)   je me crois malade

(145)   (a)   il me semble que je suis malade
        (b)   * je me semble malade

Quelles que soient les analyses proposées pour dériver les constructions de type (b) (voir ci-dessus, section 3, ainsi que le chap. II), elles impliquent en général que, dans (144) (b), le *me* coréférentiel du sujet n'est jamais amené à croiser celui-ci en cours de dérivation, tandis que le *je* de (145) (b) est amené à croiser le *me* objet indirect principal, soit par l'opération de MONTÉE (cf. le chap. II), soit par l'application de PSYCH-MVT consécutive à celle de FORMATION D'OBJET (cf. l'analyse de Postal résumée à la section 3) [20].

Je n'aborderai pas ici en détail le problème général du *COP*. Dans la formulation que Postal (1971) en donne, il est assorti de tant de conditions restrictives qu'on peut douter de sa valeur explicative. De toute façon, Postal a lui-même, récemment (cf. Postal, 1970 *a*, 1972, ainsi que la préface même de Postal, 1971)[21], renoncé à ce

---

20. En fait, si la structure profonde de (145) est du type de celle proposée en (60) ci-dessus, il n'est pas évident que le *je* issu de la subordonnée a croisé (dans (145) (b)) le *me* issu de *à moi*. Il y a toutefois plusieurs manières d'envisager l'ordre des transformations impliquées dans la dérivation de (145) (b), et on pourrait peut-être soutenir (cf. Emonds, 1969) que, en structure profonde, *à moi* est à gauche de la complétive — ce qui entraînerait une violation du *COP*, dans l'application de MONTÉE.

21. Les dates de publication créent ici des confusions. Le livre de Postal, paru en 1971, date de 1968, et est antérieur à son article sur *remind* (1970 *a*). Dans son plus récent article (1972), Postal dit explicitement que le *COP* n'est pas universel.

principe comme principe général d'explication des contraintes sur la coréférence; il pense maintenant que ce principe doit être remplacé par des contraintes globales sur les dérivations. Ceci affaiblit l'hypothèse qu'il existe une transformation de déplacement de PSYCH-MVT.

D'autre part, Ray Jackendoff (1969 b), reprenant les faits discutés par Postal (1971), a suggéré un moyen purement sémantique de traiter ces contraintes de coréférence; cette solution est compatible avec la solution sémantique que j'ai proposée au début de cet article pour traiter les faits qui nous intéressent. En bref, Jackendoff propose de considérer que les fonctions thématiques forment une hiérarchie, soit, en ordre croissant : 1) « thème », 2) « cible », « source », « lieu », 3) « agent ». Il pose ensuite le principe qu'un réfléchi ne peut pas être coréférentiel d'un NP situé plus bas dans la hiérarchie. Ainsi, (137) est exclu parce que *himself*, qui est un « agent », est plus haut dans la hiérarchie que *Charley*, qui est « thème » ou peut-être « cible ». Inversement, (139) (a) est possible parce que *myself*, étant « thème », est plus bas dans la hiérarchie que *I*, qui est « lieu » (ou « cible »); et (139) (b) est exclu parce que *myself* (« lieu » ou « cible ») est plus haut dans la hiérarchie que *I*, qui est « thème ».

Le principe de Jackendoff prédit, correctement, la différence entre (142) et (143). En effet, dans (142), *Ernest*, « lieu » ou « cible », est plus haut dans la hiérarchie que *se*, « thème », tandis que, dans (143), *Ernest* est « thème » et *se* est « lieu » ou « cible ». Quant à l'agrammaticalité de (145) (b), elle est prédite par un principe additionnel qui dit que tout NP qui a été extrait de sa phrase de structure profonde par une transformation de MONTÉE est « déclassé » de sa place dans la hiérarchie et placé au niveau le plus bas : dans (145) (b), *je* est donc, quelle que soit sa fonction originelle dans (145) (a), plus bas dans la hiérarchie que *me*, qui est « lieu » ou « cible ».

De toute façon, en français, il existe certains contre-exemples très clairs à la théorie de Postal; l'un de ces contre-exemples concerne précisément le verbe que nous avons pris comme exemple paradigmatique, *dégoûter*. En effet, (146) (a) et (146) (b) sont également acceptables :

(146) (a) Pierre se dégoûte (lui-même)
      (b) Pierre est dégoûté de lui-même

Remarquons que, dans (146) (a), *lui-même* est compris (tout comme dans *Pierre s'aime lui-même*) comme étant l'objet de *dégoûter* (alors que, dans *Pierre se lave lui-même* par exemple, *lui-même* peut être compris comme un « réfléchi emphatique » se rapportant au sujet). Les faits de (146) sont incompatibles avec toute analyse qui maintient, à la fois, (a) la validité du *COP*, et (b) une dérivation transformationnelle de (146) (a) et de (146) (b) à partir d'une source commune. En particulier, et quelle que soit la manière précise dont on rend compte des pronoms réfléchis (*se* et *lui-même*) [22], si on admet que (146) (b) représente l'ordre des éléments dans la structure profonde et que (146) (a) est dérivé d'une structure profonde analogue au moyen de PSYCH-MVT, le *COP* prédirait que (146) (a) est agrammatical. Inversement, d'ailleurs, si on admet l'hypothèse que (146) (a) représente l'ordre de base et que (146) (b) est dérivé, par PASSIF ou une règle analogue (cf. Gross, 1969), c'est alors (146) (b) qui fait problème et qui devrait être bloqué en vertu du *COP*. Voici donc un cas où le maintien du *COP* conduirait à envisager que (146) (a) et (146) (b) existent l'un et l'autre tels quels dans la base.

D'un autre côté, la question se pose de savoir si (146) n'est pas également un contre-exemple à la théorie de Jackendoff. Notons que, même si c'est le cas, ce point n'a pas d'incidence directe sur ce qui m'intéresse pour le moment, à savoir de montrer que l'analyse par PSYCH-MVT ne présente aucun avantage positif par rapport à l'analyse thématique. Il s'agirait alors simplement d'un de ces nombreux problèmes qui restent inexpliqués, quel que soit le cadre théorique dans lequel on se place. Mais, comme la théorie de Jackendoff sur la hiérarchie des fonctions thématiques est consistante avec mon hypothèse sur la dérivation des phrases du type de (2), il peut être intéressant de regarder de plus près ce que cette théorie a à dire sur des phrases comme celles de (146).

En ce qui concerne (146) (b), il n'y a pas de problème. (146) (b) est grammatical pour les mêmes raisons que (139) (a) : *Pierre* est « lieu » et *lui-même* est « thème » (rappelons que la règle (II) ci-dessus exclut que *Pierre* puisse être ici interprété comme un « agent »). C'est (146) (a) qui, comme pour Postal, fait problème. Si (cf. (139) (b)) *Pierre* y est « thème » et *se... lui-même* « lieu », (146) (a) viole le principe hiérarchique et devrait être exclu.

Rappelons que le « thème » sujet des phrases du type de (2) peut, dans certaines conditions, être aussi en même temps un « agent ». Si on admet que, quand deux fonctions thématiques sont assumées par un même syntagme, celle qui est le plus haut dans la hiérarchie de Jackendoff prend le pas sur l'autre, on peut s'attendre à trouver des

---

22. Pour une analyse transformationnelle des réfléchis en français, voir Kayne (1969, à paraître).

phrases du type de (146) (a) qui sont acceptables, dans la mesure où le sujet y est interprété comme un agent et est donc plus haut dans la hiérarchie que l'objet qui est un « lieu ». C'est ce qui se passe, semble-t-il, dans les phrases suivantes, où le *se* est un vrai réfléchi, à la différence des constructions du type de (96) :

(147) Pierre s'amuse lui-même

(148) Paul essaie de s'impressionner lui-même

(149) Marie joue à $\begin{cases} \text{s'impressionner elle-même} \\ \text{se faire peur (à elle-même)} \end{cases}$

C'est la possibilité d'interpréter les sujets de ces phrases comme des agents qui expliquerait pourquoi elles sont plus acceptables que (143), par exemple, où, comme nous l'avons vu, la présence d'un complément en *par NP* pseudo-instrumental exclut l'interprétation agentive du sujet. Si par ailleurs la phrase anglaise (139) (b) est exclue, c'est que la règle (II) ci-dessus exclut une interprétation agentive du sujet du verbe *être* (*be*). La même raison explique le contraste entre les phrases suivantes :

(150) (a) Pierre se gêne lui-même
      (b) ?? Pierre est gênant pour lui-même

(où, rappelons-le, le *pour NP* se comporte comme un véritable « lieu »)

Le problème est qu'une phrase comme (146) (a) est acceptable, qu'on interprète le sujet comme un agent, ou seulement comme un thème. Le problème subsiste donc. Peut-être faudrait-il compliquer la hiérarchie de Jackendoff d'un principe supplémentaire disant que, si une phrase est ambiguë dans la mesure où son sujet peut ou non être interprété comme un agent, aucun indice ne venant par ailleurs exclure cette interprétation agentive, le sujet en question est automatiquement placé au degré le plus haut de la hiérarchie. Mais ce principe est assez bizarre et reste *ad hoc*. Je n'en dirai donc pas plus sur cette question pour le moment.

7. On voit qu'aucun des arguments positifs que Postal a cru pouvoir proposer en faveur de l'existence d'une transformation de PSYCH-MVT n'est convaincant. Je n'insisterai pas sur les arguments négatifs qu'on pourrait invoquer contre cette analyse. On pourrait développer,

à propos des phrases du type de (2), des arguments du même ordre que ceux que Chomsky a appliqués à l'analyse des dérivés nominaux en anglais (cf. Chomsky, 1970, et ici-même, chap. I), ou que ceux que j'ai moi-même utilisés (cf. chap. III) pour montrer que les constructions pronominales « neutres » ne sont pas dérivées transformationnellement. Outre les différences sémantiques entre constructions apparentées, signalées à la section 5, on peut noter que les phrases prétendument dérivées par PSYCH-MVT ont une structure syntagmatique interne identique à celle de phrases engendrées directement dans la base (comparer (1) et (2)). Les dériver transformationnellement ne contribuerait pas à simplifier la composante syntagmatique de la grammaire. De plus, comme on l'a vu à la section 3, le rapport entre les constructions soi-disant apparentées par PSYCH-MVT présente souvent un caractère très idiosyncratique, ce qui est une présomption en faveur d'un traitement lexical, plutôt que transformationnel, du rapport qui les unit.

Un argument indirect en faveur de PSYCH-MVT pourrait être suggéré par les problèmes que pose la dérivation de phrases telles que (24) (b)-(26) (b) ci-dessus, que je reproduis ici :

(24) (a) Pierre croit que la fin du monde est proche
     (b) Pierre croit la fin du monde proche

(26) (a) il me semble que le coût de la vie a augmenté
     (b) le coût de la vie me semble avoir augmenté

J'ai montré au chapitre II que des phrases telles que (26) (b) devaient être dérivées par MONTÉE DU SUJET de phrases telles que (26) (a). Par ailleurs, plusieurs linguistes (Rosenbaum, 1967, Gross, 1968, Fauconnier, 1971) ont proposé de dériver les phrases du type de (24)(b) de phrases du type de (24) (a) par la règle de FORMATION D'OBJET. Telles qu'elles sont généralement formulées, ces deux transformations présentent de grandes analogies formelles : toutes deux extraient un sujet subordonné pour le convertir, soit en un sujet, soit en un objet dans la proposition principale. Il serait donc, apparemment, souhaitable de les unifier en une seule règle. Mais, si on leur conserve leur formulation traditionnelle, cette unification pose des problèmes formels assez graves (cf. Ross, 1967, McCawley, 1970). Or, si on accepte l'idée de Postal que PSYCH-MVT intervient dans la dérivation de phrases telles que (26) (cf. section 3), on voit un moyen d'unifier ces deux règles en une seule, sans complications formelles : la règle de MONTÉE en position sujet serait réduite à celle de FORMATION D'OBJET.

Malheureusement, l'unification en une seule règle de MONTÉE et de FORMATION D'OBJET se heurte à d'autres difficultés, non plus formelles, mais d'ordre empirique. Le parallélisme entre (24) et (26) est à cet égard trompeur. Tout d'abord, il n'est pas sûr que la règle de FORMATION D'OBJET soit justifiée. Aucun des arguments que j'ai pu donner au chapitre I en faveur de MONTÉE ne s'applique clairement au cas de F.O. [23]. Je ne discuterai pas la question ici, mais il y a vraisemblablement plusieurs manières de traiter le rapport entre (24) (a) et (24) (b) sans recourir à une règle qui extrait le sujet d'une subordonnée pour le convertir en objet. Pour l'anglais, par ailleurs, Helke (1970) et Chomsky (à paraître) ont proposé une dérivation de phrases telles que :

(151) John expects $\left\{ \begin{array}{l} \text{Bill} \\ \text{himself} \end{array} \right\}$ to be arrested by the police

qui ne fait pas intervenir F.O. Quoi qu'il en soit, et à supposer même qu'on puisse justifier F.O., il semble impossible d'unifier cette règle et celle de MONTÉE en une règle unique, pour la bonne raison que leurs conditions d'application sont différentes. Considérons en effet les faits suivants :

(152) (a) il me semble que Pierre $\left\{ \begin{array}{l} \text{est fou} \\ \text{est sorti hier soir} \\ \text{a compris la démonstration} \\ \text{peut faire ce travail} \end{array} \right\}$

    (b) Pierre me semble $\left\{ \begin{array}{l} \text{(être) fou} \\ \text{être sorti hier soir} \\ \text{avoir compris la démonstration} \\ \text{pouvoir faire ce travail} \end{array} \right\}$

(153) (a) je crois que Pierre $\left\{ \begin{array}{l} \text{est fou} \\ \text{est sorti hier soir} \\ \text{a compris la démonstration} \\ \text{peut faire ce travail} \end{array} \right\}$

    (b) je crois Pierre $\left\{ \begin{array}{l} \text{(* être) fou} \\ \text{(* être) * sorti hier soir} \\ \text{* avoir compris la démonstration} \\ \text{* pouvoir faire ce travail} \end{array} \right\}$

23. Cf. l'agrammaticalité de :

    (I) * je crois la solution en (être) excellente
    (II) * quel crois-tu coupable?
    (III) * je crois monts et merveilles promis par le Premier ministre

On voit que la règle de MONTÉE n'est soumise à aucune contrainte spéciale. En revanche, l'application de F.O. est soumise à de sévères restrictions : elle n'est possible que si le verbe subordonné est *être*, et en fait le *être* auxiliaire du passé est lui-même exclu [24]; de plus, *être* doit être obligatoirement effacé, alors que, dans le cas de MONTÉE, cet effacement est facultatif.

Si on maintenait l'analyse de Postal, qui dérive les phrases du type de (152) (b) par applications successives de F.O. et de PSYCH-MVT, on serait obligé d'introduire dans la grammaire une condition très étrange : F.O. ne pourrait s'appliquer sans entrave que si le verbe principal est marqué comme devant subir ultérieurement l'application de PSYCH-MVT (c'est le cas de *sembler*). Si le verbe est au contraire marqué comme ne pouvant pas subir PSYCH-MVT (c'est le cas de *croire*), la règle de F.O. serait soumise aux restrictions que nous avons vues. Il est sans doute possible de formuler une telle condition, mais le moins qu'on puisse en dire, c'est qu'elle serait peu souhaitable, et extrêmement *ad hoc*.

8. Toute la discussion qui précède a montré que l'analyse par PSYCH-MVT des constructions qui nous intéressent n'avait aucun avantage particulier sur l'analyse en termes thématiques. Mais les arguments invoqués jusqu'à présent ont surtout un caractère négatif. Au mieux, ils suggèrent que la solution thématique est plus raisonnable que la solution transformationnelle. C'est à un argument positif en faveur de la solution thématique que je voudrais maintenant passer. Cet argument présente l'intérêt de valoir pour la classe des verbes de la liste (23) — les verbes qui entrent normalement dans les diverses constructions de (92)-(96). Or, il s'agit là de la classe de verbes pour lesquels le rapport entre les constructions de forme $NP_1 \cdots V \cdots NP_2$ (cf. (92)-(93)) et celles de forme $NP_2 \cdots V \cdots NP_1$ (cf. (95)-(96)) est le plus régulier et le plus productif, ce qui, toutes choses égales par ailleurs, serait une présomption en faveur d'un traitement transformationnel (cf. Chomsky, 1970; mais voir aussi la discussion aux sections 4 et 5).

Dans *Aspects*, Chomsky signale en passant (1965, 229) qu'il existe en anglais plusieurs éléments lexicaux *strike* (« frapper ») qui diffèrent

---

24. Il en est de même du *être* auxiliaire du « vrai passif », cf. :

(i) * je crois Pierre présenté à Marie par Paul

entre eux par leurs traits de sous-catégorisation stricte; c'est le cas, notamment, des verbes *strike* qui apparaissent, respectivement, dans (154) et (155) :

(154) John strikes me as pompous   « John me frappe par sa suffisance »

(155) he struck me   « il m'a frappé »

Pour Postal (cf. notamment 1970 *a*, 43 sv.), le verbe *strike* qui apparaît dans (154) est précisément un de ces verbes dans la dérivation desquels intervient la règle de PSYCH-MVT, précédée de celle de F.O. Cette dérivation est esquissée dans (156), et (156) (a) serait donc la structure sous-jacente de (154) :

(156) (a)   I strike [s John be pompous]

$\rightarrow$ F.O. $\rightarrow$

(b)   I strike John [? be pompous]

$\rightarrow$ PSYCH-MVT $\rightarrow$

(c)   John strike me [? be pompous]

$\rightarrow$ autres règles $\rightarrow$ (154)

Postal ne parle pas de l'existence du verbe homonyme *strike* qui apparaît dans (155), mais il est clair qu'il serait d'accord pour considérer que, du point de vue qui nous intéresse, sa structure sous-jacente est essentiellement identique à sa structure superficielle. On voit alors qu'une différence essentielle entre (154) et (155) tient à ce que l'élément *me*, qui, en structure superficielle, apparaît dans les deux cas en position d'objet, n'appparaît dans cette même position en structure profonde que dans le cas de (155); dans la structure profonde de (154), il apparaît en position sujet.

Par ailleurs, il semble bien que, pour Postal, l'homonymie des deux verbes *strike* est une pure coïncidence, sans doute du même ordre que l'homonymie des deux noms *bank* (« banque » vs. « berge d'une rivière ») ou que celle, en français, des deux verbes *voler* (« voler dans les airs » vs. « dérober »). A vrai dire, Postal ne parle pas de l'homonymie des deux verbes *strike*, et il peut sembler injuste de lui attribuer cette idée. Toutefois, dans sa longue étude sur le verbe *remind* (Postal, 1970 *a*; voir aussi ici-même, chap. I, section 3.2), qui pose des problèmes très voisins, et dans la dérivation duquel il fait intervenir PSYCH-MVT de manière cruciale, il dit explicitement (*ibid.*, 38) qu' « il y a plusieurs verbes en anglais dont la forme phonologique est *remind* ». Il considère seulement, dit-il, celui qui apparaît dans des phrases telles que *Harry reminds me of Fred Astaire*, phrase qu'il paraphrase par, et dérive de, quelque chose comme *I perceive that Harry is similar to Fred Astaire*. Ce verbe doit, selon lui, « être tenu distinct d'un homonyme qui signifie en gros « cause to remember » (et qui) est illustré par *Harry reminded Betty to visit her sick uncle* [25] ». La similitude des cas de *remind* et de *strike* me permet d'avancer que ce n'est pas trahir la pensée de Postal que de lui attribuer l'idée d'une pure coïncidence homonymique entre les deux *strike*. Signalons d'ailleurs que plusieurs linguistes (Chomsky, 1972, Ronat, à paraître, etc.) ont critiqué Postal précisément sur ce point. Pour eux, l'homonymie des deux *remind* — qui se retrouve d'ailleurs en français [26], cf. (179) ci-dessous — ne peut pas être une coïncidence.

Comme la traduction des exemples anglais l'a déjà montré, il existe également en français deux verbes *frapper* qui, à première vue, présentent de claires différences sémantiques, sélectionnelles et distributionnelles. L'un, qui correspond au *strike* de (155), apparaît dans (157); je l'appellerai désormais *frapper*a; il s'agit d'un verbe actif, exprimant une action physique, dont le sujet est clairement un « agent », et dont le sujet et l'objet doivent être des êtres concrets, quoique pas nécessairement animés. L'autre, qui correspond en gros au *strike* de (154), apparaît dans (158); je l'appellerai *frapper*b; il s'agit d'un verbe statif, exprimant un processus psychologique, à sujet non-restreint et à objet humain, et dont les propriétés sont semblables à celles des verbes de la classe (23), celle d'*amuser*, *étonner*, etc. :

(157) (a) Brutus a frappé César $\left\{ \begin{array}{l} \text{par inadvertance} \\ \text{avec sauvagerie} \\ \text{d'un coup de poignard} \\ \text{au visage} \end{array} \right\}$

     (b)   les marteaux viennent frapper les touches du piano
     (c)   la flèche a frappé la cible avec un bruit sec

---

25. Ces exemples peuvent être traduits :

   (i)   Harry me rappelle Fred Astaire
   (ii) Je perçois que Harry est semblable à Fred Astaire
  (iii) Harry a rappelé à Betty de rendre visite à son oncle malade

26. Et dans d'autres langues, y compris le japonais. Ce simple fait indique bien qu'il ne s'agit pas d'une coïncidence, comme dans le cas d'homonymies accidentelles (*bank*, *voler*).

Théorie syntaxique.   8

(158) (a) Brutus a frappé César par son ambition

(b) $\left\{\begin{array}{l}\text{les idées de Mao ont}\\ \text{la lecture de Freud a}\end{array}\right\}$ beaucoup frappé Marie-Claire

(c) ça me frappe, que Marie-Claire se soit convertie au maoïsme

(d) la ressemblance entre Tweedledum et Tweedledee est frappante

(e) je suis frappé de la beauté de ce paysage

La différence entre ces deux verbes apparaît bien si on considère : (I) le choix différent des prépositions dans les adverbiaux instrumentaux ou « pseudo-instrumentaux » :

(159) Brutus a frappé César $\left\{\begin{array}{l}\left\{\begin{array}{l}\text{* par}\\ \text{de}\end{array}\right\}\text{ son poignard}\\ \left\{\begin{array}{l}\text{* de}\\ \text{par}\end{array}\right\}\text{ son ambition}\end{array}\right\}$

(II) les différences de comportement à l'impératif et au progressif :

(160) (a) frappez-le au visage !

(b) ?? frappe-le par ton intelligence !

(161) (a) le marquis est en train de frapper Justine à coups de fouet

(b) ?* ce paysage est en train de me frapper par sa beauté

(III) la possibilité ou non de cooccurrence avec les adverbes *très* ou *si... que S* dans les constructions de forme *NP être V-é par NP* (voir la section 4 et la note 14) :

(162) (a) * la cible a été $\left\{\begin{array}{l}\text{très frappée par cette flèche}\\ \text{si frappée par cette flèche qu'elle}\\ \text{a été percée de part en part}\end{array}\right\}$

(b) Paul-Émile a été $\left\{\begin{array}{l}\text{très frappé par ces événements}\\ \text{si frappé par ces événements}\\ \text{qu'il s'est immédiatement inscrit}\\ \text{au Parti}\end{array}\right\}$

(IV) l'impossibilité d'avoir l'interprétation correspondant à *frapper*a dans les constructions à adjectif verbal en *-ant* : (163) n'a que l'interprétation correspondant à *frapper*b.

(163) ces flèches sont frappantes $\left\{ \begin{array}{l} \text{par leur longueur} \\ \text{* avec un bruit sec} \end{array} \right\}$

Ce qu'il y a de juste dans les observations de Postal relativement au comportement de *personnellement* et aux contraintes de coréférence différencie également *frapper*ₐ de *frapper*ᵦ, cf. :

(164) (a) ? personnellement, Pierre m'a frappé au visage
     (b) personnellement, Pierre me frappe par son intelligence

(165) (a) ?* Pierre a été frappé par lui-même d'un coup de poignard
     (b) Pierre s'est frappé lui-même d'un coup de poignard

(166) ?* Pierre se frappe par son imagination

Les différences entre *frapper*ₐ et *frapper*ᵦ sont donc évidentes. Le problème est que, en français, il est impossible de tenir l'homonymie de ces deux verbes pour une pure coïncidence, pour la bonne raison qu'il ne s'agit pas d'un phénomène isolé. Il existe en français des centaines de verbes « homonymes » qui présentent, en gros [27], les mêmes particularités que *frapper*ₐ et *frapper*ᵦ. Ces homonymies sont beaucoup plus nombreuses que celles qu'on a signalées à la section 3. Étant donné l'ampleur du phénomène, je donnerai un grand nombre d'exemples. En voici d'abord quelques-uns, qui concernent des verbes très courants. Les exemples (a) présentent des verbes se comportant comme *frapper*ₐ, et j'appellerai cette classe de verbes la classe A; les exemples (b) présentent des verbes se comportant comme *frapper*ᵦ, et j'appellerai cette classe la classe B :

(167) (a) Porthos a blessé Aramis d'un coup d'épée à l'épaule
     (b) les remontrances du roi sont très blessantes pour d'Artagnan

(168) (a) le Bismark a touché le Hood de trois coups au but
     (b) la famille du défunt est très touchée des nombreuses marques de sympathie qu'elle a reçues

(169) (a) en voulant la dépasser dans le virage, la Ferrari a heurté la roue de la Lotus
     (b) les idées du Women's Lib heurtent Jacques dans ses convictions les plus intimes

---

27. Mais voir ci-dessous, section 9.

(170) (a) les C.R.S. ont assommé ce pauvre diable à coups de matraques
    (b) les films d'Antonioni me paraissent tout à fait assommants

(171) (a) Porthos a dévoré trois faisans entiers en dix minutes
    (b) Abélard était dévoré de passion pour Héloïse

(172) (a) les Byzantins avaient coutume d'aveugler leurs empereurs déchus
    (b) la haine des Juifs aveuglait les Nazis

(173) (a) Vince Stone a saisi brutalement Debbie à la gorge
    (b) l'interprétation de James Cagney dans *White Heat* est saisissante (de vérité)

(174) (a) le serpent a fasciné sa proie puis lui a sauté dessus
    (b) la beauté d'Ava Gardner $\left\{\begin{array}{l}\text{fascinait les spectateurs}\\\text{était fascinante}\end{array}\right\}$

(175) (a) la fumée troublait l'atmosphère de la pièce
    (b) je suis très troublé de cette coïncidence

Voici ensuite une liste, très partielle, de verbes qui entrent dans les deux types de constructions :

(176)   agacer, altérer, alanguir, abasourdir, affaiblir, agiter, anéantir, aigrir, apaiser, ahurir, atteindre, accrocher, affoler, attacher, attirer, affecter, achever, assombrir, bouleverser, broyer, brûler, briser, blinder, charmer, choquer, casser, caresser, chiffonner, coincer, calmer, consumer, contracter, claquer, couler, crucifier, chatouiller, corrompre, débiliter, défoncer, détourner, démanger, désemparer, disperser, détruire, défriser, détendre, déchirer, démonter, dérouter, désorienter, déranger, dégrader, doucher, distraire, éblouir, exciter, épater, énerver, écraser, édifier, embarrasser, empoisonner, ensorceler, endormir, éreinter, égarer, étouffer, emmerder, étourdir, épuiser, exténuer, éprouver, écarteler, échauder, éclabousser, écorcher, effleurer, égratigner, émousser, empoigner, encombrer, emberlificoter, embraser, enterrer, enfiévrer, enivrer, envahir, étrangler, enchanter, ébranler, éclairer, emballer, foudroyer, fracasser, froisser, fatiguer,

flatter, foutre [28], gêner, glacer, griser, irriter, illuminer, inquiéter, lasser, miner, marquer, mortifier, mordre, nouer, outrager, percer, peler, perturber, pénétrer, prendre, purifier, révolter, ruiner, retourner, ronger, renverser, remuer, refroidir, rafraîchir, rompre, raser, secouer, séduire, surprendre, saper, sonner, saouler, suffoquer, submerger, subjuguer, stupéfier, tordre, tourmenter, torturer, tuer, tracasser, travailler, tenailler, tripoter, trahir, tanner, vider, etc.

On retrouve la même dualité dans des verbes qui entrent dans d'autres constructions syntaxiques plus ou moins complexes [29], ainsi :

(177) (a) Mélisande a souri tendrement à Pelléas
(b) personnellement, ce projet ne me sourit pas

(178) (a) Bacchus a rempli le tonneau d'hydromel
(b) l'échec de ses entreprises avait rempli Philippe II d'amertume

(179) (a) la secrétaire a rappelé à son patron un rendez-vous urgent
(b) personnellement, la lagune de Venise me rappelle toujours l'*Invitation au Voyage*

(180) (a) Hercule a cassé le bras au titan
(b) ça me casse les pieds de devoir écrire cet article

(181) (a) Œdipe s'est crevé les yeux avec la fibule d'or de Jocaste
(b) ça crève les yeux, qu'il y a quelque chose de pourri au royaume de Danemark

---

28. Voir Gouet (1971), qui soulève un problème très voisin de celui considéré ici.

29. On la retrouve aussi dans des verbes et des adjectifs intransitifs, cf. par exemple :
(i) (a) le soleil brille
(b) cette idée est brillante
(ii) (a) une bombe a éclaté boulevard Saint-Michel
(b) la beauté de Gloria Grahame est éclatante
(iii) (a) cet appartement est très clair
(b) il est clair que tu n'as rien compris
(iv) (a) la neige était sale
(b) cette idée est sale (cf. *cette idée est dégoûtante*)

(182) (a) « qu'on leur coupe la tête à tous! » a dit le vainqueur
(b) la beauté du *Tombeau hindou*, ça vous coupe le souffle!

(183) (a) les C.R.S. lui ont tapé sur la tête, à ce pauvre diable
(b) personnellement, la lenteur de l'administration universitaire me tape sur les nerfs

(184) (a) le médecin a fait vomir Madeleine en lui donnant un émétique
(b) la laideur des films de Fellini me fait vomir

(185) (a) Roméo a fait rire Juliette en lui chatouillant la plante des pieds avec un brin d'herbe
(b) ça me fait rire, qu'on prenne la traduction automatique au sérieux

(186) (a) « Qu'est-ce que le marquis a fait à Justine? »
—— « Il l'a fouettée jusqu'au sang »
(b) « Qu'est-ce que ça te fait, que Marie te trompe avec Gustave? »
—— « Ça m'ennuie horriblement »

Le lecteur pourra aisément vérifier que, dans l'ensemble, les verbes des exemples (a) se comportent syntaxiquement, et du point de vue des restrictions de sélection, comme *frapper*$_a$, et ceux des exemples (b) comme *frapper*$_b$. Ceci vaut également, avec les réserves qu'on a faites plus haut, pour les traits relevés par Postal, comme le comportement de *personnellement* — cf. (187), ainsi que (177), (179), (183) — ou les différences dans les restrictions sur la coréférence du sujet et de l'objet — cf. (188) :

(187) (a) ?? « Personnellement », dit à Hamlet le spectre de son père, « Claudius m'a empoisonné pendant mon sommeil »
(b) « Personnellement », dit à Hamlet le spectre de son père, « ça m'empoisonne que Claudius couche avec ta mère »

(188) (a) le tonneau s'est rempli de bière
(b) * Philippe II s'est rempli d'amertume

Il est évident qu'on a affaire ici à un phénomène productif, très général, et qu'il y a un rapport systématique entre les classes de verbes A et B; une grammaire du français qui n'en tiendrait pas compte serait inadéquate. De plus, dans la majorité des cas, tout sujet parlant natif du français a l'intuition d'un rapport sémantique entre les deux verbes homonymes. En gros, et d'une manière impressionniste, ce rapport peut s'exprimer de la manière suivante. Dans les exemples (a) comme dans les exemples (b), les verbes décrivent un processus dont le NP sujet désigne la cause, et ce processus affecte, ou a un effet, d'une manière ou d'une autre, sur l'être ou l'objet désigné par le NP objet. La différence est que, dans les exemples (a), l'effet en question est d'ordre purement physique, alors que, dans les exemples (b), il s'agit d'un effet psychologique, mental. Ces verbes, qu'ils soient de la classe A ou de la classe B (ou, d'une manière générale, de la classe (23)), sont donc à rapprocher des factitifs ou causatifs étudiés au chapitre précédent. Chomsky (1970) a effectivement suggéré de traiter un verbe comme *amuse* comme un causatif de *be amused at*. Cet aspect sémantique de ces verbes n'apparaît pas dans le traitement par PSYCH-MVT.

Par ailleurs, en dépit de la productivité du phénomène, il peut y avoir toutes sortes de différences idiosyncratiques entre les verbes homonymes de type A et de type B. Les constructions (180)-(185), très productives dans les cas (a), ont presque toujours une valeur idiosyncratique dans les cas (b). Un verbe comme *impressionner*, typique de la classe B (23), existe encore comme verbe de type A, mais dans un sens très restreint et technique, dans l'expression *impressionner une plaque photographique*. De même, *énerver*ᵦ, très courant, est loin de *énerver*ₐ, qui, assez vieilli, est encore signalé par les dictionnaires dans le sens de « faire subir le supplice de l'énervation ». *Éblouir*ₐ (cf. (206) ci-dessous) n'a pas la connotation d'émerveillement de *éblouir*ᵦ (cf. (208)), etc. Beaucoup de verbes de type B appartiennent à un niveau de style très familier, et leur sens est souvent difficilement prédictible à partir du sens du verbe correspondant de type A : c'est le cas de *raser*, *peler*, *épater*, *emballer*, *doucher*, *sonner*, *tanner*, *vanner*, etc. Par ailleurs, l'étymologie nous enseigne que beaucoup de verbes qui actuellement sont, principalement ou exclusivement, de type B, ont d'abord appartenu au type A. *Navrer*, aujourd'hui à peu près synonyme d'*attrister*, signifiait au Moyen Age *blesser*ₐ; *étonner*, aujourd'hui synonyme de *surprendre*ᵦ, a eu d'abord la valeur de *foudroyer* (qui lui-même existe actuellement comme verbe de type B, avec une valeur nettement métaphorique); *tourmenter*, autrefois synonyme de *torturer*ₐ, est maintenant vieilli dans ce sens et spécialisé dans le type B, tandis que *torturer*b est encore perçu comme métaphorique. Mais ces changements diachroniques constants du type A au type B ne font que confirmer la productivité du phénomène et son caractère systématique.

9. On ne voit pas bien comment une grammaire qui recourt à PSYCH-MVT pour dériver les phrases de type B mais non celles de type A pourrait rendre compte de la correspondance systématique qu'on vient de décrire. Étant donné la fréquence des phénomènes d'homonymie dans les langues naturelles, on pourrait penser qu'il est nécessaire d'incorporer à la théorie linguistique générale un principe qui accorde une plus haute valeur à une grammaire qui permet une assez haute proportion d'homonymes qu'à une grammaire qui en permet très peu ou pas du tout [30]. Mais, outre qu'on ne voit pas bien comment formuler ce principe, il ne pourrait pas rendre compte de ce qui est en cause ici — à savoir la productivité du phénomène, et la correspondance sémantique systématique entre verbes de type A et verbes de type B. D'une manière générale, un tel principe ne permettrait pas de rendre compte des différences, intuitivement perçues par les sujets parlants, entre diverses sortes d'«homonymes», tels que, d'une part, celle qui existe entre *voler* (dans les airs) et *voler* (dérober) (homonymie accidentelle), et, d'autre part, celle qui existe entre *frapper*a et *frapper*b.

Une grammaire qui incorpore PSYCH-MVT ne peut pas rendre compte de cette correspondance au niveau des structures sous-jacentes, puisqu'elle attribue des structures sous-jacentes radicalement différentes aux phrases à verbe A et aux phrases à verbe B. Elle ne peut pas non plus en rendre compte au niveau des structures superficielles : en effet, dans le cadre théorique où se place Postal — celui de la sémantique générative — la structure superficielle ne joue aucun rôle dans l'interprétation sémantique des phrases, et toutes les différences et ressemblances sémantiques entre phrases doivent être exprimées dans la structure sous-jacente. De toute façon, et même si on veut se limiter à rendre compte des similarités de forme, on ne peut pas, comme le note Chomsky à propos du cas similaire de *remind* (voir ci-dessus), « recourir à une contrainte de surface (*output condition*) exigeant cette similarité de forme pour les différents cas de *remind*, puisque la régularité illustrée... n'est formulable qu'avant

---

30. L'idée qu'il faudrait recourir à un tel principe m'a été signalée par Wayles Browne (communication personnelle).

l'opération de règles transformationnelles (telles que le passif) qui fournissent la structure superficielle » (Chomsky, 1972).

On pourrait — toujours si on se limite à rendre compte des similarités formelles — imaginer un principe intervenant au niveau de l'insertion lexicale. On dirait, par exemple, que, si une grammaire comprend, d'une part, des dérivations engendrant des phrases de type A (dérivations dans lesquelles aucune transformation cruciale n'intervient entre la structure sous-jacente et la structure superficielle), et, d'autre part, des dérivations engendrant des phrases de type B (dérivations dans lesquelles PSYCH-MVT intervient de manière cruciale), un principe régissant l'insertion lexicale prédit une forte proportion d'homonymes entre les verbes intervenant dans ces deux types de dérivation. Mais ce principe ne serait pas plus naturel qu'un principe qui prédirait, par exemple, une forte proportion d'homonymes entre les verbes intervenant dans la dérivation des phrases de type A, d'une part, et les verbes intervenant dans la dérivation des phrases du type de (1) (cf. les verbes de la classe (22), *mépriser*, *aimer*, etc.), dérivation qui ne fait pas intervenir PSYCH-MVT. En fait, un tel principe pourrait prédire des homonymies entre deux classes arbitraires de verbes, V_i et V_j, intervenant dans deux classes arbitraires de dérivations basées sur deux classes de structures sémantiques sous-jacentes arbitrairement différentes.

En vérité, la seule manière naturelle de rendre compte de l' « homonymie » entre les verbes de type A et ceux de type B revient à adopter la solution que nous préconisons. Certaines au moins des structures profondes dans lesquelles peuvent figurer les verbes A et B sont essentiellement identiques (ce sont celles qui correspondent au cadre (92) ci-dessus). Les relations grammaticales déterminant un aspect fondamental de l'interprétation sémantique, il n'est pas étonnant qu'il y ait quelque chose de commun entre l'interprétation sémantique de la relation entre le verbe et l'objet dans les cas A et l'interprétation sémantique de cette même relation dans les cas B. D'autre part, qu'il y ait aussi des différences sémantiques n'est pas étonnant non plus, à partir du moment où on admet (cf. Jackendoff, 1969 *b*, et le chapitre IV ici-même) que la représentation sémantique des phrases n'est pas une simple et directe projection de la structure syntaxique profonde, mais qu'elle y est rattachée par des règles d'interprétation qui peuvent être assez complexes.

Les faits sont en réalité encore plus favorables à cette solution que les exemples donnés jusqu'à présent et nos brefs commentaires sur leur interprétation peuvent le laisser penser. En effet, j'ai jusqu'à présent procédé comme s'il existait une dichotomie nette entre les verbes A et les verbes B. Or, il y a là une simplification abusive. On a déjà vu que certains traits syntaxiques caractéristiques des verbes de type B (par exemple, la possibilité d'occurrence dans les cadres (93), (95), (96)) manquent chez un certain nombre de ces verbes, même si ces verbes décrivent des processus psychologiques. Cela a souvent pour conséquence de rapprocher la syntaxe de ces verbes de celle des verbes « homonymes » de type A. Considérons par exemple un verbe comme *effleurer*. Des faits comme ceux de (189)-(190) amènent à distinguer un *effleurer*$_a$, verbe d'action physique, et un *effleurer*$_b$, verbe « psychologique » :

(189) (a) $\left\{ \begin{array}{l} \text{la balle} \\ \text{* cette idée} \end{array} \right\}$ a effleuré $\left\{ \begin{array}{l} \text{le mur} \\ \text{l'épaule de Clark Gable} \end{array} \right\}$

     (b) $\left\{ \begin{array}{l} \text{* la balle} \\ \text{cette idée} \end{array} \right\}$ a effleuré $\left\{ \begin{array}{l} \text{* le mur} \\ \text{l'esprit de Hamlet} \end{array} \right\}$

(190) (a) ?? personnellement, cette balle m'a effleuré

     (b) personnellement, cette idée ne m'a même pas effleuré

Mais, outre que le sujet d'*effleurer*$_b$ est soumis à des restrictions de sélection assez sévères [31] (il n'est pas non-restreint au sens de Gross, 1968, 1969), on constate que toutes sortes de constructions, possibles pour *frapper*$_b$ et impossibles pour *frapper*$_a$, sont également impossibles qu'il s'agisse d'*effleurer*$_a$ ou d'*effleurer*$_b$, cf. :

(191) (a) * cette balle est effleurante (pour Clark Gable)

     (b) * cette idée est effleurante (pour Hamlet)

(192) (a) Clark Gable a été (* très) effleuré par cette balle

     (b) Hamlet a été (* très) effleuré par cette idée

(193) (a) * Clark Gable s'effleure d'une balle [32]

     (b) * Hamlet s'effleure d'une drôle d'idée

---

31. Cf. :

   (I) $\left\{ \begin{array}{l} \text{la crainte de l'insuccès} \\ \text{* le départ de Marie} \\ \text{* (le fait) que Marie soit partie} \end{array} \right\}$ avait à peine effleuré (l'esprit de) Pierre

Le sujet de *effleurer*$_b$ est apparemment limité à des NP exprimant des « propriétés psychologiques inaliénables » du référent du NP objet. Ces contraintes de sélection spéciales sur *effleurer*$_b$ m'ont été signalées par J. P. Boons.

32. La construction impossible ici est celle qui comporterait un verbe pronominal neutre (cf. (96)). (193) (a) semble toutefois possible s'il s'agit d'un vrai réfléchi, Clark Gable tirant lui-même la balle, et *d'une balle* étant un instrumental.

Comme on le voit, *effleurer*b, pas plus qu'*effleurer*a, ne peut figurer dans les cadres (93) (cf. (191)) et (96) (cf. (193)); quant à l'impossibilité d'avoir *très* (ou *si... que S*) dans (192), elle indique que les deux verbes se comportent de la même manière dans les phrases passives (comparer à (162) ci-dessus). En fait, en dehors des différences sélectionnelles notées en (189)-(190), une des rares différences entre *effleurer*a et *effleurer*b tient à la possibilité pour celui-ci d'avoir un « passif » en *de*, cf. [33] :

(194) (a) Clark Gable a été effleuré $\left\{ \begin{array}{l} * \text{ d'} \\ \text{par} \end{array} \right\}$ une balle

     (b) Hamlet a été effleuré $\left\{ \begin{array}{l} \text{d'} \\ \text{par} \end{array} \right\}$ un terrible soupçon

Effleurer n'est pas le seul verbe à présenter des caractéristiques de ce genre. Pour nous en tenir à une seule propriété, beaucoup des verbes que d'autres critères amènent à ranger dans la classe B ne peuvent pas figurer dans le cadre (93), cf. l'impossibilité de :

(195)   cette idée $\left\{ \begin{array}{l} \text{heurte} \\ * \text{ est heurtante pour} \end{array} \right\}$ Paul

(196)   la vue de tous ces cadavres $\left\{ \begin{array}{l} \text{agite} \\ * \text{ est agitante pour} \end{array} \right\}$ Attila

Bref, les différences syntaxiques entre verbes A et verbes B ne sont pas toujours aussi nettes qu'on l'avait d'abord dit. De la même façon, au point de vue sémantique, la dichotomie entre processus physiques et psychologiques est moins tranchée qu'on pourrait le croire. Plus exactement, pour un grand nombre de verbes, on trouve différentes nuances de sens qui ne se laissent pas ramener simplement à cette dichotomie (différences que peuvent aussi accompagner des variations des propriétés syntaxiques). Ainsi, à côté de *frapper*a et de *frapper*b, on trouve toutes sortes d'emplois de *frapper* qui ne se laissent ramener ni à l'un ni à l'autre, tout en ayant avec les deux des éléments sémantiques communs, cf. :

(197)   un rayon de soleil frappait les bibelots

---

33. Des syntagmes en *de NP* sont possibles avec *effleurer*a, mais il s'agit alors d'instrumentaux, cf. *le médecin a effleuré la blessure du bout des doigts;* ce genre de construction est impossible avec *effleurer*b, cf. * *Claudius (cette idée) a effleuré Hamlet d'un terrible soupçon.*

(198)   un bruit étrange a frappé mes oreilles

(199)   le malheur a plusieurs fois frappé cette famille

(200)   une taxe spéciale frappe les produits de luxe

(201)   les récentes mesures prises par Nixon frappent particulièrement les Japonais

A ces différences de sens correspondent des différences variées de comportement syntaxique, cf. [34] :

(202) (a)   les bibelots sont frappés $\left\{ \begin{array}{l} ? \text{ par} \\ * \text{ d'} \end{array} \right\}$ un rayon de soleil

     (b)   * le rayon de soleil est frappant pour les bibelots

(203) (a)   mes oreilles ont été brusquement (* très) frappées par un bruit étrange

     (b)   * ce bruit étrange est (très) frappant pour mes oreilles

(204)   les produits de luxe sont frappés $\left\{ \begin{array}{l} \text{par} \\ \text{d'} \end{array} \right\}$ une taxe spéciale

(205) (a)   * les récentes mesures prises par Nixon sont frappantes pour les Japonais

     (b)   les Japonais $\left\{ \begin{array}{l} \text{par les} \\ * \text{ des} \end{array} \right\}$ mesures prises par Nixon
sont frappés

Beaucoup de ces verbes peuvent exprimer un processus perceptif, une sensation éprouvée par le référent du NP objet. Ainsi, on a :

(206) (a)   les phares de la Ferrari ont brusquement ébloui le conducteur de la 2 CV

     (b)   le conducteur de la 2 CV a été (délibérément) (* très)
ébloui $\left\{ \begin{array}{l} \text{par} \\ * \text{ de} \end{array} \right\}$ celui de la Ferrari (avec ses phares)

     (c)   ?? personnellement, ces phares m'ont brusquement ébloui

---

34. (203) (b) est peut-être possible, mais il s'agit alors d'un cas de *frapper*b (le *frapper* « psychologique »), et *mes oreilles* est pris alors en un sens figuré. Dans (204), *par une taxe* est un agent, mais *d'une taxe* est un instrumental, et il y a alors un agent inexprimé, cf. *le gouvernement frappe ces produits d'une* (* *par une*) *taxe spéciale*. Dubois *et alii* (voir ci-dessous) ne distinguent pas (204) et (205), qui ont pourtant un comportement syntaxique différent : dans (205), apparem-ment, *mesure* ne peut pas être un instrumental. Signalons que (205) (b) est possible (avec *par* aussi bien que *de*), comme instance de *frapper*b.

(207) (a) ces phares sont trop éblouissants
    (b) * le conducteur de la 2 CV est (très) ébloui de ces phares
    (c) personnellement, cette lumière m'éblouit

(208) (a) la beauté de Marlène était éblouissante
    (b) les spectateurs étaient (très) éblouis de la beauté de Marlène
    (c) personnellement, la beauté de Marlène m'éblouit

Il est clair que, dans (208), *éblouir* appartient au type B; c'est un verbe « psychologique ». D'autre part, dans (206), *éblouir* est de type A; les phrases de (206) sont des phrases agentives typiques, comme le montrent la possibilité d'avoir des adverbiaux instrumentaux ou de manière se rapportant au sujet profond, l'impossibilité de *très* et du passif en *de*, le caractère peu naturel de *personnellement*. Mais (207) a un statut intermédiaire. Du point de vue du sens, il se rapproche nettement de (206), mais (207) (a) et (207) (c) sont tout à fait parallèles à (208) (a) et à (208) (c). Ce statut intermédiaire apparaît nettement si on considère que, comme les verbes B, l'*éblouir* de (207) peut paraître dans le cadre (93) (à adjectif verbal en- *ant*), mais que, contrairement à ces mêmes verbes, et tout comme les verbes A, il ne peut pas figurer dans le cadre (95) (à adjectif verbal en -*é*) (cf. (207) (b)). Postal rangeait les « prédicats de sensation » parmi les prédicats soumis à PSYCH-MVT (cf. (38)-(40) ci-dessus); cela reviendrait à mettre l'*éblouir* de (207) dans la même classe que celui de (208) et à l'opposer à celui de (206). On voit ce qu'il y a d'arbitraire dans une telle division.

Un autre exemple est celui du verbe *gêner*, cf. :

(209) (a) Jack Brabham a (délibérément) (* très) gêné **Pedro** Rodriguez dans le virage
    (b) cette voiture en stationnement interdit
         { gêne / est gênante pour } { la circulation / les usagers }
    (c) ces souliers { me gênent / sont gênants } pour marcher
    (d) personnellement, cette lumière trop vive me gêne
    (e) ça gêne Ursule, de devoir raconter toutes ces choses horribles à son psychanalyste

On pourrait multiplier les exemples, mais ceux-ci suffiront. On voit qu'il serait très difficile d'établir une dichotomie tranchée, significative à la fois du point de vue syntaxique et du point de vue sémantique. Si on voulait à toute force faire intervenir PSYCH-MVT dans la dérivation d'une partie des phrases (206)-(209), on ne voit pas bien où il faudrait faire passer la frontière. En revanche, si on renonce à PSYCH-MVT, cette difficulté disparaît. Les structures profondes de (209) (a)-(e) sont, pour l'essentiel, semblables à leurs structures superficielles, et l'identité des relations grammaticales de base sujet-verbe et verbe-objet permet de rendre compte des similitudes sémantiques entre toutes ces phrases. Quant aux différences syntaxiques et sémantiques, les premières peuvent être traitées en termes de sous-catégorisation stricte, et les secondes en termes de règles d'interprétation. Ces faits apportent en fait une confirmation à la thèse de Chomsky que « les propriétés des items lexicaux sont formulables en termes d'un ensemble d'indicateurs syntagmatiques qui sont définis par les règles catégorielles de la base » (Chomsky, 1972).

Soit dit en passant, il est assez instructif de considérer la manière dont les dictionnaires traditionnels rendent compte des divers emplois des verbes en question. Si les verbes A et B constituaient deux classes bien distinctes, ayant, comme le veut Postal, des histoires dérivationnelles différentes, on pourrait s'attendre à ce qu'ils soient chaque fois classés par les dictionnaires sous des rubriques distinctes. Nous avons vu au chapitre III que les dictionnaires traditionnels classent sous des rubriques distinctes les verbes transitifs et neutres (pronominaux) apparentés (*casser NP* vs *se casser*). Effectivement, si nous consultons le *Dictionnaire du Français contemporain* de Dubois *et alii.* (1966), nous voyons que ce dictionnaire attribue deux rubriques distinctes, par exemple, à *toucher*$_a$ et à *toucher*$_b$ (cf. (168)). Il donne également deux rubriques distinctes à *blesser*$_a$ et à *blesser*$_b$ (cf. (167)), mais traite comme un cas spécial de *blesser*$_a$ le *blesser* qui apparaît dans des phrases telles que *ces couleurs criardes blessent la vue, cette musique de sauvages blesse nos oreilles*, alors qu'il a clairement des traits communs avec *blesser*$_b$ (cf. *cette musique est blessante pour les oreilles ; personnellement, ces couleurs blessent ma vue*, etc.). Il ne distingue pas ce *blesser* à contenu sensoriel, perceptif, du *blesser* qui apparaît dans *j'ai les pieds blessés par ces chaussures*. Quant à *frapper*, si ce dictionnaire distingue trois rubriques principales, dont deux, idiomatiques (*frapper monnaie, frapper les touches d'une machine à écrire*), se rattachent visiblement par métonymie à *frapper*$_a$, il range tous les cas que nous avons distingués, de *frapper*$_a$ à *frapper*$_b$ en passant par les exemples de (197)-(201), dans une même rubrique, comme des cas particuliers d'un seul et même verbe. *Heurter*$_a$ et *heurter*ᵇ sont également rangés dans une seule et même rubrique. Ces hésitations, ces incohérences, ne peuvent évidemment pas être prises, en tant que telles, comme un argument en faveur d'une analyse particulière. Mais, dans la mesure où le classement des dictionnaires reflète plus ou moins fidèlement les intuitions des sujets parlants, elles me semblent être un indice de plus de l'existence d'un continuum entre les cas A et B.

10. Il ne suffit pas d'avoir montré l'unité sous-jacente aux différences entre verbes de type A et de type B, ni d'avoir indiqué que seule une solution qui exclut PSYCH-MVT et insère ces verbes dans des structures profondes identiques peut rendre compte de cette unité. Plusieurs problèmes subsistent, en effet.

Pour certains des verbes de (167)-(176), tels que *gêner, perturber, troubler*, on pourrait vraiment penser que la différence entre les verbes homonymes A et B tient au seul caractère physique, perceptif ou psychologique du processus exprimé par le verbe. Une solution serait alors, apparemment, d'avoir dans chaque cas un seul verbe *gêner, perturber, troubler*, etc., dans le lexique. Un verbe comme *gêner* aurait alors la rubrique lexicale suivante :

(210) *gêner* : [+ V], [+ —— NP], [+ —— [+ lieu]],...,

c'est-à-dire, pour l'essentiel, la même rubrique que *dégoûter* (cf. (21)), mais sans le trait [+ —— [+ humain]] [35]. Le caractère physique,

---

35. Comme je l'avais déjà signalé (cf. note 6), le trait [+ —— [+ humain]] est sans doute redondant dans la rubrique de *dégoûter*, une fois que cette rubrique comporte l'indication que le verbe exprime un processus psychologique (le trait [+ psych.] de (239) ci-dessous). La différence entre *gêner* et *dégoûter* tiendrait alors seulement au fait que la rubrique de *dégoûter* comporte le trait [+ psych.], alors que *gêner* est non-spécifié en termes de ce trait. Le caractère anomal de phrases telles que *l'argent dégoûte ce rocher* (cf. (2)) serait prédit par un principe universel disant que seuls des êtres humains (ou animés) peuvent être le lieu de processus psychologiques (ou sensoriels). Il n'y aurait donc pas de restrictions de sélection au sens strict sur *dégoûter* en termes du trait [± humain]. Notons que, en revanche, on ne peut apparemment pas éliminer des restrictions de sélection de ce type quand il s'agit de rendre compte des restrictions sur l'objet dans (86)-(87) (cf. * *je suis étonné (amusé*, etc.) *de Paul*, etc.); en effet, ces restrictions ne sont pas immédiatement compréhensibles en termes sémantiques, et d'ailleurs, elles ne sont pas universelles (cf. les exemples anglais, (139)-(140)); même en français, elles ne valent pas pour tous les verbes (cf. (88)).

perceptif ou psychologique du processus exprimé ne serait pas indiqué dans cette rubrique et serait donné par des règles de redondance lexicales, qui seraient fonction des traits figurant dans (210). Les autres différences (interprétation agentive ou non-agentive du sujet, possibilité d'avoir des sujets non-restreints, limitation de l'objet à des NP [+ humain], possibilité de figurer dans certains des cadres de (92)-(96), etc.) seraient données en termes d'autres règles de redondance dépendant du choix des traits [+ physique], [+ perceptif], [+ psychologique], introduits par cette première règle de redondance. Certaines de ces règles seraient peut-être universelles, et n'auraient donc pas à figurer dans la grammaire du français.

Une première difficulté est la suivante. Pour beaucoup des verbes de (167)-(176), la relation entre le type A et le type B est perçue par les sujets parlants comme métaphorique. Dans le cas de *gêner*, *troubler*, etc., les diverses nuances de sens sont en quelque sorte sur le même pied, elles appartiennent au même niveau de style standard. Mais ce n'est pas général. Prenons par exemple le verbe *tuer* :

(211) (a)   Hagen a tué Siegfried $\left\{ \begin{array}{l} \text{par traîtrise} \\ \text{d'un coup de lance} \end{array} \right\}$

    (b)   personnellement, ça me tue de devoir écouter l'intégrale de la *Tétralogie* par Furtwängler

Pour moi, (211) (a) et (211) (b) ne sont pas du tout sur le même plan que, par exemple (209) (a), d'une part, et (209) (d)-(e), d'autre part. (211) (b) comporte un élément métaphorique (quel que soit le sens précis qu'on donne à cette notion) [36] que ne comportent ni (211) (a), ni aucune des phrases de (209). Un indice de cette valeur métaphorique est donné par la possibilité d'occurrence de l'adverbe *littéralement* dans (211) (b), alors que la présence de ce même adverbe dans (211) (a) semble bizarre ou redondante, cf. :

(212) (a)   ?? Hagen a littéralement tué Siegfried d'un coup de lance

    (b)   ça me tue littéralement de devoir écouter l'intégrale de la *Tétralogie* par Furtwängler

Si on ajoute ce même adverbe, d'une part, dans des phrases à verbe de type A, d'autre part, dans des phrases à verbe de type B,

---

36. Intuitivement, il y a « persistance » du sens A dans le cadre B, mais je ne vois pas comment on peut en rendre compte.

on s'aperçoit : (I) que dans les phrases à verbe A, le résultat est en général bizarre, comme dans (212) (a), cf. :

(213)   ?? la flèche a littéralement touché la cible

(II) que dans les phrases à verbe B, tantôt le résultat est également bizarre, cf. :

(214)   ?? Brutus frappait littéralement César par son ambition

tantôt le résultat est acceptable, cf. :

(215)   la passion aveuglait littéralement Isolde

(216)   le *Désert rouge*, c'est littéralement assommant

Dans certains cas, celui de *blesser* par exemple, la présence de *littéralement* ravive le caractère métaphorique de *blesser*$_b$, alors que *blesser*$_a$ et *blesser*$_b$ sont normalement perçus comme étant l'un et l'autre neutres stylistiquement. Cf. :

(217)   j'ai été littéralement blessé par cette remarque

Dans des cas de ce genre, on serait plutôt tenté de considérer la signification de type A (« processus physique ») comme première. On n'aurait alors qu'une seule rubrique lexicale pour *tuer, assommer,* etc. Ces verbes seraient introduits dans le lexique avec seulement la spécification « processus physique », et les usages métaphoriques seraient décrits au moyen de règles de « transfert », peut-être elles aussi universelles. On aurait alors deux mécanismes différents pour traiter des phénomènes apparentés. De plus, l'existence de cas intermédiaires comme celui de *blesser* poserait un problème.

De toute façon, il reste les nombreux cas d'idiosyncrasie syntaxique et/ou sémantique (restrictions de sélection spéciales sur *effleurer*$_b$, connotation d'émerveillement présente dans *éblouir*$_b$ ou *fasciner*$_b$ et absente dans les verbes A correspondants, possibilité ou non d'occurrence dans le cadre (93), sens technique d'*impressionner*$_a$, etc.). Dans un grand nombre de cas, le sens d'un verbe B ne peut pas être directement prédit à partir du sens du verbe A correspondant (et vice versa). Dans tous ces cas, il semble inévitable d'avoir des rubriques lexicales distinctes pour les verbes A et pour les verbes B.

Un autre problème de taille est présenté par le conflit apparent entre l'analyse que j'ai proposée des verbes B en termes thématiques (cf. (21), (210)), et la suggestion faite de les traiter comme des verbes causatifs (cf. la fin de la section 8), les verbes A correspondants étant également des verbes causatifs. Pour comprendre comment se pose ce problème, il est utile de reprendre certaines remarques de Fillmore (1970).

Fillmore a étudié quelques verbes anglais qui, selon nos critères, seraient à ranger dans la classe A : *break* (« casser »), *hit* (« toucher », « frapper », etc.). Il les considère dans leur sens « basique » — où ils expriment des actions physiques — et n'envisage pas leurs « significations transposées » (*transferred meanings*). Il distingue parmi ces verbes deux classes sémantiques. Les uns, tels que *break*, sont des « verbes de changement d'état », ils « énoncent que l'objet... est compris comme subissant un changement d'état ». Les autres, « verbes de contact de surface », tels que *hit*, « énoncent l'occurrence d'un contact physique entre deux objets, mais de l'emploi de ces verbes on ne peut pas nécessairement inférer que les objets ont subi un changement essentiel » (Fillmore, 1970, 125). Fillmore exprime ces différences dans les termes de sa théorie des cas (cf. Fillmore, 1968), qui présente certains points communs avec la théorie des fonctions thématiques. Il attribue des cas différents aux NP objets : pour les verbes de la première classe, il parle seulement, « faute d'un meilleur terme », d'un cas « objectif », et pour les autres il parle d'un cas « locatif » — ce dernier terme semble équivalent à notre fonction thématique de « lieu ». Autrement dit, seuls les verbes de la première classe auraient un caractère causatif : ces verbes expriment que le sujet cause un changement d'état dans l'objet.

Fillmore met ces différences sémantiques en relation avec des différences syntaxiques qui, à première vue, se retrouvent en français. Tout d'abord, aux verbes de changement d'état correspondent des adjectifs statifs, homonymes des participes passés passifs, et qui expriment que le sujet est dans l'état résultant du processus exprimé par le verbe; de tels adjectifs statifs sont impossibles dans le cas des verbes de contact de surface. La différence apparaît si on compare (218) (b) et (219) (b) :

(218) (a) ce voyou a cassé la vitre
      (b) la vitre est restée cassée tout l'hiver

(219) (a) la flèche a touché la cible
      (b) * la cible est restée touchée tout l'après-midi

D'autre part, « quand le NP Objet ou Lieu est le nom d'une partie du corps possédée [propriété inaliénable, N.R.]... les phrases à verbe de contact de surface ont des paraphrases [37] dans lesquelles le « possesseur » apparaît comme objet direct et le nom de la partie du corps... dans un syntagme prépositionnel locatif » (*ibid.*, 126), cf. [38] :

(220) (a) j'ai touché $\left\{\begin{array}{l}\text{son dos}\\\text{sa jambe}\end{array}\right\}$

     (b) je l'ai touché $\left\{\begin{array}{l}\text{dans le dos}\\\text{à la jambe}\end{array}\right\}$

(221) (a) je lui ai cassé la jambe
     (b) * je l'ai cassé à la jambe

Ces différences de comportement entre les deux types de verbes semblent mettre en question l'idée que l'objet aurait la même fonction thématique dans les deux cas. D'un autre côté, quand on considère les verbes de type B correspondants, les rapports entre verbe et objet semblent se modifier. Si *frapper*$_a$ ou *toucher*$_a$ sont des verbes de « contact de surface », et *blesser*$_a$ un verbe de « changement d'état », il semble bien que *frapper*$_b$, *toucher*$_b$, *blesser*$_b$, soient tous des verbes de « changement d'état psychologique », comme le montre la possibilité d'avoir pour tous des adjectifs statifs, cf. :

(222) Pierre est très $\left\{\begin{array}{l}\text{touché}\\\text{frappé}\\\text{blessé}\end{array}\right\}$ de ce que tu lui as dit

Apparemment, ces différences remettent en cause, et l'unité interne de la classe A, et la régularité du rapport sémantique qui lie la classe A à la classe B. Mais un examen plus approfondi des faits montre, à la fois, que, tant du point de vue syntaxique que sémantique, la distinction entre verbes de « changement d'état » et verbes de « contact de surface » est beaucoup moins tranchée que ne le croit Fillmore, et, d'autre part, que les distinctions et les propriétés qu'il a relevées se retrouvent en fait dans les deux classes, A et B. Ceci accentue en fait le parallélisme entre les deux classes, même si, quand on prend les

37. En réalité, il n'y a pas vraiment rapport de paraphrase entre les phrases (220) (a) et (b), cf. Dougherty (1970 *a*) et Anderson (1971); mais ce point ne m'intéresse pas directement ici (voir aussi Hatcher, 1944 *a*, 1944 *b*).

38. Je laisse de côté le problème distinct des constructions à « datif du possesseur » (cf. (221) (a)), qui sont propres au français. Sur ce sujet, voir Hatcher (1944 *a*, 1944 *b*).

verbes un à un, le parallélisme n'est pas constant d'un verbe de type A à l'homonyme correspondant de type B.

Tout d'abord, la généralisation de Fillmore relative aux constructions à complément prépositionnel locatif ne tient pas. On trouve aussi bien des verbes de « changement d'état » (de type A) qui l'admettent (cf. (223)) que des verbes de « contact de surface » qui l'admettent difficilement (cf. (224)) :

(223) (a) Biron a blessé Lusignan au visage
　　　 (b) où Biron a-t-il blessé Lusignan?

(224) (a) ?? la balle a effleuré Clark Gable à la joue
　　　 (b) ?? où la balle a-t-elle effleuré Clark Gable?

D'autre part, on trouve des verbes de type B dans des constructions avec syntagme prépositionnel « pseudo-locatif [39] » qui sont parallèles aux constructions de (220) (b) ou de (223) (a), cf. (225), mais ce type de construction n'est pas non plus admis par tous les verbes de type B, cf. (226) :

$$(225) \quad \text{cet échec a} \left\{ \begin{array}{l} \text{blessé} \\ \text{frappé} \\ \text{atteint} \end{array} \right\} \text{Conrad} \left\{ \begin{array}{l} \text{à un point sensible} \\ \text{dans son orgueil} \\ \text{dans ses affections} \end{array} \right\}$$

(226) 　 * cette idée a effleuré Hamlet dans son esprit

Par ailleurs, tous les verbes de type B n'admettent pas également des adjectifs statifs correspondants, cf. (227) :

(227) 　 * Hamlet est resté effleuré d'un soupçon affreux

Si on retient ce critère pour distinguer verbes de « changement d'état » et verbes de « contact de surface », on sera amené à dire qu'il y a également des verbes de « contact de surface psychologique »

---

39. Si je parle de « pseudo-locatifs », c'est que ces compléments n'ont pas toutes les propriétés syntaxiques des locatifs compléments de verbes de type A. Par exemple, les phrases de (225) ne sont pas (contrairement à celles de (223) (a)) des réponses possibles à la question : *où a-t-il été blessé (frappé, touché)?* Ces pseudo-locatifs semblent bien être aux locatifs compléments des verbes de type A dans le même rapport que les « pseudo-instrumentaux » signalés plus haut (cf. (71)-(72)) le sont aux vrais instrumentaux compléments de verbes de type A (cf. (159)). Une fois de plus, on rencontre, entre verbes A et B, un parallélisme partiel, qui ne semble pouvoir être décrit que si on admet que les deux types figurent dans des structures profondes similaires (acceptant des compléments locatifs, instrumentaux, etc.), les différences devant être finalement traitées uniformément en termes des différences sémantiques entre processus physiques et processus psychologiques.

(quel que soit le contenu sémantique qu'on puisse exactement attribuer à cette notion).

Enfin, bien des verbes de type A qu'un examen superficiel caractériserait comme verbes de « contact de surface » ont des emplois qui impliquent un « changement d'état », cf. :

(228)   la radiographie a révélé que les poumons étaient gravement atteints [40]

(229)   en l'observant à la longue-vue, Nelson a pu voir que le vaisseau amiral ennemi était sérieusement touché

Ces faits rendent douteuse l'utilité d'une distinction tranchée, exprimée en termes de différences casuelles (« locatif » vs « objectif ») ou de fonctions thématiques (« lieu » vs « affecté »), entre les objets des différents verbes. J'aurais tendance à penser que tous ces verbes doivent être marqués [+ —— [+ lieu]], et que certains d'entre eux, dans certaines conditions, impliquent un changement d'état de leur objet [41].

D'autre part, ces faits confirment le parallélisme d'ensemble des classes A et B, les mêmes complications se retrouvant à l'intérieur de l'une et l'autre classe.

---

40. Le verbe *atteindre* est encore un bon exemple (cf. la fin de la section 9) de la difficulté qu'ont les sujets parlants à établir une limite tranchée entre verbes A et B. Dubois *et alii* (1966) distinguent deux rubriques pour ce verbe :
1) *Atteindre quelqu'un*, réussir à le blesser, à le toucher gravement, à le troubler moralement : « le coup de feu l'atteignit au bras »... « Il est atteint dans ses convictions »... « Ce reproche ne m'atteint pas »...
2. 1) *Atteindre une personne, une chose*, réussir à les toucher alors qu'elles sont éloignées ou élevées : « Atteindre une cible, un but. » « Monter sur une chaise pour atteindre le haut de l'armoire »... « Le fleuve a atteint un certain niveau »...
2) *Atteindre quelqu'un*, entrer en rapport avec lui : « Je réussis à l'atteindre par téléphone avant son départ »...
La distinction principale ici faite correspond à la distinction de Fillmore entre verbes de changement d'état (1) et verbes de contact de surface (2), mais les sens A (processus physique) et B (processus psychologique) sont confondus en 1.
41. Si on marque ces verbes uniformément du trait [+ —— [+ lieu]], il semble qu'on aura des difficultés avec des phrases telles que (223), *Biron a blessé Lusignan au visage*, ou (225), *cet échec a blessé Conrad dans son orgueil*. En effet, dans ces phrases, on voudrait dire que le syntagme prépositionnel (*au visage, dans son orgueil*) est « lieu »; on aurait dans ce cas deux syntagmes qualifiés comme « lieux », le NP objet et le PP. En fait, il s'agit d'un problème plus général, qu'on retrouve par exemple dans les compléments de temps, cf. *je viendrai demain dans l'après-midi*. Il me semble qu'on peut admettre la présence dans une phrase de plusieurs syntagmes ayant la même fonction thématique, si le second peut être interprété comme une spécification du premier. Cette latitude pourrait être limitée à certaines fonctions thématiques, peut-être seulement celle de « lieu ».

11. On ne peut pas espérer résoudre d'un seul coup tous les problèmes que nous avons passés en revue à la section précédente. Je voudrais simplement suggérer une solution qui vaudrait la peine d'être explorée plus à fond. Cette solution se rattache à la théorie de la « marque » (*markedness*), introduite en phonologie par Chomsky et Halle (1968, chap. IX), qui reprenaient ainsi certaines conceptions anciennes de l'École de Prague. Pour simplifier, je m'en tiendrai aux verbes de type A (processus physiques) et B (processus psychologiques), sans tenir compte des cas intermédiaires qu'on a signalés, comme ceux des verbes (homonymes de verbes A et/ou B) qui expriment des processus perceptifs. Mais la solution en question pourrait également être étendue pour traiter ces cas. J'ajoute encore que plusieurs des traits figurant dans la discussion qui suit (par exemple [+ changt.] pour marquer les verbes de changement d'état, [+ phys.] pour caractériser les « processus physiques, et [+ psych.] les « processus psychologiques ») sont *ad hoc* et demanderaient une analyse plus approfondie. Ce qui m'intéresse ici, c'est de présenter un certain mécanisme, et de montrer, sur des exemples simplifiés, comment il fonctionne.

Tout d'abord, on décide d'attribuer une rubrique lexicale distincte, pleinement spécifiée, à tout verbe qui présente des propriétés syntaxiques et/ou sémantiques propres. Autrement dit, tous les verbes « homonymes » considérés reçoivent des rubriques lexicales distinctes; il y a par exemple (au moins) trois verbes *toucher* — *toucher*$_{a1}$, verbe de « contact de surface physique », *toucher*$_{a2}$, verbe de « changement d'état physique », *toucher*$_b$, verbe de « changement d'état psychologique »; de même, il y a au moins deux *impressionner*, deux *effleurer*, etc. Chaque propriété est spécifiée, et on aura, par exemple, les rubriques suivantes (où seulement quelques propriétés sont spécifiées, à titre d'échantillon) :

(230) *toucher*$_{a1}$: [+ V], [+ —— NP], [+ —— [+ lieu]], [+ phys.], [— changt.], [— NP *être* [$_A$ —— -*ant*]],...

(231) *toucher*$_{a2}$: [+ V], [+ —— NP], [+ —— [+ lieu]], [+ phys.], [+ changt.], [— NP *être* [$_A$ —— -*ant*]],...

(232) *toucher*$_b$: [+V], [+ —— NP], [+ —— [+ lieu]], [+ psych.], [+ changt.], [+ NP *être* [$_A$ —— -*ant*]], ...

(233) *effleurer*$_a$: [+ V], [+ —— NP], [+ —— [+ lieu]], [+ phys.], [— changt.], [— NP *être* [$_A$ —— -*ant*]], ...

(234) *effleurer*b : [+ V], [+ —— NP], [+ —— [+ lieu]],
        [+ psych.], [— changt.],
        [— NP *être* [A —— -*ant*]], ...

(235) *étonner* : [+ V], [+ —— NP], [+ —— +[lieu]], [+ psych.],
        [+ changt.], [+ NP *être* [A —— -*ant*]], ...

(236) *impressionner*a : [+ V, [+ —— NP], [+ —— [+ lieu]],
        [+ phys.], [+ changt.], [— NP *être*
        [A —— -*ant*]], [laisser une image sur une
        pellicule photographique], ...

(237) *impressionner*b : [+ V], [+ —— NP], [+ —— [+ lieu]],
        [+ psych.], [+ changt.], [+ NP *être*
        [A —— -*ant*]], ...

Ensuite, la grammaire va comprendre un certain nombre de conventions [42], qui jouent le rôle dévolu jusqu'à présent aux règles de redondance. Chacune de ces conventions revient à dire que, dans certaines conditions données, un trait [α F] (où α est une variable sur + ou —) est interprété comme non-marqué [43]. Ces conventions ont la forme générale suivante :

(238)   Dans les conditions C_1,..., C_n, [α F] → [uF]
        (où u = non-marqué (*unmarked*))

Enfin, on adopte le principe que la procédure d'évaluation, qui mesure la complexité relative des grammaires en termes de longueur, c'est-à-dire en termes du nombre de symboles figurant dans les grammaires (en l'occurrence, le nombre de traits spécifiés dans le lexique) [44], ne tient pas compte des traits non-marqués. La procédure d'évaluation ne s'applique pas directement aux rubriques du type de (230)-(237), mais seulement aux rubriques qui résultent de l'application à celles-ci des conventions de type (238); seuls seront comptés par la procédure d'évaluation les traits qui, après application des

---

42. Je laisse ouverte la question de savoir si ces conventions, ou certaines d'entre elles, sont universelles. Dans ce cas, elles figureraient dans la théorie générale, et la grammaire du français n'aurait pas à les spécifier.

43. Cf. Chomsky, 1965, ch. I, Chomsky et Halle, 1968.

44. Cette formulation est différente de celle de Chomsky et Halle (1968), qui interprètent la convention (238) comme signifiant également que tout trait [— αF] → [mF] (où m = marqué). Les traits marqués, contrairement aux traits non-marqués, sont comptés par la procédure d'évaluation.

conventions, restent marqués [+ F] ou [— F]; les traits [uF] ne comptent pas. Cette procédure revient à économiser un grand nombre de traits dans le lexique, et une grammaire qui comprend de telles conventions est plus simple, reçoit un plus haut degré d'évaluation, qu'une grammaire qui n'en comporte pas. Plus une grammaire comporte de telles conventions (et plus celles-ci sont générales), plus elle est considérée comme simple par la procédure d'évaluation.

Voici, à titre d'exemples, quelques-unes des conventions qui pourraient être proposées. [α F,..., β G] représente une matrice de traits phonologiques et morphologiques.

(239) (I) Si le lexique comprend une rubrique I comportant les traits [α F,..., β G], [+ V], [+ —— NP], [+ —— [+ lieu]], [+ phys.], d'une part, et une rubrique J comportant les traits [α F,..., β G], [+ V], [+ —— NP], [+ —— [+ lieu]], [+ psych.], d'autre part, les traits [α F,..., β G], [+ V], [+ —— NP], [+ —— [+ lieu]], [+ psych.], dans J, sont non-marqués.

(II) Si le lexique comprend une rubrique I comportant les traits [α F,..., β G], [+ V], [+ —— NP], [+ —— [+ lieu]], [+ phys.], d'une part, et une rubrique J comportant les traits [α F,..., β G], [+ V], [+ —— NP], [+ —— [+ lieu]], [+ changt.], d'autre part, les traits [α F,..., β G], [+ V], [+ —— NP], [+ —— [+ lieu]], [+ phys.], [+ changt.], sont non-marqués.

(III) Si le lexique comprend une rubrique I comportant les traits [+ V], [+ —— NP], [+ —— [+ lieu]], [+ psych.], [+ changt.], le trait [+ changt.] en I est non-marqué.

(IV) Si le lexique comprend une rubrique I comportant les traits [+ V], [+ —— NP], [+ —— [+ lieu]], [+ psych.], [+ NP être [A —— -ant]], le trait [+ NP être [A —— -ant]] en I est non-marqué.

(V) Si le lexique comprend une rubrique I comportant les traits [+ V], [+ —— NP], [+ —— [+ lieu]], [+ phys.], [— NP être [A —— -ant]], le trait [— NP être [A —— -ant]] en I est non-marqué.

248

Ces conventions représentent les intuitions suivantes. (239) (I) revient à dire que, s'il existe dans le lexique un verbe transitif d'action physique, il existe aussi normalement un verbe transitif psychologique homonyme. (239) (II) revient à dire que, s'il existe dans le lexique un verbe dont l'objet est « lieu », il existe aussi normalement un verbe homonyme exprimant un changement d'état; cette convention est destinée à rendre compte des emplois de *toucher* et d'*atteindre* comme verbes de changement d'état (cf. (228)-(229)). (239) (III) exprime le fait qu'un verbe psychologique de la classe qui nous intéresse est normalement un verbe de changement d'état (cf. (225)); un verbe comme *effleurer* (cf. (233)-(234)) est exceptionnel de ce point de vue, et ce caractère exceptionnel est reflété dans le fait que le trait [— changt.] qu'il comporte reste spécifié tel quel après application des conventions (239) (I)-(IV). (239) (IV) exprime le fait qu'il est normal pour un verbe psychologique de figurer dans le cadre (93), un verbe comme *effleurer* étant à nouveau exceptionnel de ce point de vue (de même que *heurter*, etc.). Enfin, (239) (V) exprime le fait qu'un verbe d'action physique n'entre pas normalement dans le cadre (93) (cf. (163)).

Si on élimine les traits non-marqués des rubriques lexicales, les rubriques prises en considération par la procédure d'évaluation seront, non plus (230)-(237), mais (230')-(237'). On voit que l'application des conventions (239) (I)-(V) permet une grande économie de traits. Dans le cas de *toucher*₂ et de *toucher*ᵦ, par exemple, seuls entreront encore en ligne de compte les traits syntaxiques et sémantiques symbolisés par..., et qui ne sont pas traités par (239) (I)-(V). La barre (——) dans (231'), (232'), etc., indique que les traits phonologiques et morphologiques (cf. [α F,..., β G] dans (239) (I)-(II)) ne compteront qu'une seule fois pour les verbes homonymes tels que *toucher*ₐ₁, *toucher*ₐ₂, *toucher*ᵦ, alors que, dans les cas d'homonymie accidentelle (du type de *voler* — « dans les airs » — en face de *voler* — « dérober »), ces traits devraient compter deux fois, *voler* n'étant pas touché par ces conventions.

(230') *toucher* : [+ V], [+ —— NP], [+ —— [+ lieu]], [+ phys.], [— changt.],

(231') —— : ...

(232') —— : ...

(233′) *effleurer* : [+ V], [+ —— NP], [+ —— [+ lieu]], [+ phys.], [— changt.],...

(234′) —— : [— changt.], [— NP *être* [$_A$ —— -*ant*]],...

(235′) *étonner* : [+ V], [+ —— NP], [+ —— [+ lieu]], [+ psych.],...

(236′) *impressionner* : [+ V], [+ — NP], [+ — [+ lieu]], [+ phys.], [+ changt.], [laisser une image sur une pellicule photographique],...

(237′) —— : ...

L'introduction de conventions telles que (239) (ɪ)-(v) pose à son tour une série de questions qu'il n'est pas dans mon propos d'aborder ici. Ces conventions devraient être complétées par d'autres conventions, et elles devraient sans doute être remaniées de diverses façons. Le point important est que ces conventions demandent elles-mêmes à être justifiées; avec le même formalisme, on pourrait en effet introduire toutes sortes de conventions, ayant la même forme que celles de (239), mais qui seraient totalement arbitraires et prédiraient des faits inexistants. Les conventions de *markedness* introduites en phonologie par Chomsky et Halle (1968) sont justifiées dans la mesure où elles ont un contenu phonétique précis. Par exemple, Chomsky et Halle considèrent le trait [+ voisé] comme non-marqué dans les voyelles et marqué dans les consonnes; mais c'est qu'il existe un certain nombre d'arguments phonétiques pour dire qu'il est naturel qu'une voyelle soit voisée et qu'une consonne soit non-voisée. Des arguments semblables, sur le caractère plus ou moins naturel de certains traits ou processus nous manquent encore, tant en syntaxe qu'en sémantique. Beaucoup de travail reste à faire avant qu'on puisse supprimer la part d'arbitraire qui subsiste dans nos conventions. Un cas qui semble prometteur est celui de la convention (239) (ɪɪ); il semble assez naturel de dire que, si un verbe exprime un contact physique entre deux objets, ce contact entraîne normalement un changement d'état dans l'un ou l'autre de ces objets.

Par ailleurs, on aura remarqué que nos conventions sont muettes sur le caractère métaphorique ou non des verbes « psychologiques ». Je ne vois pour le moment aucun moyen non-*ad hoc* de rendre compte de ces différences. Le problème de la métaphore est un problème central sur lequel la grammaire générative a achoppé jusqu'à présent.

Je compte revenir sur cette question ailleurs, mais il me semble, dès à présent, que la notion de structure profonde devra y jouer un rôle crucial. Les processus métaphoriques semblent en effet toujours mettre en jeu des item lexicaux « homonymes » entrant dans deux séries de cadres syntaxiques de structure profonde qui ont une intersection commune.

6

Comment traiter les irrégularités syntaxiques : Contraintes sur les transformations ou stratégies perceptives ? *

0. Dès les débuts de la grammaire générative, les linguistes ont eu à se préoccuper du problème suivant : un grand nombre de règles de transformation sont d'une application très générale, et, cependant, dans certaines conditions particulières, cette application est bloquée (cf. le chapitre I, section 2). C'est le cas notamment pour les diverses transformations de mouvement qui, déplaçant des syntagmes nominaux ou prépositionnels, des pronoms, etc., interviennent dans la formation des relatives, des interrogatives, des phrases clivées, des pronoms enclitiques, etc. Voici un exemple de ces restrictions. Un syntagme prépositionnel en *de NP* peut, très généralement, et quelle que soit sa position et sa fonction particulière dans la phrase (objet indirect, complément circonstanciel, complément adnominal), être extrait de sa position en structure profonde pour, selon les cas, être relativé, questionné, clivé, ou converti en un pronom enclitique, cf. :

(1) (a) je parle *de ce livre*
    (b) le livre *dont* je parle
    (c) *de quel livre* parles-tu?
    (d) c'est *de ce livre* que je parle
    (e) j'*en* parle

(2) (a) je viens *de Paris*
    (b) l'endroit *d'où* je viens
    (c) *de quelle ville* viens-tu?
    (d) c'est *de Paris* que je viens
    (e) j'*en* viens

(3) (a) j'ai lu la préface *de ce livre*
    (b) le livre *dont* j'ai lu la préface

---

* Version remaniée de l'original français de « How to deal with syntactic irregularities : Constraints on transformations or perceptual strategies? » *in* Kiefer et Ruwet, eds., (1972), Dordrecht, Holland : Reidel Publ. C°.

(c)   *de quel livre* as-tu lu la préface ?
(d)   c'est *de ce livre* que j'ai lu la préface
(e)   j'*en* ai lu la préface

Dans certaines conditions, toutefois, le déplacement du *de NP* est impossible ; ainsi, en face de (4) (a), aucun des exemples (4) (b)-(4) (e) n'est grammatical :

(4) (a)   je pense à la préface *de ce livre*
    (b)   * le livre *dont* je pense à la préface
    (c)   * *de quel livre* penses-tu à la préface ?
    (d)   * c'est *de ce livre* que je pense à la préface
    (e)   * j'*en* pense à la préface

Notons bien que le caractère exceptionnel de (4) n'est pas de type accidentel, lexical ; il est systématique et on peut en donner une formulation générale ; en l'occurrence, tout déplacement d'un syntagme prépositionnel en *de NP* est bloqué si ce syntagme est enchâssé à l'intérieur d'un autre syntagme prépositionnel (« *à* la préface... »), cf. aussi :

(5) (a)   j'habite *dans* la banlieue *de Paris*
    (b)   * j'*en* habite *dans* la banlieue

(6) (a)   je compte *sur* la préface *de* ce livre
    (b)   * j'*en* compte *sur* la préface

(je n'ai donné que les exemples de déplacement aboutissant à un pronom enclitique, mais on peut facilement vérifier que les autres types de déplacements sont également bloqués).

Quel que soit le caractère systématique de l'exception, il n'en reste pas moins qu'on a affaire là à un « sérieux « trou » dans la généralité d'une règle » (Klima, à paraître). Même s'il est souvent (pas toujours d'ailleurs) possible de rendre compte de ces exceptions en termes de conditions sur l'application des diverses règles de mouvement particulières, il est clair que, si on veut atteindre le niveau d'explication, on ne peut pas en rester là. Si on veut construire un modèle convaincant de l'apprentissage du langage — et notamment rendre compte du fait qu'un enfant, au bout de quelques années d'apprentissage du français, exclut (4) (b)-(e), (5) (b), (6) (b), etc., tout en admettant parfaitement tous les exemples de (1)-(3) — il faut que l'on découvre des principes généraux qui rendent compte de ces différences.

Aussi, les linguistes se sont préoccupés de proposer des contraintes universelles, de caractère très abstrait, portant par exemple sur les transformations de mouvement. C'est ainsi que Chomsky (1964, 1968) a proposé le « principe du A-sur-A » (*A-over-A principle*) qui, comme l'a montré R. S. Kayne (1969), permet notamment d'expliquer le comportement aberrant de (4)-(6). Toutefois, dans bien des cas, l'établissement de contraintes universelles s'est heurté à de grosses difficultés. On sait, par exemple, que la validité universelle du « principe du A-sur-A » a été contestée par Ross (1967), qui a proposé de remplacer ce principe par plusieurs contraintes indépendantes, dont, malheureusement, à cause précisément de leur caractère trop particulier, la valeur explicative est assez faible. Parfois d'ailleurs, même les contraintes de Ross se sont révélées insuffisantes [1], ce qui — entre autres raisons — a amené récemment certains linguistes, tels que Lakoff, à proposer d'enrichir la théorie en introduisant des « contraintes globales sur les dérivations » (*global derivational constraints*) (cf. Lakoff, 1969, 1971) et même des « contraintes transdérivationnelles » (cf. Lakoff, 1970 *b*), dont la puissance est telle qu'on peut se demander si une théorie qui les admet conserve encore le moindre intérêt (cf. Chomsky, 1972).

Devant ces difficultés, E. S. Klima (à paraître) a proposé récemment une tout autre manière d'aborder le problème des restrictions sur les transformations; cette conception, si elle n'existe encore chez Klima qu'à l'état d'esquisse, mérite qu'on s'y intérese sérieusement, et je me propose ici de l'illustrer par des exemples français.

1. *Les constructions factitives.* La syntaxe des constructions factitives en français présente un grand nombre de particularités; elle a fait récemment l'objet d'une étude approfondie de R. S. Kayne (1969, à paraître). Pour rendre compte des faits de (7)-(10), Kayne propose d'attribuer aux constructions factitives des structures profondes telles que (11), et d'introduire trois transformations, (12)-(14) [2] :

(7) (a) je laisserai Jean partir
     (b) je laisserai partir Jean

---

1. Voir, pour le français, la thèse de Marie-Louise Moreau (1970).
2. Je fais ici certaines simplifications. Tout d'abord, pour rendre compte de (7) (b), le terme 2 de l'index structural des transformations (12)-(14) devrait mentionner, non seulement *faire*, mais une petite classe de verbes comprenant

(8) (a) * je ferai Jean partir
    (b) je ferai partir Jean

(9) (a) * je ferai Jean parler à Pierre
    (b) je ferai parler Jean à Pierre

(10) (a) * je ferai Jean lire ce livre
     (b) * je ferai lire Jean ce livre
     (c) * je ferai lire ce livre Jean
     (d) je ferai lire ce livre à Jean

$$(11) \quad NP - \left\{ \begin{array}{c} \text{laisser} \\ \text{faire} \end{array} \right\} - [_S NP - VP]$$

$$(12) \quad T_1 : \underset{1}{X} - \underset{2}{\text{faire}} - \underset{3}{NP} - \underset{4}{V} - \underset{5}{Y}$$
$$\Rightarrow 1 - 2 - 4 - 3 - 5$$

$$(13) \quad T_2 : \underset{1}{X} - \underset{2}{\text{faire}} - \underset{3}{V} - \underset{4}{NP} - \underset{5}{NP} - \underset{6}{Y}$$
$$\Rightarrow 1 - 2 - 3 - \text{à} + 4 - 5 - 6$$

$$(14) \quad T_3 : \underset{1}{X} - \underset{2}{\text{faire}} - \underset{3}{V} - \underset{4}{\text{à } NP} - \underset{5}{NP} - \underset{6}{Y}$$
$$\Rightarrow 1 - 2 - 3 - 5 - 4 - 6$$

Notons que (11)-(14) prédisent non seulement les faits de (7)-(10), mais également que, à partir de la structure profonde (15) (a), on peut engendrer (15) (b), qui est acceptable au moins pour certains sujets, et (15) (c), qui est exclu. Par ailleurs, (15) (d), qui n'est pas engendré directement par (11)-(14), est légèrement meilleur que (15) (c) :

(15) (a) je ferai [_S Jean porter ce message à Pierre]
     (b) ? je ferai porter à Jean ce message à Pierre
     (c) * je ferai porter ce message à Jean à Pierre
     (d) ?? je ferai porter ce message à Pierre à Jean

(15) (d) est peut-être introduit par la règle, nécessaire par ailleurs,

---

faire, laisser, regarder, etc. Il faudrait spécifier que (12) est obligatoire pour *faire* et facultative pour les autres verbes. D'autre part, R. Kayne (communication personnelle) me signale que, pour rendre compte d'autres faits, il sera sans doute nécessaire de reformuler autrement (12)-(14). Ces questions n'ont pas d'incidence sur les problèmes qui nous intéressent ici.

qui permute facultativement deux syntagmes prépositionnels adjacents, cf. :

(16) (a)   ce livre a été donné à Paul par Pierre
     (b)   ce livre a été donné par Pierre à Paul

(17) (a)   Pierre a parlé de ce problème à Paul
     (b)   Pierre a parlé à Paul de ce problème

Je reviendrai plus loin sur les raisons des différences dans le degré d'inacceptabilité entre (15) (b), (15) (c) et (15) (d). Il est possible que, dans le cas de (15) (c), (15) (d), intervienne de toute façon une contrainte indépendante (de surface?) qui rend inacceptable toute séquence de deux syntagmes nominaux en *à NP*, où les deux NP sont marqués du trait [+ humain].

Quoi qu'il en soit, quelque chose comme (15) (b), (15) (c) ou (15) (d) doit être postulé comme stade intermédiaire dans les dérivations — où interviennent diverses transformations de mouvement — de (18) (a)-(d) :

(18) (a)   Jean, à qui j'ai fait porter ce message à Pierre,...
     (b)   à qui as-tu fait porter ce message à Pierre?
     (c)   c'est à Jean que j'ai fait porter ce message à Pierre
     (d)   à Jean, j'ai fait porter ce message à Pierre

Le problème qui m'intéresse ici est le suivant : alors que tous les exemples de (18) sont grammaticaux (voir plus loin, toutefois), aucun de ceux de (19) ne l'est, apparemment (étant admis, bien sûr que (19) est dérivé de (15) (a); (19) serait grammatical s'il était dérivé de *je ferai* [s *Pierre porter ce message à Jean*]) :

(19) (a)   * Pierre, à qui j'ai fait porter ce message à Jean
     (b)   * à qui as-tu fait porter ce message à Jean?
     (c)   * c'est à Pierre que j'ai fait porter ce message à Jean
     (d)   * à Pierre, j'ai fait porter ce message à Jean

Autrement dit, étant donné une structure telle que (15) (b) (ou (15) (c), (15) (d)), dans laquelle, à la suite de l'opération de transformations antérieures (T₁ et T₂ ci-dessus), figurent deux syntagmes prépositionnels de forme *à NP*, seul celui qui correspond au sujet profond (*Jean*) peut être déplacé par une transformation de mouvement, à l'exclusion de celui qui correspond à l'objet indirect profond (*Pierre*).

Aucune des contraintes universelles sur les transformations qui ont été proposées à ce jour ne permet d'exclure les exemples de (19), qui sont d'autant plus frappants qu'il ne s'agit pas d'une contrainte générale sur le déplacement de l'objet indirect. Dans d'autres conditions, l'objet indirect peut parfaitement être déplacé, par exemple, précisément, dans les constructions factitives où, en structure superficielle, le sujet apparaît accompagné de la préposition *par* au lieu de *à*, cf. (20) [3] :

(20) (a) Pierre, à qui j'ai fait porter ce message par Jean
    (b) à qui as-tu fait porter ce message par Jean?
    (c) c'est à Pierre que j'ai fait porter ce message par Jean
    (d) à Pierre, j'ai fait porter ce message par Jean

En l'absence d'une contrainte universelle excluant automatiquement (19), on serait obligé, dans le cadre de la théorie transformationnelle classique, d'introduire une condition sur les transformations de mouvement, condition qui les bloquerait dans les cas correspondant à (19). Admettons que la formule générale des règles de déplacement vers la gauche est (21) :

$$(21) \quad Z - X - \left\{ \begin{array}{c} NP \\ PP \end{array} \right\} - Y$$
$$ \quad 1 \quad 2 \quad 3 \quad\quad 4 \;\Rightarrow\; 1 \quad 3+2 \quad \varnothing \quad 4$$

et, pour être concret, prenons l'exemple des phrases clivées (18) (c)-(19) (c); leur structure sous-jacente, au moment de l'application de (21) serait (cf. (15) (b)-(c)), soit (22) (a), soit (22) (b), soit (22) (c) (cf. Moreau, 1970) :

(22) (a) c'est Δ [s je ferai porter à Jean ce message à Pierre]
    (b) c'est Δ [s je ferai porter ce message à Jean à Pierre]
    (c) c'est Δ [s je ferai porter ce message à Pierre à Jean]

---

3. Pour une analyse des constructions de ce type, voir Kayne (1969, à paraître), qui propose de les dériver de structures sous-jacentes dans lesquelles la phrase enchâssée sous *faire* a subi la transformation passive (plus précisément, la transformation d'AGENT POSTPOSING; cf. Chomsky, 1970).

Selon que c'est (22) (a), (b) ou (c) qui est la structure sous-jacente, la condition sur (21) permettant de bloquer (19) (c) devra être formulée comme (23) (I), (23) (II) ou (23) (III) :

(23) (I) *Condition* : (21) est bloqué si :

      a) $3 = à\ NP$

      b) $2 = W\ faire\ V\ à\ NP\ (NP)$

  (II) *Condition* : (21) est bloqué si :

      a) $3 = à\ NP$

      b) $2 = W\ faire\ V\ (NP)\ à\ NP$

  (III) *Condition* : (21) est bloqué si :

      a) $3 = à\ NP$

      b) $2 = W\ faire\ V\ (NP)$

      c) $4 = à\ NP\ U$

Les parenthèses autour de NP dans (23) sont là pour rendre compte de phrases telles que c'est *à Pierre que j'ai fait répondre à Jean, c'est à Pierre que j'ai fait penser à Jean*, qui sont agrammaticales dans la lecture où *à Pierre* est objet indirect et *à Jean* sujet; pour ces phrases (qui sont grammaticales avec *à Pierre* sujet et *à Jean* objet indirect) on doit postuler une structure intermédiaire de forme *NP faire V à NP à NP* sans objet direct. Notons que des phrases telles que *c'est à Jean que j'ai fait parler de Pierre* et *c'est de Pierre que j'ai fait parler à Jean* sont toutes deux à la fois grammaticales et ambiguës. Disons encore une fois que le blocage du déplacement de l'objet indirect ne dépend que de l'occurrence dans la même séquence de deux syntagmes en *à NP*.

La condition (23) appelle plusieurs commentaires. Tout d'abord, si elle permet de rendre compte des faits de (18)-(19), il est clair qu'elle est tout à fait *ad hoc* : elle formule les faits, sans les expliquer. Ensuite, le fait qu'on doive la formuler de trois manières différentes selon qu'on prend (22) (a), (b) ou (c) comme structure sous-jacente à l'application de (21) paraît suspect : intuitivement, la position respective des deux syntagmes en *à NP* ne devrait pas jouer de rôle. Il s'agit de toute façon d'une condition assez étrange, comme on en rencontre rarement. Plus important, notons qu'il serait tout aussi facile (ou difficile) de bloquer, dans des termes très voisins, le déplacement, non plus de l'objet indirect, mais du sujet. Il y suffirait ide poser la condition suivante (dont les variantes (I), (II) et (III) interviennent dans les mêmes conditions que celles de (23)) :

(24) (I) *Condition* : (21) est bloqué si :
     a) 3 = *à NP*
     b) 2 = *W faire V*
     c) 4 = *(NP) à NP*

 (II) *Condition* : (21) est bloqué si :
     a) 3 = *à NP*
     b) 2 = *W faire V (NP)*
     c) 4 = *à NP*

 (III) *Condition* : (21) est bloqué si :
     a) 3 = *à NP*
     b) 2 = *W faire V (NP) à NP*

Comme l'indique la grammaticalité de (18), le déplacement du sujet n'est pas bloqué. Mais le point de cette comparaison entre (23) et (24) est le suivant : pour la grammaire d'une langue qui serait identique au français, avec cette seule différence que (18) y serait agrammatical et (19) grammatical, il ne serait ni plus ni moins difficile de formuler une condition (à savoir (24)) analogue à (23). Autrement dit, une grammaire qui incorpore la condition (23) affirme en un sens que c'est un accident que les faits du français sont ce qu'ils sont; si on admet des conditions du genre de (23), on pourrait tout aussi bien s'attendre à ce qu'existent des langues qui requièrent plutôt la condition (24). Cela tient à la nature des transformations (et des conditions sur les transformations) : celles-ci analysent les séquences terminales en termes de certaines séquences de catégories et elles sont indifférentes aux fonctions et relations grammaticales; une transformation (ou une condition sur une transformation) peut mentionner la séquence *à NP*, elle ne peut pas faire référence aux fonctions de sujet et d'objet indirect. Au stade où s'appliquent les règles résumées en (21), il n'y a pas de différence de structure syntagmatique entre un sujet et un objet indirect qui sont tous deux de forme *à NP*. Or, intuitivement, il semble bien que la généralisation qui est à la base des exemples (18)-(19) est la suivante : « Le déplacement de l'objet indirect en *à NP* est bloqué s'il existe dans la même phrase un sujet de même forme *à NP* », et on voudrait pouvoir dire que ce n'est pas un hasard si c'est l'objet indirect qui ne peut pas être déplacé, plutôt que le sujet. Même si la condition (23) permet à la grammaire d'être adéquate au niveau d'observation, elle ne permet pas vraiment d'expliquer ces faits.

Ce n'est pas tout. La condition (23) est en fait trop forte. Telle quelle, elle exclurait, par exemple, (25) (b), qui est obtenue en enchâssant (25) (a) dans une construction factitive soumise ensuite à clivage, et qui est acceptable :

(25) (a)   Jean a porté ce colis à la prison
(b)   c'est à la prison que j'ai fait porter ce colis à Jean

Il serait donc nécessaire de compliquer (23), en spécifiant que les deux NP des syntagmes *à NP* mentionnés sont tous deux marqués [+ humain]. Je ne poursuivrai pas cette question, toutefois, car je me propose maintenant de considérer les faits dans une optique toute différente, celle précisément qu'a suggérée Klima (à paraître), pour des faits anglais assez analogues à ceux présentés ici.

Nous allons laisser provisoirement de côté le problème classique de la grammaire générative — construire, à partir de structures profondes, et au moyen de transformations ordonnées et soumises à certaines contraintes, des structures superficielles bien formées. Nous allons nous poser une autre question, qui a été jusqu'à présent tenue pour tout à fait distincte de la première : alors que la première concerne la « compétence », la seconde relève de la « performance ». Cette question est celle du modèle de reconnaissance ou de compréhension, du modèle de l'auditeur. Comment un sujet, entendant une phrase, en comprend-il le sens? Plus particulièrement, comment, à partir d'une structure superficielle, un sujet retrouve-t-il les relations grammaticales de base (de structure profonde) qui déterminent l'interprétation sémantique de la phrase?

Une manière naturelle de répondre à cette question est de faire l'hypothèse que les sujets utilisent certaines heuristiques, un « ensemble de stratégies bien organisées » (Klima), qui leur permettent de retrouver les relations de structure profonde à partir d'indices fournis par les structures superficielles. De telles stratégies, qui permettraient de retrouver la proposition principale d'une phrase, le sujet d'une proposition, l'objet, etc., ont été proposées et étudiées dans des travaux récents de Bever, Fodor, Mehler, etc. Les résultats de ces travaux sont exposés dans Bever (1970).

Supposons qu'il existe une ou des stratégies pour reconnaître le sujet, l'objet direct et l'object indirect (profonds) à partir des diverses structures superficielles. Ces stratégies tiendront compte de diverses données, telles que la position d'un syntagme par rapport au verbe en structure superficielle, certaines marques morphologiques (cas, prépositions), le contenu lexical des différents éléments, etc. Revenons maintenant aux exemples qui nous intéressent, (18)-(20). On peut penser que, du point de vue des stratégies de compréhension,

(20) ne pose pas de problèmes : chacune des trois fonctions de structure profonde, sujet (S), objet direct (OD), objet indirect (OI), est marqué en structure superficielle d'une manière univoque la distinguant des deux autres. OD par sa place immédiatement après le verbe sans préposition intercalée, OI par sa forme en *à NP*, et S par sa forme en *par NP* [4]. D'autre part, dans (15) (b), on peut penser que l'ordre relatif des deux syntagmes en *à NP*, avant et après OD, est utilisé pour les différencier comme étant respectivement S et OI. Dans chacun de ces cas, en plus des informations lexico-sémantiques et contextuelles qui peuvent être données, la structure superficielle fournit des indices structuraux, syntaxiques et/ou morphologiques, qui permettent de recouvrer les structures profondes. Mais il n'en va plus de même dans le cas de (18) et de (19). Si on note que, dans (26), *à Paul* peut être interprété aussi bien comme sujet que comme objet indirect :

>   (26)   j'ai fait porter ce message à Paul,

on voit que, dans (18) (c) ou (19) (c), par exemple, toute différence structurale entre S et OI a disparu dans la structure superficielle. C'est la situation que Klima a baptisée *ambiguïté structurale absolue* (ou encore *ambiguïté fonctionnelle*). La thèse de Klima est que le langage ne peut pas supporter ce type d'ambiguïté [5], alors qu'il tolère l'ambiguïté lexicale (homonymie lexicale, cf. *Pierre a déjà volé*), ou l'ambiguïté structurale due au fait que deux ou plusieurs constructions, différentes dans leur structure syntagmatique superficielle, sont représentées par la même séquence de morphèmes (l'homonymie de construction, cf. *Pierre a tué l'homme à la carabine, j'ai reçu le livre du garçon, flying planes can be dangerous*). Le point crucial est qu'il existe de nombreuses raisons pour attribuer à une phrase telle que *Pierre a tué l'homme à la carabine* deux structures *superficielles* différentes, soit [NP Pierre] [V a tué] [NP l'homme à la carabine] et [NP Pierre] [V a tué] [NP l'homme] [PP à la carabine]

---

4. Bien entendu, en plus de ces indices structuraux ou morphologiques, interviennent des indices lexicaux qui permettent de distinguer, par exemple, (20) (d) de *à Jean, j'ai fait porter ce message par pneumatique*, ou encore *j'ai fait porter ce message à Pierre par Jean* de *j'ai fait partir cet homme à Bruxelles par le train*.

5. En fait, (26) présente aussi un cas d'ambiguïté structurale absolue. Et pourtant, (26) est acceptable dans ses deux lectures (voir aussi (43) ci-dessous). Comme l'indique la citation qui suit, Klima fait une distinction entre les cas d'occurrence multiple d'une catégorie et les cas d'occurrence unique, cas où, apparemment, l'ambiguïté structurale absolue est tolérée.

(je simplifie), tandis qu'il n'existe aucune raison positive pour différencier de la même manière des phrases telles que celles de (18) et de (19).

Klima propose l'hypothèse suivante :

> Quand il y a des occurrences multiples de la même catégorie dans une construction, sans différenciation lexicale ou morphologique, alors il existe un algorithme simple dour distinguer leur fonction, et aucune transformation ne pourra affecter une séquence de telle façon qu'elle interfère avec l'efficacité de l'algorithme.

On voit ici un moyen de rendre compte des faits en se passant de la condition (23). On pourrait, à titre provisoire, suggérer de la remplacer par la stratégie (l'heuristique) suivante, première approximation d'un algorithme à la Klima :

> (27) STRATÉGIE I : Toutes choses égales, et en l'absence de marques morphologiques spéciales et/ou de différentiations lexico-sémantiques, si deux syntagmes prépositionnels de forme *à NP* sont présents dans une phrase comprenant une construction factitive, la position *faire V (NP)* — est celle de l'objet indirect de *V*.

Cette stratégie opérerait à la manière d'un filtre. Aucune contrainte ne serait imposée sur les transformations du type de (21), et (19) serait donc engendré au même titre que (18) ou (20); (19) serait donc grammatical au sens technique du terme. Mais, ensuite, les structures superficielles seraient soumises à (27), qui exclurait (19) tout en admettant (18) et (20); (19) serait ainsi inacceptable. La même stratégie prédirait d'ailleurs l'inacceptabilité de (15) (c), et contribuerait à rendre compte du fait que (15) (d) est relativement plus acceptable que (15) (c).

R. Kayne (communication personnelle) me signale deux difficultés qu'implique apparemment le recours à cette stratégie. Tout d'abord, dans la mesure où (15) (b) est relativement acceptable, comment peut-elle prédire que c'est *à Jean* qui est interprété comme sujet et *à Pierre* comme objet indirect? Il me semble que, quand un objet direct (*ce message* dans (15) (b)) est présent, c'est la position à droite de l'objet direct — qui aura lui-même été repéré par une stratégie propre — qui est cruciale. D'autre part, la question est de savoir si (15) (b) est acceptable en dehors de marques intonationnelles spéciales qui mettent en quelque sorte *à Jean*, le sujet, « en dehors » de la phrase, et il est clair qu'il existe des stratégies spéciales prenant en considération les facteurs intonationnels. En ce qui concerne les phrases sans object direct présent, telles que ?* *j'ai fait répondre à Pierre à Jean*, il me semble que, dans la mesure où elles sont interprétables, ce qui est douteux (cf. la contrainte mentionnée ci-dessus sur les séquences de deux *à NP* animés), c'est bien le premier *à NP* qui est interprété comme objet indirect, conformément à (27).

En second lieu, comment (27) peut-elle faire la différence entre une phrase comme (18) (c) et une phrase telle que (28)?

    (28)   j'ai dit à Jean que je ferai porter ce message à Pierre

(où *à Jean* est l'objet indirect du verbe principal *dire*, la phrase enchâssée étant ambiguë).

Le point crucial ici est le suivant : l'auditeur, dans l'application des stratégies de perception, traite la séquence de gauche à droite. Dans le cas de (28), *à Jean* est immédiatement reconnu comme objet indirect de *dire* (qui est marqué dans le lexique du trait $[+ \underline{\quad} \text{à NP S}]$; cet élément ne jouera plus aucun rôle quand l'auditeur en arrivera à *à Pierre*. D'autre part, quand l'auditeur traite (18) (c), il ne peut pas encore, au moment où il a atteint *à Jean*, le désambiguër entre une interprétation de sujet et une interprétation d'objet indirect. Il devra garder en réserve cette double possibilité jusqu'au moment où il atteindra *à Pierre*, moment où la stratégie (27) interviendra et tranchera, interprétant *à Jean*, rétrospectivement, comme sujet.

L'innovation capitale du recours à une stratégie comme (27) revient à attribuer à des stratégies de perception — c'est-à-dire à des mécanismes qui ont été traités traditionnellement comme relevant de la performance — un rôle qui était traditionnellement attribué, soit à des conditions sur des règles particulières (cf. (23)), relevant des grammaires des langues particulières, soit à des contraintes universelles, relevant de la théorie générale et concernant les universaux de langage innés. Cette modification amène évidemment à se demander s'il n'est pas nécessaire de réviser la division traditionnelle entre compétence et performance. Je reviendrai brièvement sur cette question dans la conclusion de ce chapitre.

Indépendamment des difficultés rencontrées à formuler des contraintes non-*ad hoc* sur les transformations pour rendre compte des faits, il y a d'autres arguments pour recourir à une stratégie de perception plutôt qu'à une contrainte sur les transformations. Les transformations, comme les contraintes auxquelles elles sont soumises, ont un caractère de tout ou rien. Si l'index structural d'une transformation est satisfait par une séquence donnée, la transformation peut — ou doit, si elle est obligatoire — opérer, et si les conditions où opèrent les contraintes sont remplies, la transformation est bloquée. Si au contraire c'est une stratégie de perception qui est en cause, on peut s'attendre à une grande variabilité, à des intuitions plus ou moins nuancées, étant donné que d'autres facteurs (d'autres stratégies) peuvent entrer en ligne de compte, et contrebalancer l'effet de la stratégie en cause.

Effectivement, si on considère les données de plus près que je ne l'ai fait jusqu'à présent, on s'aperçoit qu'elles n'ont pas un caractère aussi tranché qu'il apparaît de la présentation que j'en ai donnée — où, par exemple, (19) est tout à fait exclu et (25) (b) tout à fait acceptable. En fait, j'ai simplifié. Tout d'abord, si les sujets préfèrent nettement (18) à (19), ils n'acceptent pas en général (18) sans réticences; ils préfèrent nettement de toute façon, par exemple, (29) à (18) (c), dans la mesure où, dans (29), le sujet est marqué sans équivoque par la préposition *par* :

(29)   c'est par Jean que j'ai fait porter ce message à Pierre

D'autre part, certains sujets trouvent (18) et (19) ambiguës; il y a simplement pour eux une hiérarchie très nette des lectures possibles : celle où le *à NP* en position /V NP —— est interprété comme OI est très naturelle, tandis que celle où le même *à NP* est interprété comme S est très difficile à percevoir. Ensuite, des phrases telles que (25) (b) ne semblent pas tout à fait acceptables. Il existe d'ailleurs des cas intermédiaires, tels que (30), dont l'acceptabilité est sans doute à mi-chemin entre celle de (25) (b) et celle de (19) [6] :

(30)   c'est à la bibliothèque de Harvard que j'ai fait emprunter ce livre à Pierre

Des faits de ce genre, dont je ne vois pas comment des conditions de type classique sur les transformations pourraient rendre compte, peuvent être traités très naturellement, si on admet l'intervention, à titre de filtres, de *plusieurs* stratégies différentes, dont certaines (comme (27)), recourent à des caractéristiques structurales, d'autres à des aspects morphologiques, d'autres encore à des traits sémantiques ou sélectionnels. Le mode exact de l'interaction entre ces diverses stratégies reste bien entendu à déterminer : opèrent-elles simultanément, y a-t-il entre elles une hiérarchie, etc.?

---

6. Il faut noter que (30) comporte une lecture supplémentaire, où *à la bibliothèque de Harvard* est simplement un locatif (cf. *Pierre s'est promené à la bibliothèque de Harvard*) et non un sujet ou un objet indirect.

Si, par exemple, dans (25) (b), *Jean* peut être assez naturellement interprété comme sujet, c'est à cause de l'acceptabilité de (25) (a) en face de l'anomalie de (31) :

(31)   * la prison a porté ce colis à Jean

Une stratégie sémantique, tenant compte de ce que *la prison* ne peut pas normalement être sujet de *porter NP à NP*, interviendrait donc ici concurremment à (27). Si (30) est moins naturel que (25) (b), tout en l'étant plus que (19), c'est sans doute parce que (32) (b), tout en étant moins naturel que (32) (a), est quand même parfaitement possible, et qu'une stratégie sémantique ne peut pas à elle seule complètement différencier dans ce cas le sujet de l'objet indirect.

(32)   (a)   Pierre a emprunté ce livre à la bibliothèque de Harvard
      (b)   la bibliothèque de Harvard a emprunté ce livre à Pierre

Enfin, si (19) est presque impossible, c'est parce que (33) (a) et (b) sont également naturels et qu'ici une stratégie sémantique est totalement impuissante; tout le poids de l'interprétation repose alors sur (27) :

(33)   (a)   Jean a porté ce message à Pierre
      (b)   Pierre a porté ce message à Jean

Ceci dit, il reste que le recours à la stratégie (27), même s'il permet d'éviter de contraindre les transformations de mouvement d'une manière non-*ad hoc* et s'il est plus conforme à la nature des données, n'en est pas moins passablement *ad hoc* lui-même. Dans la formulation (27), il reste quelque chose d'arbitraire qu'on trouvait aussi dans (23) : pourquoi est-ce l'objet indirect qui est lié de manière privilégiée à la position /V NP —— ? On ne peut pas encore dire qu'on a expliqué la dissymétrie entre le traitement du sujet et celui de l'objet indirect.

Heureusement, il n'est pas très difficile de subsumer la stratégie (27) sous une hypothèse plus générale. Avant de la proposer, toutefois, je préfère d'abord passer à des faits différents, apparemment d'un tout autre ordre, mais dont nous allons voir qu'ils posent des problèmes tout à fait comparables à ceux que posent les constructions factitives. Nous pourrons alors proposer, d'une manière plus convaincante, une hypothèse générale sur la nature de certaines stratégies utilisant des données structurales, hypothèse dont (27) n'est qu'un cas particulier.

1.1. *Appendice.* J'ai complètement exclu de la discussion un type de phrases qui, à première vue, semble relever du même genre de considérations. Il s'agit de phrases factitives dans lesquelles soit le sujet, soit l'objet indirect de la phrase enchâssée a subi la transformation de PLACEMENT D'ENCLITIQUE. A première vue, les faits sont parallèles à ceux de (18)-(19), cf. :

(34) (a) je lui ferai porter ce message à Pierre (où *lui* = *à Jean* dans (18))

    (b) * je lui ferai porter ce message à Jean (où *lui* = *à Pierre*)

    (c) je lui ferai porter ce message par Jean (*id.*)

Toutefois, il y a des différences entre les phrases du type de (34) et celles de (18)-(19). En premier lieu, alors que, comme on l'a vu, la différence entre (18) et (19) est une différence d'acceptabilité relative, il est clair que (34) (b), avec *lui* objet indirect et *à Jean* sujet, est totalement exclu. En second lieu, si on considère (35) :

(35) (a) c'est à Pierre que je lui ai fait porter ce message

    (b) à qui lui as-tu fait porter ce message

on voit que, comme dans (34), *lui* est nécessairement interprété comme sujet et *à Pierre* ou *à qui* comme objet indirect de *porter*. Autrement dit, la stratégie (27) n'est pas pertinente ici, et la généralisation significative est que, quand un pronom enclitique « datif » et un syntagme en *à NP* sont ensemble présents dans une phrase comprenant une construction factitive, le pronom « datif » est toujours interprété comme sujet et le syntagme en *à qui* comme objet indirect.

En troisième lieu — et ce point est crucial — on a par ailleurs les faits suivants :

(36) (a) c'est à Marie que je ferai répondre Jean

    (b) voilà la fille à qui j'ai fait répondre Jean

(37) (a) ? je lui ferai répondre Jean

    (b) * je me ferai répondre Jean

Les phrases (36)-(37) diffèrent des précédentes par l'absence d'un objet direct. Des trois règles (cf. (12)-(14)) qui opèrent dans la dérivation des factitives, elles ont seulement subi la règle T_1. Il en résulte qu'elles ne présentent pas un cas d'ambiguïté structurale absolue, et, comme prévu, les exemples de (36) sont acceptables. Mais (37) pose un problème, que ne peut pas résoudre la stratégie (27) (il est à noter que *je lui ferai répondre par Jean* est grammatical, tandis que? *je me ferai répondre par Jean* est légèrement douteux). R. S. Kayne (1969, à paraître) a étudié ces faits de très près, mais, apparemment, il n'a pas encore réussi à leur trouver une explication satisfaisante. Étant donné la complexité des phénomènes en cause, je préfère laisser délibérément de côté les constructions impliquant des pronoms enclitiques, qui attendent donc toujours une solution.

Je signalerai en passant un autre type de faits pour lesquels je n'ai pas non plus d'explication, mais qui est peut-être lié à ces considérations. Tandis que (38) est complètement normal (avec l'interprétation que *Pierre* est sujet et *Marie* objet indirect), (39) (a) est, pour moi, difficilement acceptable, et (39) (b) est tout à fait exclu :

(38)   c'est à Pierre que je ferai présenter Paul à Marie

(39) (a)   ? c'est à Pierre que je le ferai présenter à Marie
     (b)   * c'est à Pierre que je me ferai présenter à Marie

(ces phrases deviennent acceptables si on remplace *à Pierre* par *par Pierre*)

On voit que la seule différence entre (38) et (39) est qu'un syntagme nominal — cette fois en fonction d'objet direct — a été remplacé par un pronom enclitique, non-réfléchi en (39) (a) et réfléchi en (39) (b).

2. *Les compléments adnominaux.* On sait qu'il existe une correspondance très générale entre les « adjectifs possessifs » et les compléments adnominaux en *de NP*, quelle que soit la variété des rapports sémantiques entre ces éléments et le nom tête du syntagme nominal dont ils font partie :

(40) (a)   le livre *de Jean*
     (b)   *son* livre

(41) (a)   l'arrivée *de Jean*
     (b)   *son* arrivée

(42) (a)   l'histoire *de la France*
     (b)   *son* histoire

On sait aussi que le rapport entre le complément adnominal et le nom tête est souvent très ambigu, et que cette ambiguïté se retrouve dans le rapport entre l'« adjectif possessif » et le nom tête. Ainsi, dans (43) (a), *Jean* peut être soit l'auteur du portrait, soit la personne représentée, soit celle qui possède le portrait, et ces rapports se retrouvent dans (43) (b) :

> (43) (a) le portrait de Jean
> (b) son portrait

(J'utiliserai désormais les symboles suivants pour désigner la nature des rapports entre le *de NP* ou le « possessif » et le nom tête : S pour indiquer que ce rapport est comparable à celui entre un sujet et un verbe, O pour indiquer qu'il est comparable à celui entre un objet et un verbe, et POSS quand *le N de NP* peut être paraphrasé par *le N que NP a*, sans préjuger bien entendu de la possibilité d'autres interprétations)

Il a été généralement admis par les transformationnistes que les « adjectifs possessifs » ne sont pas présents tels quels en structure profonde, et que des syntagmes tels que (40) (b)-(43) (b) doivent être dérivés de constructions semblables à celles de (40) (a)-(43) (a), dans lesquelles le NP du complément adnominal est un pronom; il interviendrait donc, dans la dérivation des syntagmes (40) (b)-(43) (b), une transformation de déplacement, formellement analogue à celles subsumées sous (21). Pour fixer les idées, je représenterai cette transformation par (44) [7] :

(44) FORMATION DE POSSESSIF :

$$X - \begin{bmatrix} \text{Art} \\ +\text{DEF} \end{bmatrix} - Y - N - Z - de - \begin{bmatrix} \text{NP} \\ +\text{PRO} \end{bmatrix} - W$$

1	2	3	4	5	6	7	8
1	2⌃7	3	4	5	Ø	Ø	8

(Condition : 1-8 est dominé par NP, et 4 est le N tête de 1-8)

---

7. Le signe ⌃ est utilisé ici pour indiquer que 7 est incorporé à 2. A vrai dire, la règle (44) simplifie les choses. Tout d'abord, elle devrait vraisemblablement être décomposée en plusieurs étapes successives. Ensuite, il existe de bonnes raisons (cf. Kayne, 1969) de penser que, sous-jacent au moins à certains « adjectifs possessifs », on a, non pas un syntagme en *de NP*, mais un syntagme en *à NP* (cf. *un ami à moi* en face de *mon ami*, ou encore *sa bague, à Jeanne*, etc.). Des syntagmes tels que (40)-(43) seraient donc, à un certain niveau, représentés par *le livre à Jean, le livre à lui*, etc., et, dans (44) le terme 6 serait *à* et non *de* (une autre transformation convertissant ultérieurement *à* en *de*, dans certaines condi-

D'autre part, les compléments adnominaux en *de NP* peuvent être, tout comme les syntagmes en *à NP* dans les constructions factitives, soumis aux transformations de mouvement habituelles, cf. (3) ci-dessus.

Je m'intéresserai ici aux syntagmes nominaux présentant des occurrences multiples de séquences *de NP* qui peuvent être soumises à ces diverses transformations de mouvement, notamment à (44). Nous avons vu que (43) est ambigu, *Jean* pouvant y être interprété soit comme S, soit comme O, soit comme POSS, par rapport à *portrait*. Il existe des constructions dans lesquelles, par exemple, à la fois S et O sont présents. Souvent, S et O sont différenciés morphologiquement, par la présence de prépositions différentes : ainsi, dans (45) (a) et (46) (a), O est marqué par *de* et S par *par*, tandis que dans (47) (a) O est marqué par *pour* et S par *de*. En revanche, dans (45) (b)-(47) (b), S et O sont également marqués par *de* [8] :

(45) (a) le portrait d'Aristote par Rembrandt
     (b) le portrait d'Aristote de Rembrandt

(46) (a) la critique de Harris par Chomsky
     (b) la critique de Harris de Chomsky

(47) (a) la haine des Nazis pour les Juifs
     (b) la haine des Juifs des Nazis

---

tions, dans le contexte N —— NP). En fait ceci n'a pas d'importance pour le point qui m'intéresse ici. Si les restrictions dont je vais parler doivent être traitées en termes de contraintes sur les transformations, ces contraintes (la condition (53)) devraient s'appliquer aux transformations, quelles qu'elles soient, qui déplacent le pronom (terme 7 de (44)) par-dessus le nom tête du syntagme, et (53) ne devrait subir que des modifications triviales. Si d'autre part ces restrictions doivent être traitées en termes de stratégies perceptives, les détails de la dérivation transformationnelle n'ont pas d'importance, et seule compte la correspondance entre les structures superficielles (a) et (b) des exemples (40)-(43).

8. Je ne considérerai pas ici la question de savoir quelle est exactement la structure profonde des syntagmes (45)-(47). A mon avis (voir toutefois la note 7), cette structure profonde ne devrait pas être très différente de la structure superficielle, surtout si on admet la théorie des nominalisations de Chomsky (1970; voir aussi ici-même, chapitre I, section 3.3). Le point essentiel est que tout le monde serait d'accord pour dire que, dans (45) ou (46), (*d'*)*Aristote* et (*de*) *Harris* sont engendrés dans la base immédiatement à droite de *portrait* ou de *critique*, que ces derniers termes soient des noms (selon Chomsky, 1970) ou des verbes (selon Lakoff, 1970 *c*) en structure profonde; *Aristote* en (45) et *Harris* en (46) sont donc définis de toute façon comme les objets profonds de *portrait* et de *critique* respectivement.

Que se passe-t-il si nous soumettons les syntagmes en *de NP* dans des constructions telles que (45)-(47), à des transformations de mouvement, et notamment à (44)? Nous obtenons le tableau suivant :

(48) (a) son portrait par Rembrandt   (*son = d'Aristote*)
     (b) * son portrait de Rembrandt (*son = d'Aristote*)
     (c) son portrait d'Aristote   (*son = de Rembrandt*)

(49) (a) sa critique par Chomsky   (*sa = de Harris*)
     (b) * sa critique de Chomsky   (*sa = de Harris*)
     (c) sa critique de Harris   (*sa = de Chomsky*)

(50) (a) leur haine pour les Juifs   (*leur = des Nazis*)
     (b) * leur haine des Nazis   (*leur = des Juifs*)
     (c) leur haine des Juifs   (*leur = des Nazis*)

On constate donc les faits suivants : les syntagmes en *de NP* peuvent être déplacés par la règle (44) et convertis en « adjectifs possessifs » dans tous les cas, sauf si le *de NP* correspond à un O et est suivi d'un autre *de NP* correspondant à un S. En ce qui concerne les autres transformations de mouvement (formation de question, formation de relative, clivage), les faits sont plus compliqués, à cause de l'intervention de restrictions supplémentaires (voir la section 2.1), mais on retrouve également la même restriction, cf. par exemple :

(51) (a) de qui as-tu vu le portrait par Rembrandt?
     (b) * de qui as-tu vu le portrait de Rembrandt?
     (c) de qui as-tu vu le portrait d'Aristote?

(52) (a) Aristote, dont j'ai vu le portrait par Rembrandt
     (b) * Aristote, dont j'ai vu le portrait de Rembrandt
     (c) Rembrandt, dont j'ai vu le portrait d'Aristote

Nous nous trouvons donc dans une situation très semblable à celle rencontrée dans le cas des constructions factitives. Dans une perspective classique, en l'absence d'une contrainte universelle, telle que le principe du « A-sur-A » ou les contraintes de Ross (1967), nous ne pourrons exclure (48) (b)-(52) (b) qu'en imposant une contrainte *ad hoc*, assez bizarre, sur chacune des transformations de mouvement. Autrement dit, à la condition (23) sur (21), il faudra en ajouter encore une autre :

(53) *Condition* : (21) est bloqué (i) si le terme 3 de l'index structural = *de NP*, et (ii) si le terme 4 de l'index structural = *de NP U*, les deux séquences *de NP* étant toutes deux dominées par le même NP. (Une condition similaire devra être formulée pour (44).)

Outre que cette condition, dans cette formulation, est encore inadéquate [9], il est évident qu'elle est tout à fait *ad hoc*, non révélatrice, et qu'elle ne fait rien d'autre que reformuler autrement les faits observés, sans en fournir aucune explication. Aussi, sans nous attarder plus longtemps sur sa formulation, renversons le problème, et demandons-nous de quelle manière un modèle de reconnaissance pourrait recouvrer les fonctions de base (S et O) à partir des données superficielles. On peut penser, ici aussi, que les sujets ont à leur disposition des stratégies heuristiques partielles, utilisant comme information des données telles que l'ordre des mots, les différences morphologiques, etc. On constate que, dans (45) (a) et (46) (a), le sujet est marqué de manière univoque (comme dans les constructions factitives) par la préposition *par*; dans (47) (a), en revanche, c'est l'objet qui est marqué par la préposition *pour*. Mais dans (45) (b)-(47) (b), cette information morphologique est absente, et S comme O ont la forme *de NP*; mais alors, il semble que c'est l'ordre (i) O, (ii) S, qui permet de les différencier — il est frappant de ce point de vue que, alors que, dans (47) (a), l'ordre S — O est inverse de celui de (45) (a), dans (47) (b), on trouve le même ordre que dans (45) (b). Or si, dans (48) (a)-(52) (a), l'information morphologique fournie par les prépositions permet toujours de déterminer de manière univoque si l'on a affaire à un S ou à un O (selon les cas), cette information a disparu dans les cas (b) et (c), qui présentent donc des cas d'ambiguïté structurale absolue au sens de Klima. Je propose donc de supprimer la condition (53) sur (21) (et la condition correspondante sur (44)), et de les remplacer par la stratégie suivante :

(54) STRATÉGIE II : Toutes choses égales, en l'absence de marques morphologiques spéciales, si une phrase comporte deux syntagmes en *de NP*, ou un syntagme en *de NP* et un

---

9. Elle est inadéquate dans la mesure où, le deuxième *de NP* n'étant pas mentionné explicitement dans la transformation, la dernière partie de la condition (« les deux séquences *de NP* étant toutes deux dominées par NP ») n'est pas formulable. Il faudrait introduire pas mal de complications complémentaires, et peut-être même les notions fonctionnelles du sujet et d'objet, pour obtenir une formulation adéquate.

pronom équivalent (*son, dont, en,* etc.) qui peuvent être compris comme des compléments du même nom, l'un sujet et l'autre objet direct de ce nom, la position /N —— est celle de l'objet direct [10].

Cette stratégie rend immédiatement compte de tous les faits de (45)-(52), et notamment, à la fois, de l'exclusion des exemples (48) (b)-(52) (b), mais aussi de l'inversion de l'ordre des deux syntagmes S et O dans (47) (b) par opposition à (47) (a).

Dans le cas des constructions factitives, un argument important en faveur de la stratégie (27) était que le déplacement de l'OI, même en présence d'un S de même forme *à NP,* redevenait possible si certaines conditions sémantiques étaient remplies (cf. (25) (b) et (30)), ce qui semblait bien indiquer que les constructions exclues ne l'étaient pas pour des raisons strictement grammaticales. Est-il possible de trouver des arguments semblables dans le cas des compléments adnominaux?

Notons tout d'abord le contraste d'acceptabilité entre les exemples suivants (où *Rembrandt, Aristote, les Juifs, les Nazis,* ont les mêmes fonctions que ci-dessus) :

(55) ? le portrait de Rembrandt d'Aristote

(56) ?* la haine des Nazis des Juifs

Alors que (55) est pratiquement acceptable, il me semble très difficile de comprendre (56) autrement que dans l'interprétation que ce sont les Juifs qui haïssent les Nazis. Il y a à cela une explication assez naturelle, mais qui n'est pas d'ordre grammatical (elle n'est même pas sémantique, mais relève de la connaissance du monde des sujets parlants) : tout le monde, ou à peu près, sait que Rembrandt, mais non Aristote, était un grand peintre, tandis que tout le monde sait aussi que les Juifs avaient (au moins) autant de raisons de haïr les

---

10. J'ai laissé de côté les cas où l'un des syntagmes en *de NP* peut être interprété comme possessif, et les cas où les trois fonctions, O, S, et POSS, sont représentées, comme dans *le portrait d'Aristote de Rembrandt de ce collectionneur célèbre.* Dans ces cas, seul le *de NP* correspondant à POSS peut être déplacé, cf. *son portrait d'Aristote de Rembrandt,* en face de * *son portrait (d'Aristote) de ce collectionneur célèbre,* ou * *son portrait (de Rembrandt) de ce collectionneur célèbre.* Il y a donc une hiérarchie entre POSS, S, et O. Il est à noter que si, au lieu d'un POSS (humain), on a un locatif (non-humain), comme dans *le portrait d'Aristote de Rembrandt du Louvre,* le déplacement du sujet est possible, cf. *son portrait d'Aristote du Louvre.* Ces faits confirment le rôle que jouent des stratégies recourant à une information sémantique.

Nazis que les Nazis de haïr les Juifs. En l'absence d'informations de ce genre, il me semble que tout sujet interprétera immanquablement (abstraction faite des cas de POSS), dans (57)-(58), *Pierre* comme étant l'objet et *Paul* comme étant le sujet :

(57) le portrait de Pierre de Paul

(58) la haine de Pierre de Paul

En second lieu, considérons des cas où S et O sont différenciés en termes du trait [$\pm$ humain], comme dans (59) :

(59) (a) j'ai lu la description du cataclysme par Pline
      (b) j'ai lu la description du cataclysme de Pline

Il est clair qu'il existe ici des indices lexico-sémantiques, indépendants de l'information structurale, pour repérer, dans la structure superficielle, le sujet et l'objet profonds. Aussi, non seulement la permutation des deux *de NP* devient-elle possible, comme en (55), cf. :

(60)   ? j'ai lu la description de Pline du cataclysme

mais certaines transformations de mouvement peuvent apparemment s'appliquer au *de NP* en fonction O, cf. :

(61) (a)   ? (ce cataclysme) j'*en* ai lu la description de Pline
      (b)   ? le cataclysme *dont* j'ai lu la description de Pline

Comme dans le cas des constructions factitives, on voit difficilement comment on pourrait rendre compte de ces différences en termes de contraintes sur les transformations, alors qu'elles peuvent se comprendre en termes de l'action combinée de stratégies distinctes opérant sur des aspects différents de la structure superficielle (en tenant compte aussi de l'information sémantique fournie par les items lexicaux). Bien entendu, la question du mode exact d'interaction de ces diverses stratégies reste posée, et notamment la question de savoir s'il y a entre elles une certaine hiérarchie. Le fait, par exemple, qu'il n'y a pas de différence d'acceptabilité entre (48) (b) et (50) (b) (comparer à (55)-(56)), semble indiquer une certaine prépondérance de la stratégie purement structurale (54) sur les stratégies lexico-sémantiques.

2.1. *Appendice.* J'ai signalé plus haut que les transformations de mouvement posent des problèmes particuliers quand elles s'appliquent à des syntagmes prépositionnels compléments de noms. C'est ainsi que, pour certains sujets, (51) (a), quoique incontestablement meilleur que (51) (b), n'est pas tout à fait acceptable. De même, certains sujets semblent faire une distinction entre (62) (a) et (b) :

(62) (a)   ? c'est d'Aristote que j'ai vu le portrait par Rembrandt
    (b)   c'est Aristote dont j'ai vu le portrait par Rembrandt

D'autre part, les phrases suivantes, correspondant à (45) et à (47), sont exclues :

(63) (a)   * par qui as-tu vu le (un) portrait d'Aristote?
    (b)   * c'est par Rembrandt que j'ai vu le (un) portrait d'Aristote
    (c)   * Rembrandt, par qui j'ai vu le (un) portrait d'Aristote,...
(64) (a)   * pour qui méprises-tu la haine des Nazis?
    (b)   * c'est pour les Juifs que je méprise la haine des Nazis
    (c)   * les Juifs, pour qui je méprise la haine des Nazis

Si on considère aussi l'impossibilité de dériver (65) (a) de la structure sous-jacente (65) (b) :

(65) (a)   * c'est aux ennemis que César a décrit la reddition de la ville
    (b)   César a décrit [$_{NP}$ la reddition de la ville aux ennemis]

on est amené à poser une contrainte très générale, interdisant de déplacer à gauche un syntagme prépositionnel enchâssé dans un NP, si la préposition est différente de *de*. (Et même pour *de*, il y aurait certaines restrictions.)

Ce n'est pas ici le lieu d'étudier cette nouvelle contrainte. Toutefois certains faits laissent à penser qu'il s'agit ici également de stratégies de perception, différentes de celles considérées dans ce chapitre.

Tout d'abord, la différence faite par cette contrainte entre *de* et les autres prépositions doit attirer notre attention. Les contraintes ordinaires sur les transformations ne sont habituellement pas sensibles à ce genre de différences.

En second lieu, l'exemple (65) est très instructif. (65) (a) est en effet tout à fait acceptable s'il correspond, non à (65) (b), mais à (66) :

(66)   César a décrit aux ennemis la reddition de la ville

De même, (64) (b) par exemple devient acceptable si on le comprend comme une paraphrase approximative de (67) :

(67)   c'est par égard pour les Juifs que je méprise la haine des Nazis

Autrement dit, quand *à NP* ou *pour NP* sont des compléments de verbe ou de phrase, ils peuvent parfaitement être déplacés. Ceci suggère qu'il existe une hiérarchie fonctionnelle des syntagmes prépositionnels, selon qu'ils sont compléments de verbe (ou de phrase), ou compléments de nom. La fonction principale d'un syntagme en *à NP*, *pour NP*, *par NP*, etc., est d'être un complément de verbe (ou de phrase); ces syntagmes ne sont compléments de noms que secondairement. Quand un syntagme de ce type apparaît, par exemple, dans le contexte *c'est —— que...*, une stratégie de reconnaissance l'interpréterait en priorité comme un complément de verbe ou de phrase. En revanche, la fonction des syntagmes en *de NP* comme compléments de noms est au moins aussi importante que leur fonction comme compléments de verbe ou de phrase (*de* est la préposition « non-marquée » dans les NP). C'est ce qui expliquerait les différences de comportement de ces syntagmes relativement aux transformations de mouvement. Il faut dire toutefois que ceci n'expliquerait pas vraiment pourquoi des phrases telles que celles de (63)-(64) sont totalement exclues. Les faits demandent donc à être regardés de plus près.

3. *Les phrases interrogatives*. La syntaxe des phrases interrogatives pose en français des problèmes très compliqués, que je n'ai pas la prétention de résoudre ici (voir Kayne, 1972, pour certains aspects de leur étude). Je voudrais cependant indiquer que certains au moins de ces problèmes sont du même type, et doivent être traités de la même manière, que ceux que nous venons d'envisager.

On sait que la dérivation des interrogatives fait intervenir la règle dite en anglais de WH-FRONTING, cas particulier de (21), qui place en tête de phrase le syntagme interrogatif. C'est cette règle qui rend compte de la place de *où* dans (68) (b) :

(68) (a)   Pierre travaille à Vincennes
     (b)   je voudrais savoir *où* Pierre travaille

Cette règle s'applique à vide dans le cas où le syntagme interrogatif est le sujet de la phrase, cf. :

(69)   je voudrais savoir *qui* travaille à Vincennes

(70)   *qui* est venu hier?

Après l'application de WH-FRONTING peut intervenir une règle qui permute le sujet et le verbe, règle que, suivant Kayne (1969, 1972), j'appellerai INVERSION STYLISTIQUE [11] et que je formulerai, toujours d'après Kayne, et en simplifiant, de la manière suivante :

(71)   INVERSION STYLISTIQUE : X *wh* NP V Y
                       1 2 3 4 5 $\Rightarrow$ 1 2 4 3 5
(où *wh* représente un syntagme interrogatif)

En simplifiant toujours beaucoup, la dérivation de la phrase (72) peut être représentée comme en (73) :

(72)   où travaille Pierre?

(73)   BASE : Pierre travaille où $\rightarrow$ (WH-FRONTING) $\rightarrow$
       où Pierre travaille $\rightarrow$ (INV-STYL) $\rightarrow$
       où travaille Pierre

La règle (71) est d'une application très générale [12]. Elle peut notamment s'appliquer si le mot interrogatif placé en tête par WH-FRONTING est un objet direct. Soit une phrase transitive simple telle que (74) (a). Si on a une interrogative correspondante où le mot interrogatif est le sujet, on obtient (74) (b) (par application à vide de WH-FRONTING), et si le mot interrogatif est l'objet, on obtient (74) (c), par WH-FRONTING et INV-STYL :

(74) (a)   Pierre a mangé une pomme
    (b)   *qui* a mangé une pomme?
    (c)   *qu'*a mangé Pierre?

---

11. Avec Kayne (1972), je rappelle que cette règle est tout à fait différente de celle (dite par Kayne de SUBJECT-CLITIC INVERSION) qui intervient dans la dérivation de (*Pierre*) *est-il venu?* Je ne m'occuperai pas du tout ici de ce type de phrases interrogatives.
12. Elle s'applique ailleurs que dans les interrogatives, cf. *l'homme qu'a rencontré Pierre*. Elle est aussi soumise à diverses restrictions supplémentaires, qui ne m'intéressent pas ici. (Voir Kayne, 1972.)

Le problème qui nous intéresse se pose si on considère les phrases suivantes, (75), apparemment strictement parallèles à (74), avec la seule différence que, dans (74), l'objet est [— humain], alors qu'il est [+ humain] dans (75) :

(75) (a)   Pierre a rencontré Paul
    (b)   *qui* a rencontré Paul?
    (c)   * *qui* a rencontré Pierre?

Il est immédiatement clair que les raisons de l'inacceptabilité de (75) (c) ne tiennent ni à l'impossibilité d'avoir *qui* comme objet direct en tête de phrase (cf. (76)), résultat de l'application de l'inversion du pronom enclitique sujet et de l'auxiliaire; voir note 10), ni à une restriction sur INVERSION STYLISTIQUE si l'objet est marqué [+ humain], cf. (77) :

(76)   qui Pierre a-t-il rencontré?

(77)   l'homme qu'a rencontré Pierre

Il est intuitivement assez évident que l'impossibilité de (75) (c) est liée à l'impossibilité de trouver, dans la structure superficielle, le moindre indice, structural, morphologique ou autre, permettant d'y distinguer le sujet de l'objet. Autrement dit, (75) (c) présente un cas d'ambiguïté structurale absolue. Nous sommes donc à nouveau obligés, soit d'imposer une condition *ad hoc*, similaire à (23) ou à (53), sur la règle (71), soit de recourir à une stratégie de perception analogue à (27) ou à (54).
Je ne prendrai pas la peine de formuler une condition sur (71) (on va vite voir que c'est en fait impossible), et je proposerai tout de suite la stratégie suivante :

(78)   STRATÉGIE III : Dans une phrase de forme X *qui* V NP Y, où *qui* est un mot interrogatif, en l'absence de tout critère morphologique ou sémantique permettant de différencier le sujet de l'objet, la position /V —— est celle de l'objet [13].

Dans le cas des interrogatives, les indices que le recours à la stra-

---

13. La variable X de (78) est nécessaire, étant donné qu'on a exactement les mêmes types de faits dans les interrogatives indirectes, cf. *je voudrais savoir qui a rencontré Pierre.*

tégie (78) est préférable à une condition sur la transformation (71) sont beaucoup plus nets que dans le cas des compléments adnominaux ou même des factitives. Je n'ai pas, pour le moment, d'explication de ces différences.

Tout d'abord, notons que, avec un bel ensemble, les grammairiens traditionnels donnent le risque d'ambiguïté comme explication de l'inacceptabilité des phrases du genre de (75) (c) (cf. Martinon, 242, n. 2, Grevisse, 130, Wagner-Pinchon, 535, Chevalier *et alii*, 93). En fait, comme dans le cas des factitives, les phrases (75) (b)-(c) semblent bien être perçues comme ambiguës par beaucoup de sujets, quoique avec une prédominance massive de la lecture où *qui* est sujet.

Ensuite, les différences morphologiques rendent plus acceptables des phrases qui ont par ailleurs exactement la même dérivation que (75) (c), cf. (80) en face de (79), et (82) en face de (81) :

(79) (a)   cet imbécile critiquer*a* Pierre
     (b)   * qui critiquer*a* cet imbécile?

(80) (a)   ces imbéciles critiquer*ont* Pierre
     (b)   qui critiquer*ont* ces imbéciles?

(81) (a)   ce conférencier ci*te* cet auteur
     (b)   * quel auteur ci*te* ce conférencier?

(82) (a)   ce conférencier *a* cité divers auteurs
     (b)   quels auteurs *a* cités ce conférencier?

Il est même vraisemblable qu'il existe des différences d'acceptabilité quand on passe de la langue parlée à la langue écrite, différences dues à la présence, dans la langue écrite, de différenciations morphologiques qui n'existent pas dans la langue parlée, cf. les phrases suivantes, qui, écrites, me paraissent assez naturelles, et qui, parlées, seraient extrêmement douteuses :

(83) (a)   que*ls* auteu*rs* ci*te* c*e* conférencier?
     (b)   que*l* anima*l* mang*ent* ce*s* poisson*s*?
     (c)   qui frapp*ent* ce*s* policier*s*?

En troisième lieu, le degré d'acceptabilité des interrogatives en question peut être amélioré par le jeu des restrictions de sélection ou par des données sémantiques permettant de désambiguër la construction. Ainsi, le verbe *concerner* exige un sujet abstrait et peut avoir un objet humain, cf. (84) (a)-(b); aussi, (84) (c) est sans ambiguïté, et acceptable pour beaucoup de sujets [14] :

(84) (a)   cette décision concerne Pierre

    (b)   * Pierre concerne $\left\{ \begin{array}{l} \text{Paul} \\ \text{cette décision} \end{array} \right\}$

    (c)   qui concerne cette décision?

De même, *réunir* exige un objet [— sémantiquement singulier] (voir le chap. III); cf. (85) (a)-(b). Aussi (85) (c) est-il acceptable :

(85) (a)   l'entraîneur a réuni l'équipe de rugby
    (b)   * l'équipe de rugby a réuni l'entraîneur
    (c)   quelle équipe a réuni l'entraîneur?

Les facteurs qui permettent de désambiguër une interrogative, la rendant du même coup plus acceptable, relèvent parfois, à la limite, de la connaissance du monde qu'ont les sujets parlants. Considérons, par exemple, le verbe *commander*; dans un monde « normal », où l'« ordre » règne, la phrase (86) (a) est toute naturelle, et (86) (b) pour le moins bizarre :

(86) (a)   ces officiers commandent ces soldats
    (b)   ces soldats commandent ces officiers
    (c)   quels soldats commandent ces officiers?

(86) (c) est en principe ambiguë : elle représente une interrogative correspondant soit à (86) (a) soit à (86) (b); cependant, dans ce

---

14. Quoique d'autres sujets la trouvent très douteuse. Je reviendrai brièvement dans la conclusion sur cette variabilité des intuitions. On a les mêmes problèmes avec une phrase telle que *qui amuse cette histoire?* Quoique sans ambiguïté, elle est rejetée par certains et acceptée par d'autres. Enfin, signalons que les phrases suivantes :

(i)   qui a réuni l'entraîneur? —— (Il a réuni Pierre, Paul et Jacques)

(ii)   qui commandent ces officiers? —— (Ils commandent ces fantassins)

me paraissent plus douteuses que (85) (c) ou (86) (c). Cela tient sans doute au fait que, dans celles-ci, où seul le déterminant (*quel*) est questionné, la présence d'un nom lexicalement plein précise immédiatement les relations sémantiques avec le verbe, ce qui n'est pas le cas dans (i) et (ii). Par exemple, *réunir* exige un objet [— sémantiquement singulier], et *quelle équipe* est marqué explicitement de ce trait, tandis que *qui* est non-spécifié en termes de ce trait. (Notons que *qui a-t-il réuni* est parfait.)

monde « normal », il me semble bien que l'interprétation la plus naturelle sera celle qui fera correspondre (86) (c) à (86) (a) — autrement dit, la hiérarchie des lectures est l'inverse de celle qu'on trouve, par exemple, pour (75) (c). Mais il n'est pas difficile d'imaginer une situation — celle de la Russie révolutionnaire en 1917 par exemple — où (86) (b) serait devenue naturelle; je ne serais pas étonné qu'alors les conditions de lectures de (86) (c) en soient modifiées. De même, une phrase telle que (81) (b) me paraît personnellement relativement acceptable, sans doute parce qu'il me semble plus naturel qu'un conférencier cite un auteur que l'inverse. Et ainsi de suite.

4. A la fin de la section 1, j'avais noté le caractère encore assez *ad hoc* de la stratégie (27). Il devrait être clair, dès maintenant, que les stratégies (27), (54), (78), présentent de très nettes similitudes; on devrait pouvoir les généraliser de telle manière qu'elles apparaissent comme des cas particuliers d'une stratégie générale.

Chacune de ces stratégies a pour fonction de déterminer, à partir d'une structure superficielle structuralement absolument ambiguë, quel élément correspond au sujet profond, et quel élément correspond à l'objet profond (direct ou indirect selon les cas). Reprenons l'essentiel de chaque stratégie :

(27) ··· la position /V (NP) —— est celle de OI

(54) ··· la position /N —— est celle de O

(78) ··· la position /V —— est celle de O

Une constatation s'impose : chaque stratégie interprète comme objet le syntagme qui occupe, dans la structure superficielle, la position où un objet est engendré en structure profonde. Ce fait suggère de remplacer les structures particulières (23), (42), (60), par une stratégie plus générale (je me limite ici aux cas d'ambiguïté structurale dus à deux occurrences d'une même catégorie) :

(87) STRATÉGIE IV : Toutes choses égales, en l'absence de marques morphologiques spéciales ou de différentiations lexico-sémantiques, chaque fois qu'une phrase est, dans sa structure superficielle, structuralement absolument ambiguë à cause de la double occurrence d'une même catégorie, elle n'est acceptable que (elle est acceptable

préférentiellement) dans la lecture où une au moins des deux occurrences occupe la position qu'elle occupait en structure profonde.

Notons que cette stratégie prédit aussi que des phrases dans lesquelles les occurrences de catégories identiques auraient été toutes deux déplacées de leur position en structure profonde sont plus inacceptables, dans leurs deux lectures; et c'est bien le cas, semble-t-il, cf. [15] :

(88) (a) l'homme à qui c'est $\left\{ \begin{array}{l} ?^* \text{ à} \\ \text{chez} \end{array} \right\}$ Pierre que j'ai fait porter ce message...

(b) Rembrandt, dont c'est $\left\{ \begin{array}{l} ^* \text{ Aristote dont} \\ ^* \text{d'Aristote que} \end{array} \right\}$ j'ai vu le portrait,...

(c) la femme dont j'ai vu $\left\{ \begin{array}{l} ?^* \text{ son} \\ \text{ce} \end{array} \right\}$ portrait est très belle

(où *son = de Rembrandt*).

Il serait évidemment nécessaire d'essayer d'appliquer cette stratégie à d'autres cas, et de vérifier si elle est vraiment générale. Dans le cadre de cet article, je ne pourrai pas me livrer à une étude exhaustive de la question. Je signalerai seulement un autre cas où cette stratégie me semble être d'application.

Il s'agit de phrases telles que (89) (a)-(90) (a), qui, dans certaines conditions, peuvent être soumises à une transformation permutant l'objet et l' « attribut de l'objet », cf. (89) (b)-(90) (b) :

(89) (a) on a nommé ce pauvre type président
(b) on a nommé président ce pauvre type

(90) (a) je trouve tous ces bonshommes ridicules
(b) je trouve ridicules tous ces bonshommes

Dans ces phrases, l'objet et l'attribut de l'objet sont différenciés, soit par leur appartenance à des catégories différentes (NP et adjectif dans (90)), soit par leur structure interne (absence de déterminant du nom prédicatif dans (89)). Mais il n'en va pas toujours ainsi, cf. :

---

15. Si *le garçon à qui je lui ai fait porter ce message* est acceptable, c'est parce que l'enclitique *lui* ne peut ici être interprété que comme sujet (cf. la section 1.1).

(91) (a) ils ont surnommé le barbu le vieux sourd
     (b) ils ont surnommé le vieux sourd le barbu

Le fait est qu'il est extrêmement difficile d'admettre (91) (b) comme synonyme de (91) (a); alors que l'interprétation naturelle de (91) (a) est celle où un barbu porte le surnom de « le vieux sourd », l'interprétation naturelle de (91 (b) est celle où un vieux sourd porte le surnom de « le barbu »; ces faits suivent directement de (87), si on admet la structure profonde *verbe-objet-attribut*.

Toutefois, si les exemples de (91) confirment l'hypothèse exprimée en (87), d'autres phrases qui leur sont apparentées en offrent, à première vue, des contre-exemples, cf. :

(92) (a) ils l'ont surnommé le barbu
     (b) c'est le vieux sourd qu'ils ont surnommé le barbu

Des deux NP qui suivent le verbe en structure profonde, l'un a été déplacé, par PLACEMENT D'ENCLITIQUE ou par CLIVAGE. A première vue, (87) prédirait que celui qui reste à droite du verbe, *le barbu*, correspond à l'objet profond — autrement dit, ces phrases devraient avoir une interprétation voisine de (91) (a). Or, c'est le contraire qui est vrai; dans chaque cas, (92) signifie qu'un vieux sourd a été surnommé « le barbu ».

En fait, ces contre-exemples apparents s'expliquent par l'existence de contraintes indépendantes sur les « attributs de l'objet ». Ainsi, si (93) (b) est grammatical, (94) (b) (correspondant à (93)) est agrammatical :

(93) (a) ce pauvre type est président
     (b) ce pauvre type l'est (président)

(94) (a) on l'a nommé président
     (b) * on l'a nommé ce pauvre type

Dans le cas des phrases clivées, les faits sont moins nets que pour les enclitiques. Cependant, pour moi, d'une part, (95) est assez peu naturel, et n'est guère possible qu'avec un accent contrastif supplémentaire sur *président*; d'autre part, (92) (b), à condition de porter également un accent contrastif sur *le vieux sourd*, peut aussi recevoir l'interprétation de (91) (a) :

(95)   ? c'est président qu'on a élu ce pauvre type

Autrement dit, dans le cas normal, et pour des raisons indépendantes, dans des phrases telles que (89)-(91), seul l'objet direct peut être déplacé à gauche; aussi, le problème d'avoir à éviter l'ambiguïté structurale absolue ne se pose pas dans des phrases telles que (92).

5. Je ne m'étendrai pas ici sur les implications théoriques de la démarche suivie. L'aspect essentiel est qu'on y assiste à une redistribution des rôles, en quelque sorte, entre théorie de la compétence et théorie de la performance : des types de faits qui étaient décrits jusqu'à présent en termes — grammaticaux — de transformations ou de contraintes sur les transformations (ou sur les dérivations, comme chez Lakoff, 1969, 1971), sont maintenant décrits en termes de contraintes de comportement (*behavioral constraints*). Pour une élaboration théorique de cette nouvelle conception, je renvoie à Klima (à paraître) et à Bever (1970). Je m'arrêterai toutefois sur un ou deux points qui méritent une attention spéciale.

Tout d'abord, si la stratégie (87) se révèle efficace, cela tend à donner une certaine réalité psychologique à une notion de la structure profonde, voisine de celle de Chomsky (1965), qui est relativement peu « abstraite », et qui ne s'identifie pas à la structure sémantique; on a vu que des notions comme celles de sujet profond, d'objet (direct ou indirect) profond, jouent un rôle crucial dans cette formulation. Du même coup, ces analyses contribuent à mettre en doute la validité de certaines propositions qui ont été faites sur l'ordre (ou l'absence d'ordre) des éléments dans la structure sous-jacente des phrases : je pense aux systèmes proposés par Fillmore (1968) et par McCawley (1970).

Günther Brettschneider (communication personnelle) m'a fait remarquer qu'il serait peut-être possible de reformuler les stratégies de perception en se passant de toute référence à la structure profonde et aux fonctions syntaxiques qu'elle définit. Les stratégies seraient définies directement en termes de fonctions sémantiques, agent, thème, bénéficiaire, etc. (cf. la conception des fonctions thématiques de Gruber, 1965, et Jackendoff, 1969; voir ici-même, chapitre v). Mais cette reformulation se heurte immédiatement à de multiples difficultés, cf. :

(96) (a)   Jean a loué cette maison à Pierre
     (b)   c'est à Jean que j'ai fait louer cette maison à Pierre
     (c)   * c'est à Pierre que j'ai fait louer cette maison à Jean
(97) (a)   Jean a acheté ce livre à Pierre
     (b)   c'est à Jean que j'ai fait acheter ce livre à Pierre
     (c)   * c'est à Pierre que j'ai fait acheter ce livre à Jean

(96) (a) et (97) (a) sont ambiguës, mais pour des raisons différentes; dans un cas, cela tient à l'ambiguïté lexicale de *louer*; dans l'autre, cela tient au fait que l'objet indirect de *acheter* peut exprimer aussi bien la source que le destinataire de l'achat. Dans un cas comme dans l'autre, les fonctions sémantiques de l'objet indirect sont très différentes selon la lecture choisie. Quelle que soit la lecture, cependant, les phrases (96) (b)-(c) et (97) (b)-(c) se comportent exactement comme le prédit la stratégie (87).

Les faits suivants sont encore plus frappants :

(98) (a)   Pierre méprise Paul
     (b)   qui méprise Paul?
     (c)   * qui méprise Pierre?
(99) (a)   Pierre dégoûte Paul
     (b)   qui dégoûte Paul?
     (c)   * qui dégoûte Pierre?

Le rapport sémantique entre le sujet et l'objet est à peu près exactement inverse dans (98) de ce qu'il est dans (99) (cf. le chapitre v). Or, les phrases (98) (b)-(c) et (99) (b)-(c) se comportent exactement de la même manière, comme le prédit la stratégie (87), si on définit *Pierre* et *Paul* comme étant, respectivement, le sujet et l'objet profond de (98) (a) et (99) (a). Il est donc clair que les stratégies de perception ne peuvent pas se passer de recourir à ces notions, relativement abstraites, de fonctions syntaxiques profondes (sujet, objet direct ou indirect, etc.), fonctions qui ne s'identifient pas directement à des fonctions sémantiques.

Il importe sans doute aussi, par ailleurs, d'indiquer en quel sens les stratégies proposées diffèrent des contraintes transdérivationnelles qui ont été proposées par Lakoff (1970 b). Lakoff a en effet suggéré d'enrichir la théorie grammaticale de mécanismes qui, dans certaines conditions, bloquent une dérivation si celle-ci « se rencontre », à un certain stade, avec une autre. A première vue, on pourrait en effet croire que les stratégies perceptives sont simplement des variantes notationnelles des contraintes transdérivationnelles. Il n'en est rien, cependant, et pour deux raisons. Tout d'abord, les contraintes transdérivationnelles, outre leur énorme puissance, n'ont pas de caractère explicatif : si on considère les exemples donnés par Lakoff, on s'aperçoit qu'elles donnent simplement un moyen de formuler les faits d'une manière précise, sans plus; les stratégies perceptives, au contraire, représentent des applications particulières, au plan du langage, de mécanismes psychologiques qui, à la fois, sont spécifiques, et ont un champ d'application qui déborde ce plan; on peut donc espérer qu'une théorie linguistique recourant, d'une part, à des mécanismes grammaticaux dont la puissance reste restreinte, et, d'autre part, à des mécanismes perceptifs de caractère également spécifique, pourra circonscrire beaucoup plus nettement les caractères du langage humain qu'une théorie admettant des mécanismes aussi puissants que les contraintes dérivationnelles et transdérivationnelles.

En second lieu, et ceci est plus important, les contraintes transdérivationnelles, comme les transformations et les contraintes sur les transformations, ont un caractère de tout ou rien : elles peuvent bloquer, ou non, à un certain stade, une dérivation par comparaison avec une autre dérivation, mais c'est tout. Or, comme on l'a vu dans le cas des constructions factitives et plus nettement encore dans celui des interrogatives, les faits qu'on a étudiés sont d'une tout autre nature : comme on l'a vu, il ne s'agit pas simplement de bloquer certaines constructions (dans une certaine lecture), parce qu'elles sont structuralement ambiguës : ce blocage n'est en quelque sorte qu'une situation-limite. Si une contrainte transdérivationnelle est capable de bloquer la dérivation de (75) (c) (*qui a rencontré Pierre?*) à partir de *Pierre a rencontré wh + PRO* par référence à la dérivation possible de cette même phrase à partir de *wh + PRO a rencontré Pierre*, non seulement elle n'explique rien, mais, en outre, elle est incapable de rendre compte du fait qu'il ne s'agit pas ici d'une différence entre grammatical et agrammatical, entre les deux lectures possibles de (75) (c), mais plutôt d'une hiérarchie entre ces deux lectures. De plus, elle est incapable de rendre compte de ce que, pour beaucoup de sujets, des phrases telles que (84) (c) *qui concerne cette décision*, ou encore (cf. note 14) *qui amuse cette histoire*, tout en étant meilleures que (75) (c), restent encore assez douteuses; or il est clair que tous ces faits sont liés, et le recours à diverses stratégies, opérant sur des aspects distincts de la syntaxe, de la morphologie et de la sémantique semble seul capable de rendre compte de ce qu'ils ont de commun et de différent à la fois.

Ceci m'amène à une remarque finale. Une des choses les plus

frappantes, et de celles auxquelles cet article n'apporte pas de solution, tient aux variations considérables des intuitions d'un sujet à l'autre, en ce qui concerne notamment les interrogatives. Pour certains de mes informateurs, par exemple, dès que la désambiguation est possible, pour une raison ou l'autre, toutes les questions à INVERSION STYLISTIQUE sont acceptables — seules les phrases du type de (75) (c) sont exclues (ou plutôt considérées moins bonnes); pour d'autres, toutes les phrases du type de (79)-(86) sont plutôt inacceptables, et on trouve également divers dialectes intermédiaires (il y a d'ailleurs même des sujets pour qui toutes les phrases de forme *qui V NP?* sont relativement douteuses, même si *qui* est interprété comme sujet). Je ne prétends pas avoir ici d'explication à ces différences, mais il me semble qu'une analyse qui se contenterait de distinguer différents dialectes et de décrire chacun d'eux en termes de règles et de contraintes grammaticales différentes, resterait superficielle. Au contraire, on peut entrevoir comment une analyse faite en termes de l'interaction des règles grammaticales et de stratégies variées pourrait permettre d'élucider ces faits. Klima et Bever ont insisté sur le fait que les divers systèmes (les divers systèmes de règles grammaticales, les diverses stratégies perceptives, etc.) qui déterminent le fonctionnement du langage adulte, sont tous appris en même temps, et qu'il y a entre eux une interaction mutuelle; en particulier, « the way we use a language as we learn it can determine the manifest structure of language once we know it » (Bever, 1970). Il est parfaitement possible que l'interaction entre ces différents systèmes, au niveau de l'apprentissage, permette un certain jeu, puisse se faire de manières différentes, ce qui rendrait compte des différences d'intuition selon les sujets, sans que pour cela on doive supposer des mécanismes, et encore moins des grammaires, fondamentalement différents d'un sujet à l'autre. Ceci est évidemment très spéculatif, et il faudra sûrement des recherches psycholinguistiques longues et variées avant que nous ne dépassions ce stade.

Bibliographie

La mention ed(s). *ne désigne pas nécessairement les seuls auteurs d'un ouvrage, mais ceux qui ont assuré la direction d'un recueil (les* editors *au sens américain).*

Akmajian, Adrian, 1970, « On deriving cleft sentences from pseudo-cleft sentences », *Linguistic Inquiry* 1.2, 149-168.

Anderson, Stephen, 1970, « On the linguistic status of the performative/constative distinction », *NSF Report*, n° 26, The Computation Laboratory of Harvard University, 1, 1-36.

Anderson, Stephen, 1971, « On the role of deep structure in semantic interpretation », *Foundations of Language* 7.3, 387-396.

Bach, Emmon, 1968, « Nouns and noun phrases » *in* Bach et Harms, eds., 91-122.

Bach, Emmon, et R. T. Harms, eds., 1968, *Universals in Linguistic Theory*, New York, Holt, Rinehart and Winston.

Bar-Hillel, Yeoshua, 1971, « Out of the pragmatic wastebasket », *Linguistic Inquiry* 2.3, 401-407.

Bever, T. G., 1970, « The cognitive basis for linguistic structures » *in* J. Hayes, ed., *Cognition and the Development of Language*, New York, Wiley, 279-362.

Bever, T. G., et D. T. Langendoen, 1971, « A dynamic model of the evolution of language », *Linguistic Inquiry* 2.4, 433-463.

Bierwisch, Manfred, 1968, « Two critical problems in accent rules », *Journal of Linguistics* 4.2.

Bierwisch, Manfred, 1970, « On classifying semantic features » *in* Bierwisch et Heidolph, eds., 27-50.

Bierwisch, Manfred, et K. E. Heidolph, eds., 1970, *Progress in Linguistics*, La Haye, Mouton.

Blinkenberg, Andreas, 1960, *Le Problème de la transitivité en français moderne*, Copenhague, Munksgaard.

Bresnan, Joan, 1968, « On instrumental adverbs and the concept of deep structure », *Quarterly Progress Report* n° 92, Research Laboratory of Electronics, MIT, 365-375.

Bresnan, Joan, 1970, « On complementizers : towards a syntactic theory of complement types », *Foundations of Language* 6.3, 297-321.

Bresnan, Joan, 1971, « On sentence stress and syntactic transformations », *Language* 46.4.

Bresnan, Joan, 1972, *The Theory of Complementation in English Syntax*, Ph. D. Diss., MIT (inédit).

289

CHAPIN, Paul, 1967, *On the Syntax of Word-Derivation in English*, The MITRE Corporation, Bedford, Mass.

CHEVALIER, Jean-Claude *et alii.*, 1964, *Grammaire Larousse du Français contemporain*, Paris, Larousse.

CHOMSKY, Noam, 1957, *Syntactic Structures*, La Haye, Mouton (trad. franç., Ed. du Seuil, 1969).

CHOMSKY, Noam, 1964, *Current Issues in Linguistic Theory*, La Haye, Mouton.

CHOMSKY, Noam, 1965, *Aspects of the Theory of Syntax*, Cambridge, Mass., MIT Press (trad. franç. Ed. du Seuil, 1971).

CHOMSKY, Noam, 1968, *Language and Mind*, New York : Harcourt and Brace (trad. franç. *Le Langage et la Pensée*, Payot, 1970).

CHOMSKY, Noam, 1969, « Form and meaning in natural languages » *in* J. D. Roslansky, ed., *Communication*, Amsterdam, North-Holland, 64-85.

CHOMSKY, Noam, 1970, « Remarks on nominalizations » *in* Jacobs et Rosenbaum, eds., 184-221.

CHOMSKY, Noam, 1971, « Deep structure, surface structure, and semantic interpretation » *in* Steinberg et Jakobovits, eds., 183-216.

CHOMSKY, Noam, 1972, « Some empirical issues in the theory of transformational grammar » *in* Peters, ed.

CHOMSKY, Noam, à paraître, « Conditions on transformations », *in* S. Anderson et P. Kiparsky, eds., *Studies Presented to Morris Halle*, New York, Holt, Rinehart and Winston.

CHOMSKY, Noam, et Morris HALLE, 1968, *The Sound Pattern of English*, New York, Harper and Row.

CLEDAT, L., 1900, « *De* et *par* après les verbes passifs » *Revue de Philologie française*, 14, 218-233.

DELL, François, 1970, *Les Règles phonologiques tardives et la morphologie dérivationnelle du français*, Ph. D. Diss., MIT, inédit.

DOUGHERTY, Ray C., 1969, « An interpretive theory of pronominal reference » *Foundations of Language*, 5.4, 488-519.

DOUGHERTY, Ray C., 1970 *a*, « Recent studies on language universals », *Foundations of Language* 6.4, 505-561.

DOUGHERTY, Ray C., 1970 *b*, « A grammar of coordinate conjoined structures », I : *Language* 46.4 (1970), 850-898, II : *Language* 47 (1971).

DUBOIS, Jean, 1967, *Grammaire structurale du français.* II : *Le verbe*, Paris, Larousse.

DUBOIS, Jean, 1969, *Grammaire structurale du français.* III : *La phrase et les transformations*, Paris, Larousse.

DUBOIS, Jean *et alii*, 1966, *Dictionnaire du français contemporain*, Paris, Larousse.

DUCROT, Oswald, à paraître, *Dire et ne pas dire*, Paris, Hermann.

DUCROT, Oswald, et Tzvetan TODOROV, 1972, *Dictionnaire encyclopédique des Sciences du langage*, Paris, Seuil.

EMONDS, J. E., 1969, *Root and Structure-Preserving Transformations*, Ph. D. Diss., MIT, distribué par le Linguistic Club de Indiana University, Bloomington, Indiana.

EMONDS, J. E., 1972, « Extraposition » *in* P. S. Peters, ed.

EMONDS, J. E., à paraître, « Evidence that indirect object movement is a structure-preserving rule », *Foundations of Language* (stencilé, Université de Paris VIII).

FAUCONNIER, Gilles, 1971, *Theoretical Implications of Some Global Phenomena in Syntax*, Ph. D. Diss., University of California at San Diego, inédit.

FILLMORE, C. J., 1968, « The case for case » *in* Bach et Harms, eds., 1-88.

FILLMORE, C. J., 1970, « The grammar of hitting and breaking » *in* Jacobs et Rosenbaum, eds.

FILLMORE, C. J., et D. T. LANGENDOEN, eds., 1971, *Studies in Linguistic Semantics*, New York, Holt, Rinehart and Winston.

FODOR, J. A., 1970, « Three reasons for not deriving *kill* from *cause to die* », *Linguistic Inquiry* 1.4, 429-438.

GAATONE, David, 1970, « La transformation impersonnelle en français », *Le français moderne* 38, 389-411.

GARCIA, Erica, 1967, « Auxiliaries and the criterion of simplicity », *Language* 43, 853-870.

GLEITMAN, Lila, 1969, « Coordinating conjunctions in English » *in* Reibel et Schane, eds., 80-112.

GOUET, Michel, 1971, « Lexical problems raised by some of the' Foutre '-constructions », *Studies out in Left Field*, Chicago, 79-85.

GRICE, H. P., 1970, *Logic and Conversation*, inédit, University of California at Berkeley (à paraître, Harvard University Press).

GRINDER, John et Paul M. POSTAL, 1971, « Missing antecedents », *Linguistic Inquiry* 2.3, 269-312.

GROSS, Maurice, 1967, « Sur une règle de cacophonie », *Langages*, 7, 105-119.

GROSS, Maurice, 1968, *Grammaire transformationnelle du français : Syntaxe du verbe*, Paris, Larousse.

GROSS, Maurice, 1969, *Lexique des constructions complétives*, Paris, Laboratoire d'Automatique documentaire et linguistique du C.N.R.S., miméographié.

GROSS, Maurice, Morris HALLE et H. P. SCHÜTZENBERGER, eds., à paraître : *Formal Analysis of Natural Languages*, La Haye, Mouton.

GRUBER, Jeffrey, 1965, *Studies in Lexical Relations*, Ph. D. Diss., MIT (distribué par le Linguistic Club de Indiana University).

GRUBER, Jeffrey, 1967, *Function of the Lexicon in Formal Descriptive Grammar*, Santa Monica, California : Systems Development Corporation, TM-3770/000/00.

HAASE, A., 1965, *Syntaxe française du XVIIe siècle*, Paris, Delagrave.

HALL, Barbara, 1965, *Subject and Object in Modern English*, Ph. D. Diss., MIT, inédit.

HALL-PARTEE, Barbara, 1970, « Negation, conjunction, and quantifiers : Syntax vs. semantics », *Foundations of Language* 6.2, 153-165.

HALL-PARTEE, Barbara, 1971, « On the requirement that transformations preserve meaning » *in* Fillmore et Langendoen, 1-22.

HASEGAWA, Kinsuke, 1970, « Transformation and semantic interpretation » *NSF Report* n° 26, The Computation Laboratory of Harvard University.

HATCHER, A. G., 1944 *a*, « *Il tend les mains* vs *il tend ses mains* », *Studies in Philology* 41, 457-481.

HATCHER, A. G., 1944 *b*, « *Il me prend le bras* vs *il prend mon bras* », *Romanic Review* 35, 156-164.

HELKE, Michael, 1970, *The Grammar of English Reflexives*, Ph. D. Diss., MIT, inédit.

JACKENDOFF, Ray S., 1969 a, « An interpretive theory of negation », *Foundations of Language* 5.2, 218-241.

JACKENDOFF, Ray S., 1969 b, *Some Rules of Semantic Interpretation for English*, Ph. D. Diss, stencilé, MIT.

JACKENDOFF, Ray S., 1971 a, « Modal structure in semantic representation », *Linguistic Inquiry* 2.4, 479-514.

JACKENDOFF, Ray S., 1971 b, « On some questionable arguments about quantifiers and negation », *Language* 47.

JACKENDOFF, Ray S., à paraître, *Semantic Interpretation in Generative Grammar*, Cambridge, Mass., MIT Press (version revue de 1969 b).

JACKENDOFF, Ray S., et Peter CULICOVER, 1971, « A reconsideration of dative movements », *Foundations of Language* 7.3, 397-412.

JACOBS, Roderick et Peter S. ROSENBAUM, eds., 1970, *Readings in English Transformational Grammar*, Waltham, Mass., Ginn-Blaisdell.

JAKOBSON, Roman, 1965, « A la recherche de l'essence du langage », *Diogène* 51, 22-38.

KATZ, J. J., 1970, « Interpretative semantics vs. generative semantics », *Foundations of Language* 6.2, 220-259.

KATZ, J. J., 1971, « Generative semantics *is* interpretive semantics », *Linguistic Inquiry* 2.3, 313-331.

KATZ, J. J., 1972, *Semantic Theory*, New York, Harper and Row.

KATZ, J. J., et J. A. FODOR, 1963, « The structure of a semantic theory » in *Language* 39, 170-210.

KATZ, J. J., et P. M. POSTAL, 1964, *An Integrated Theory of Linguistic Descriptions*, Cambridge, Mass., MIT Press.

KAYNE, R. S., 1969, *The Transformational Cycle in French Syntax*, Ph. D. Diss., MIT, inédit.

KAYNE, R. S., 1972, « Subject inversion in French Interrogatives » *in* J. Casagrande et B. Saciuk, eds., *Generative Studies in Romance Languages*, Rowley, Mass., Newbury House (trad. franç. à paraître dans *Le Français moderne*, 1973).

KAYNE, R. S., à paraître, *French Syntax. The Transformational Cycle*, Cambridge, Mass., MIT Press (version revue de Kayne, 1969; trad. franç. en préparation aux Ed. du Seuil).

KIEFER, Ferenc et Nicolas RUWET, eds., 1972, *Generative Grammar in Europe*, Dordrecht, Holland : Reidel Publishers (*Foundations of Language Supplementary Series*).

KIMBALL, John, 1970, « *Remind* remains », *Linguistic Inquiry* 1.4, 511-523.

KIPARSKY, Paul et Carol KIPARSKY, 1970, « Fact » *in* Bierwisch et Heidolph, eds., 143-173.

KLIMA, E. S., 1964 a, « Negation in English » *in* J. A. Fodor et J. J. Katz, eds., *The Structure of Language*, Englewood Cliffs, New Jersey, Prentice-Hall, 246-323.

KLIMA, E. S., 1964 b, « Relatedness between grammatical systems », *Language* 40, 1-20; repris *in* Reibel et Schane, eds., 227-246.

KLIMA, E. S., à paraître, « Regulatory devices against functional ambiguity » *in* M. Gross, M. Halle et M. P. Schützenberger, eds.

KURODA, S.-Y., 1969, « Attachment transformations » *in* Reibel et Schane, eds., 331-351.

KURODA, S.-Y., 1970, « Some Remarks on English manner adverbials » *in* R. Jakobson et Sh. Kawamoto, eds., *Studies in General and Oriental Linguistics*, Tokyo, TEC Cº, 378-396.

LAKOFF, George, 1966, « Stative adjectives and verbs in English », *NSF Report*, nº 17, Harvard Computational Laboratory.

LAKOFF, George, 1968 *a*, « Instrumental adverbs and the concept of deep structure », *Foundations of Language* 4.1, 4-29.

LAKOFF, George, 1968 *b*, « On pronouns and reference », stencilé, Harvard University.

LAKOFF, George, 1969, « On derivational constraints », *Papers from the 5th Regional Meeting of the Chicago Linguistic Society*, University of Chicago, 117-139.

LAKOFF, George, 1970 *a*, *Linguistics and Natural Logic*, miméographié, The University of Michigan.

LAKOFF, George, 1970 *b*, « Some thoughts on transderivational constraints » miméographié, The University of Michigan.

LAKOFF, George, 1970 *c*, *Irregularity in Syntax*, New York, Holt, Rinehart and Winston; texte datant de 1965, et qui a d'abord circulé sous forme miméographiée.

LAKOFF, George, 1970 *d*, « Repartee », *Foundations of Language* 6, 389-422.

LAKOFF, George, 1970 *e*, « Global rules », *Language* 46.3, 627-639.

LAKOFF, George, 1971, « On generative semantics » *in* Steinberg et Jakobovits, eds., 232-296.

LAKOFF, George, à paraître, *Generative Semantics*, New York, Holt, Rinehart and Winston.

LAKOFF, George et P. S. PETERS, 1969, « Phrasal conjunction and symmetric predicates » *in* Reibel et Schane, eds., 113-142.

LAKOFF, George et J. R. ROSS, 1966, « Is deep structure necessary? », stencilé, MIT.

LEES, Robert B., 1960, *The Grammar of English Nominalizations*, Bloomington, Indiana, Indiana University Press.

LEES, Robert B. et E. S. KLIMA, 1963, « Rules for English pronominalization », *Language* 39, 17-28; repris dans Reibel et Schane, eds., 145-159.

MARTIN, Robert, 1970, « La Transformation impersonnelle », *Revue de Linguistique Romane*, 135-136 : 377-394.

MARTINON, Philippe, 1927, *Comment on parle en français*, Paris, Larousse.

McCAWLEY, J. D., 1968 *a*, « Concerning the base component of a transformational grammar », *Foundations of Language* 4.3, 243-269.

McCAWLEY, J. D., 1968 *b*, « The role of semantics in a grammar » *in* Bach et Harms, eds., 124-169.

McCAWLEY, J. D., 1968 *c*, « Lexical insertion in a transformational grammar without deep structure », *Papers from the 4th Regional Meeting of the Chicago Linguistic Society*, University of Chicago, 71-80.

McCAWLEY, J. D., 1970, « English as a VSO language », *Language* 46.

MOREAU, Marie-Louise, 1970, *Trois aspects de la syntaxe de C'EST*, Thèse de doctorat, université de Liège, inédit.

NEWMEYER, F. J., 1969, *English Aspectual Verbs*, University of Washington, Seattle.

NEWMEYER, F. J., 1970, « On the alleged boundary between syntax and semantics », *Foundations of Language* 6.2, 178-186.

PERLMUTTER, David, 1969, « Les Pronoms objets en espagnol », Paris, Larousse, *Langages* 14, 81-133.

PERLMUTTER, David, 1970, « The two verbs *begin* » *in* Jacobs et Rosenbaum, eds., 107-119.

PERLMUTTER, David, 1971, *Deep and Surface Structure Constraints in Syntax*, New York, Holt, Rinehart and Winston.

PETERS, P. S., ed., 1972, *Goals of Linguistic Theory*, Englewood Cliffs, New Jersey, Prentice-Hall.

PICABIA, Lélia, 1970, *Études transformationnelles de constructions adjectivales en français*, Paris, C.N.R.S., L.A.D.L.

POSTAL, Paul M., 1964, « Underlying and superficial linguistic structure », *Harvard Educational Review* 34, 246-266.

POSTAL, Paul M., 1970 *a*, « On the surface verb *remind* », *Linguistic Inquiry* 1.1, 37-120.

POSTAL, Paul M., 1970 *b*, « On coreferential complement subject deletion », *Linguistic Inquiry* 1.4, 438-500.

POSTAL, Paul M., 1971, *Cross-Over Phenomena*, New York, Holt, Rinehart and Winston.

POSTAL, Paul M., 1972, « A global constraint on pronominalization », *Linguistic Inquiry* 3.1, 35-59.

REIBEL, D. A., et S. A. SCHANE, eds., 1969, *Modern Studies in English*, Englewood Cliffs, N. J., Prentice-Hall.

ROHRER, Christian, 1971, *Funktionnelle Sprachwissenschaft und Transformationnelle Grammatik*, Munich, Fink Verlag.

RONAT, Mitsou, à paraître, « A propos du verbe *remind* selon Paul M. Postal », *SILTA* (Bologne).

ROSENBAUM, Peter S., 1967, *The Grammar of English Predicate Complement Constructions*, Cambridge, Mass., MIT Press.

ROSS, J. R., 1967, *Constraints on Variables in Syntax*, Ph. D. Diss., MIT, stencilé ; distribué par le Linguistic Club de Indiana University, Bloomington, Indiana.

ROSS, J. R., 1969 *a*, « Adjectives as noun phrases » *in* Reibel et Schane, eds., 352-360.

ROSS, J. R., 1969 *b*, « Guess who », *Papers from the 5th Regional Meeting of the Chicago Linguistic Society*, The University of Chicago, 252-286.

ROSS, J. R., 1970 *a*, « Auxiliaries as main verbs » *in* Todd, ed., *Philosophical Linguistics*, Series one, Evanston, Illinois, Great Expectations, 77-102.

ROSS, J. R., 1970 *b*, « Gapping and the order of constituents » *in* Bierwisch et Heidolph, eds., 249-259.

ROSS, J. R., 1970 *c*, « On declarative sentences » *in* Jacobs et Rosenbaum, eds., 222-272.

ROSS, J. R., 1972, « Doubl-Ing », *Linguistic Inquiry* 3.1, 61-86.

RUWET, Nicolas, 1967, *Introduction à la Grammaire générative*, Paris, Plon.

RUWET, Nicolas, 1969, ed., *Tendances nouvelles en Syntaxe générative* (= *Langages* 14), Paris, Larousse.

BIBLIOGRAPHIE

RUWET, Nicolas, en préparation, « Personnellement ».

SANDFELD, Kr., 1929, *Syntaxe du Français contemporain* : I. *Les Pronoms*, Paris, Champion.

SELKIRK, Lisa, 1970, « On the determiner system of noun phrase and adjective phrase », stencilé, MIT.

STEFANINI, Jean, 1962, *La Voix pronominale en Ancien et en Moyen Français*, Aix-en-Provence, Ophrys.

Table

IMP. BUSSIERE SAINT-AMAND (CHER)
D. L. 4e TR. 1972, No 3051. (974)